Annette Pas

Het land waar ik u lief heb

Uitgeverij
VRIJ
DAG

© 2009 – Annette Pas & Uitgeverij Vrijdag
Sint-Elisabethstraat 38a – 2060 Antwerpen
www.uitgeverijvrijdag.be

Omslagontwerp: Mulder van Meurs, Amsterdam
Foto auteur: Danny De Cock
Vormgeving: theSWitch, Antwerpen

NUR 301
ISBN 978 94 6001 041 5
D/2009/11.676/47

DEEL I: BÉRÉNICE

Hoofdstuk 1

Bérénice is de dochter van mijn broer. Toen hij stierf, in 2003, werd Bérénice in een instituut geplaatst. Ik besloot haar een bezoek te brengen. Meneer Abdullah, mijn goede vriend en een groter expert op het heikele terrein der vrouwen en kinderen dan ik ooit zal zijn, besloot mij te vergezellen teneinde morele steun en praktische adviezen te kunnen verstrekken. Hij puntte zijn baard bij. Hij trok zijn enige westerse kostuum aan.

'Dit is geen dag voor misplaatste trots,' verklaarde hij. 'Vandaag is een zeer belangrijke dag, het is geheel binnen de mogelijkheden dat gij vader zult worden. Wij moeten een goede indruk trachten te maken.'

Bij wijze van cultureel compromis bleef hij toch trouw aan zijn gewoonlijke veelkleurige hoedje, voor de gelegenheid getooid met een groene veer geleend van zijn papegaai. Ik droeg mijn vaders trouwkostuum dat zoals wij beiden meer dan een halve eeuw oud was, en bette mijn voorhoofd met een van wijlen mijn moeders grootste zakdoeken voor crisissituaties.

'Het is helemaal niet zeker dat ze bij mij zal komen wonen,' zei ik terwijl ik mijn lange spillebenen in meneer Abdullahs gedeukte, lichtblauwe camionetje vouwde. Ik constateerde een scherp voorwerp onder mij, verwijderde het hoefijzer waar ik per ongeluk op was gaan zitten en gooide het over mijn schouder de laadruimte in alvorens toe te voegen:

'Ze zullen het wellicht beter voor haar vinden om haar in het instituut te houden.'

'Hoe bedoelt ge, beter voor haar? Ze is nu úw kind.' Meneer Abdullah trok zijn wenkbrauwen op. 'Wie zijn "ze"?'

'Mensen die daar verstand van hebben,' zei ik. 'En die bevoegd zijn om voor kinderen te zorgen en om belangrijke beslissingen te nemen, omdat ze bijvoorbeeld tewerkgesteld worden door de gewesten of de gemeenschappen of de gemeentes of de gereet... pardon, regering.'

'Maar gij zijt *familie!*' zei meneer Abdullah. 'Hoeveel meer bevoegd kunt ge zijn? Zij is toch het kind van uw broeder, niet-waar?'

'Ja.'

'En er zijn geen andere bloedverwanten?'

'Neen.'

Bérénices moeder was een vrouw met paars krulhaar, die een poos bij mijn broer gewoond had doch hem kort na de geboorte van het kind verliet.

'Dan behoort zij nu aan u toe! Eenieder die waagt iets anders te beweren is zelf niet van al te goede familie. Geen paniek, beste man, ik zal u wel helpen om dat allemaal aan al die bevoegde mensen te expliceren,' sprak meneer Abdullah hartstochtelijk, zijn stuur vastgrijpend alsof hij een vurig strijdros aan de teugel reed. Toen wij de ringweg naderden, dreef hij zijn sporen diep in de flanken, sneed op zijn weg naar het linkerbaanvak twee enorme vrachtwagens de pas af en ging slechts eenmaal op de rem staan, toen hij een politieauto gewaarwerd die zich in de struiken had verscholen. De hoefijzers in het laadruim en ik werden heen en weer geslingerd op het ritme van meneer Abdullahs impulsieve rijstijl. Ik was blij drie zakdoeken te hebben meege-bracht. De eerste was al doorweekt en wij waren nog niet eens halverwege.

'Ik betwijfel of het voor haar werkelijk het beste zou zijn om bij mij te komen wonen,' zei ik. 'Ik ben drieënzestig jaar oud en ik heb enkel ervaring met voor mijzelf te zorgen, een taak die mij in het verleden al moeilijk genoeg is gebleken.'

'Ge hebt een hond!' sprak meneer Abdullah mij opgewekt tegen.

'Ik weet niet zeker of de eh, personen met bevoegdheid dit als voldoende garantie zullen beschouwen. Zoals de zaken ervoor staan weet ik helemaal niets van het opvoeden van kinderen af.'

'Geen enkel bezwaar. Ge zijt van het menselijke ras. Dat is alles wat gij nodig hebt,' luidde meneer Abdullahs prompte repliek. 'Vertrouw maar op Moeder Natuur.'

De vraag was of Moeder Natuur mij wel kon vertrouwen. In haar plaats zou ik daar eerst toch maar eens een nachtje over slapen. En waarschijnlijk geen oog dichtdoen.

'En wat als blijkt dat ik iemand ben in wie Moeder Natuur zich, eh, vergist heeft?' vroeg ik.

'Dan zal ik u wel helpen. Houd toch op met u overal zorgen over te maken, mijn beste! Wij zullen u allemaal helpen! En wat een Abdullah zegt, dat doet hij ook, dat zoudt gij onderhand toch moeten weten. Hoe ziet ze er trouwens uit, dit door God gezonden kind?'

'Eh... nogal klein, voor zover ik mij herinner.'

Ik had Bérénice eens gezien toen zij nog een baby was. Nadat Bérénices moeder hem verliet, verliet mijn broer ons moederland en reisde af naar het angstaanjagend drukbevolkte Nederland, alwaar ik hem enkele malen bezocht in zijn chaotische huis in Amsterdam. Ik herinnerde mij hoe ik Bérénice in een hoekje van de woonkamer had zien zitten, blokkenhuisjes bouwend met bierviltjes als dak. Ze droeg altijd hetzelfde minuscule roze pyjamaatje met twee kleine grijze olifantjes op haar borst, hun slurven vormden een hartje in het midden. In die dagen bleef ik gewoonlijk ver uit de buurt van vrouwen – en daarmede ook kinderen; een mens kan niet voorzichtig genoeg zijn – maar ik herinner mij toch wel degelijk één keer met Bérénice gesproken te hebben. Het risico om iets verkeerd te doen tegen een reeds moederloos kind in mijn broers reeds chaotische huiskamer zal mij wel zeer miniem geleken hebben. Toen mijn broer naar de keuken ging om een pint te halen, wandelde ik naar het hoekje waar het kind zat. Ik inspecteerde haar bouwwerk.

'Uw fundamenten zijn aan de zwakke kant,' vertelde ik haar, en toen probeerde ik haar te tonen hoe ze haar huisjes hoger kon bouwen door meer blokken in de eerste laag te gebruiken. Ze deinsde voor mij terug maar haar ogen volgden geïnteresseerd de bewegingen van mijn handen. Hoe oud zou ze toen geweest zijn? Rechtopstaand zal zij de lengte van een gemiddelde kees-hond hebben gehad (staart niet meegerekend); nog net niet groot genoeg om bij de deurklink te kunnen als ze op haar achterbenen balanceerde. Maar gevaarlijker tijden zouden ongetwijfeld snel aanbreken.

Meneer Abdullah onderbrak mijn gedachten.

'Ah, spoedig zal zij opgroeien tot een schone dochter op wie gij trots zult kunnen zijn, daar ben ik zeker van!' zei hij met dezelfde overtuiging waarmee hij mij elk kerstfeest vertelt dat mijn huis spoedig ook gevuld zal zijn met de stemmen van vrou-wen en kinderen. Toen trapte hij het gaspedaal in om een BMW de pas af te snijden op zijn weg naar de afrit. De BMW knipperde met zijn lichten en claxonneerde.

'Ah, wat een vriendelijke mensen op de weg vandaag,' vond meneer Abdullah. Hij wuifde vrolijk. Voor ik doorhad wat ik deed wuifde ik ook. Toen had ik beide handen nodig om mij aan mijn stoel vast te grijpen terwijl meneer Abdullah de afrit opraasde.

'Bé-ré-nice!' riep meneer Abdullah druk schakelend uit. 'Een naam voor een prinses! Berenika, Berenike, Bérénice! Een vrouw die geschiedenis zal schrijven,' concludeerde hij. 'Ze zal wel erg dankbaar zijn om eindelijk terug te kunnen keren naar het land van haar voorvaderen, denkt ge niet?'

Inderdaad, Bérénice had de eerste jaren van haar leven door-gebracht in Amsterdam, waar mijn broer zeer gelukkig had

8

geleefd alvorens hij op tragische wijze werd overreden door een melkboer. In zijn laatste woorden had hij uitdrukking gegeven van zijn irritatie aangaande de melkboer en van de wens dat zijn dochter op Belgische bodem op zou groeien. En zo kwam het dat Bérénice naar een instituut in de provincie van Antwerpen was gebracht.

'Heb je een kaart bij je?' vroeg ik meneer Abdullah. 'Ik ben er nog nooit geweest maar ik veronderstel dat het niet geapprecieerd zal worden als wij te laat komen. Hopelijk rijden we niet verloren.'

Meneer Abullah wees naar het handschoenenkastje. Ik vond vele kaarten maar ons nietige landje van zwaar bier en hopeloze strijd was er niet op terug te vinden.

'Geen paniek,' zei meneer Abdullah. 'Wij trekken ons plan wel.'

Drie uur later (en precies één minuut voor het officieel aflopen van het bezoekuur) parkeerde meneer Abdullah zijn strijdros op de parking van het instituut. Ik merkte tot mijn spijt op dat de plaats waar hij het parkeerde, gereserveerd was voor de strijdrossen van ridders met een iets hogere rang. Het bleek echter onmogelijk om hem ertoe te bewegen van plaats te veranderen.

'Beste man, dat plakkaat betekent dat deze plaats werd gereserveerd voor belangrijke mensen of noodsituaties. En wij zijn beiden, want we zijn gekomen om een nieuw kind in uw familie te verwelkomen!'

Mijn tweede zakdoek had ondertussen al het onderspit moeten delven aan het zweet dat met straaltjes van mijn voorhoofd afliep. Een verpleegster loodste ons door een lange gang met enorme, angstaanjagende bloemen met groteske gelaatsuitdrukkingen op de muur geschilderd.

'Dit was vroeger de kinderafdeling,' legde de verpleegster uit.

'Nu niet meer?' vroeg ik verrast. Ik had de avond voordien Bérénices leeftijd zo goed mogelijk uitgerekend. Ook al herinnerde ik mij de precieze datum van haar verjaardag niet meer, ik was er toch van overtuigd geweest dat zij nu vijf jaar oud moest zijn.

'Tegenwoordig is 't een afdeling voor kinderen en voor volwassenen,' zei de verpleegster. Ze hield halt voor een van de deuren. Achter die deur was er iemand heel luid aan het schreeuwen. De verpleegster gebaarde naar ons dat wij buiten moesten wachten terwijl zij naar binnen ging. Ze trok de deur achter zich dicht, doch zonder die op slot te doen. Meneer Abdullah interpreteerde dit als een invitatie om een zacht duwtje tegen de deur te geven en haar op een kier te zetten. Zo konden wij zien hoe de verpleegster op een van de patiënten, een man die minstens twee meter lang moest zijn, toeliep.

De reus kwam uit zijn bed, richtte zich in zijn volle lengte op, draaide zichzelf met zijn rug naar de verpleegster toe, en bood haar zijn handen aan. Ze bond die achter zijn rug vast. Naast mij hoorde ik hoe meneer Abdullahs adem stokte. Het geschreeuw kwam van een man in het bed naast dat van de geketende reus. Deze man was volledig in gips ingepakt dat slechts zijn gezicht en zijn handen vrij liet. Zijn gevloek was luid en onafgebroken.

Naast de geketende man en de man in het plaaster ontwaarden wij vier andere patiënten in de kamer. Een foutje op een van de naamplaatjes die aan de bedden waren vastgemaakt, leidde ons eerst naar het verkeerde bed – waar wij ons neerzetten met een al even tragische uitdrukking op ons gelaat. De verpleegster zette onze fout recht en verzekerde ons vergevingsgezind dat zulke vergissinkjes aan de lopende band gemaakt werden.

De eerlijkheid gebiedt mij te erkennen dat ik het kind niet had herkend. Ze zag er heel anders uit. Ik herinnerde me haar met vlechtjes. Die waren afgeknipt – nogal ongelijk, zoals ik later zou ontdekken. Ze was ongelooflijk mager en ongelooflijk bleek, je kon de blauwe adertjes onder haar huid zien, vooral in de buurt van haar voorhoofd en op haar armen. Ze droeg een lichtgroen pyjamavestje en een bruine broek, niets aan haar voeten. Ze lag op haar rug, zonder te bewegen, maar haar ogen waren geopend.

Wij zetten ons neer op twee stoelen die naast Bérénices bed stonden.

'Heilige Maagd Maria,' zei ik. 'Ze hebben haar ook vastgebonden.'

'Ze heeft mooie, intelligente ogen,' zei meneer Abdullah.

Een appel lag op Bérénice's platte borstkas. Ze kon er niet bij.

'Misschien heeft iemand die hier laten liggen en vergat die om hem aan haar te voeren,' opperde ik. 'Misschien omdat wij op het verkeerde moment zijn gearriveerd.'

Op dat ogenblik wandelde een andere patiënt, een klein jongetje, de kamer in, nam de appel, urineerde tegen het bed, maakte een vrij obsceen gebaar dat in het geheel niet gepast was voor zijn leeftijd, en rende weg.

'Ik heb nooit gedacht dat ik dit nog eens zou zeggen,' zei meneer Abdullah. 'Maar uw hond is beter afgericht dan die jongen.'

Wij wisten geen van beiden hoe te reageren. Een zuster roepen?

Ik peinsde over het kind. De enige reacties die onze aanwezigheid bij haar hadden uitgelokt waren pogingen om van ons weg te vluchten, maar de ketens verhinderen die. Een maatschappelijk werkster had mij iets verteld over een kwetsuur en over een achterstand die ze had opgelopen. Wat voor achterstand precies, vroeg ik mij af, en... hoe ver achter zou ze zijn?

Meneer Abdullah stak zijn hand uit in de hoop om het dichtst bij ons zijnde kleine bleke handje met zijn eigen lange donkere vingers aan te raken. Het handje schoot onmiddellijk weg, rukte aan de ketens. Meneer Abdullah trok zijn hand ook terug en gebruikte die in plaats daarvan om zijn mond te bedekken.

Ik bestudeerde het kind en trachtte te ontdekken of ze op mijn broer of op een van mijn ouders leek. Ik vond geen gelijkenissen maar ik ben ook nooit erg goed geweest in dat soort dingen. Ik zag wel dat haar het geluk ten deel was gevallen om totaal niet op mij te gelijken.

Op school zegden ze altijd dat ik op een clown gelijk; belachelijk van ver maar lelijk als de nacht van dichtbij. Mijn moeder had haar eigen mening, maar nadat ik de leeftijd van zeven jaren had bereikt kon zij mij niet langer overtuigen, want toen ik oud genoeg was om naar school te gaan, was ik ook groot genoeg om zelf in de spiegel te kunnen kijken en de weerzinwekkendheid van mijn grote neus, mijn onappetijtelijke, terugwijkende kin en mijn wilde, clownachtige haardos op te merken.

Bérénices haar was licht en dun. Ze had zeer fijne gelaatstrekken en, voor zover ik kon zien, alle juiste proporties, en het juiste aantal vingers en tenen – mager als ze waren. Over het geheel genomen zag ze er zeer, zeer klein en fragiel uit. Alles aan haar was werkelijk minuscuul, op haar oren en ogen na (die deden haar een beetje op een elfje gelijken, zoals ik er een plaatje van had gezien op een koffiekop die mij eens werd aangeboden door een Engelse collega). Ze weende, maar zonder geluid te maken.

'Ik stel voor dat we haar losmaken en zeer snel rennen,' zei meneer Abdullah na een blik over zijn schouder te hebben geworpen om er zeker van te zijn dat er geen verpleegsters meeluisterden.

'Ik vraag me af of ze wel kan lopen,' antwoordde ik en wees naar het linkerbeen dat in het gips zat.

'We dragen haar,' zei meneer Abdullah, 'en dan...'

Het was nogal moeilijk om een gesprek te voeren omdat de vloeken van de man in het plaaster zo luid waren. Hij worstelde met zijn gips en braakte een stortvloed van zeer politiek incorrecte verwensingen uit, die vooral gericht waren aan het adres van meneer Abdullah.

Meneer Abdullah stond op en wandelde naar de vloekende man toe.

'Wat ga je doen?' vroeg ik verbijsterd.

'Geen paniek,' zei meneer Abdullah, 'ik weet precies waar ik mee bezig ben. Het enige wat die man wil is een beetje aandacht. Dat is uiteindelijk wat iedereen wil, vertrouw mij maar.'

Hij liep naar het bed van de vloekende man en stak zijn hand uit. De man, waarschijnlijk net zo verbaasd als ik, hield zijn mond, en meneer Abdullah schudde zijn hand.

'Goedemiddag mijnheer, aangename kennismaking. Abdalrahman Abdullah, tot uw dienst! Met wie heb ik de eer?'

De man trok zichzelf aan meneer Abdullahs hand omhoog en liet zichzelf en zijn zware gipsverband op de ongewenste bezoeker neerstorten. Toen probeerde hij in meneer Abdullahs oor te bijten. Meneer Abdullah slaakte een hoge gil. Ik rende ernaartoe en probeerde de plaasteren man van meneer Abdullah af te trekken. Op dat ogenblik gaf de reus in het bed ernaast een luide schreeuw, brak zijn ketens en sprong bovenop mij. Zijn vingers verstrengelden zich in mijn grijze lokken.

Er was een volledig team van forse mannelijke verplegers en een grote injectienaald voor nodig om ons allemaal weer uit de knoop te halen.

'Het is al lang geleden dat 'em nog zo'n schoon hoofd met haar heeft gezien,' zei een van de mannelijke verplegers over de reus die nog steeds enkele plukken grijs haar in zijn handen klemde en nu als een razende in zijn polsen beet.

'Hier knippen we altijd alles af.'

'Daar kan ik inkomen,' zei ik, over mijn nieuwe kale plekken wrijvend.

'De Léopold is weer losgeraakt,' zei de mannelijke verpleger tegen een andere mannelijke verpleger die ons gezelschap zojuist had vervoegd met een extra injectienaald.

'Wat heeft hem deze keer uit zijn pijp doen schieten?' vroeg de andere mannelijke verpleger. 'Weeral een geval van vrouwenhaar?'

'Jammer genoeg wel. Ho, pardon, meneer, 't was niet op die manier bedoeld. Ge moet weten dat de Léopold altijd nogal opgewonden raakt bij het zien van lang haar. Dien heeft dat altijd al gehad. Ocharme zijn mama werd er zot van.'

'Zo lang is mijn haar niet,' zei ik.

'Ja, hij heeft u goed te pakken gehad, meneer.'

'Ik heb het ook nooit te kort gedragen. Mijn moeder vond het vrij goed staan,' gaf ik toe.

'Ik zou er niet aan durven twijfelen, meneer.'

'Ze vond altijd dat het mij een beetje op een verstrooide professor deed lijken. Ze was zeer fier toen een van haar zonen naar de universiteit ging. Ik ben trouwens een professor. Professor Jean-Claude van Bouillon.'

'Oh, pardon, dat hadden wij nog niet door. En zijt ge al wat bekomen van de schrik, professor?'

'Volledig. Als u mij even kunt helpen om mijn voorhoofd terug te vinden zodat ik mijn zakdoek af kan vegen.'

Ik zat nog steeds op de grond en leunde tegen een van de bedden aan, net zoals meneer Abdullah. De mannelijke verpleger leende mij een washandje om het zweet van mijn gezicht te vegen, terwijl de andere mannelijke verplegers op de grond knielden in een poging om de lange man die mij had aangevallen opnieuw onder controle te krijgen.

'Allé, Léopold-jong, gaat dat hier al rap gedaan zijn? De chef gaat content zijn. In 't midden van de koffiepauze dan nog wel! Wie heeft hem laatst vastgebonden? Merde, voor de Léopold gaan we toch echt sterkere riemen nodig hebben.'

'Het is een schande,' zei meneer Abdullah. 'Een complete schande.'

'Wilt ge een klachtenformulier invullen, meneer? Of hebt ge nog te veel pijn om te kunnen schrijven?'

'Ik heb het niet over die paar onbeduidende bloeduitstortinkjes, beste man,' zei meneer Abdullah, onderwijl pogend om met mijn derde zakdoek een rivier van bloed op zijn voorhoofd in te dammen. 'Ik heb het over de schande om mensen op te sluiten, alsof het wilde beesten zijn! Geen wonder dat zij halfgek worden. Geen wonder dat zij onschuldige voorbijgangers beginnen aan te vallen. Geen wonder dat dit land in zo'n miserabele toestand is. Het is een complete schande en dat is alles wat ik erover te zeggen heb. Als men er tegenwoordig al niet voor terugdeinst om zomaar gezonde en onschuldige jongemannen die in de bloei van hun leven zijn van hun vrijheid te beroven!'

De man in het plaaster gaf een bulderende schreeuw en hervatte een lange stroom van zeer politiek incorrecte verwensingen, weeral vooral aan het adres van meneer Abdullah gericht, en deze keer bijgevallen door de reus in een enthousiast a capella.

'Hem opsluiten in plaaster is het enige wat we hebben kunnen bedenken om er zeker van te zijn dat hij de Léopold geen oor afbijt, meneer,' zei de verpleger. 'Als ge een beter idee hebt, laat maar horen. We hebben al van alles geprobeerd.'

'Er moet toch íets zijn! Bij de baard van de Heilige Shakira! Maakt niet uit wat, alles is beter dan mensen vastketenen en hen ongewild naar deze onzin te laten luisteren!'

'Er is slechts één kliniek in het land waar ze ervoor zijn uitgerust om met dit soort gevallen om te kunnen gaan,' zei de verpleger, 'maar ze hebben daar nooit genoeg bedden beschikbaar. Al de andere patiënten komen in psychiatrische instellingen zoals de onze terecht.'

Ik trok aan meneer Abdullahs arm voor hij de discussie verder kon zetten.

'We moeten aan het kind denken,' zei ik, hem eraan herinnerend waarom we hier gekomen waren. 'Ik ga proberen om haar te adopteren.'

Hoofdstuk 2

Gedurende de komende weken worstelde ik mij door de bureaucratie van de kinderadoptie heen. Toen ik eindelijk alle papieren in orde had mocht ik haar mee naar huis nemen. Dat was nogal een avontuur.

Ik had haar opgehaald met de auto. Ze sprak geen woord, maar een verpleegster had mij verteld dat dit normaal was: Bérénice sprak nooit. Maar doof kon ze gelukkig niet zijn, want daar had niemand in het instituut een woord over gerept.

'Ben je al eens in Schaerbeek geweest?' vroeg ik haar. 'Daar woon ik. Wij staan bekend als de ezelsgemeente. Vroeger kweekten de Schaerbekenaars namelijk krieken en kersen die ze verkochten aan de Brusselse brouwers van het onovertroffen Krieklambiek bier. Om alle kersen en krieken naar de Brusselse markt te brengen, gebruikten onze boeren grote manden gedragen door ezels. En telkens zij door de straten van Brussel trokken, zeiden de Brusselaars tegen elkander:

'"Hei! Doë zên die ezels van Schoerebeik!"

'En met die weinig flatterende benaming zitten wij nu nog steeds opgescheept, ook al zijn wij tegenwoordig slechts een voorstad van de steeds uitbreidende hoofdstad geworden. Maar we halen nog steeds op dagelijkse wijze de krantenkoppen, ook al heeft dat niets meer met ezels of zelfs met het parlement te maken. De reden is slechts dat we dezer dagen bekendstaan als een gevaarlijke buurt, maar ik heb geen idee waarom. Meneer Abdullah en ik wonen hier al jaren en we zijn hier altijd heel gelukkig geweest. Ik hoop dat jij dat ook zult zijn.'

Toen ik Bérénice voor de eerste keer probeerde aan te raken, kromp ze angstig ineen, alsof er iets heel kwaadaardigs onder mijn huid verborgen zat. Ik had de rolstoel uitgevouwen op het trottoir voor het huis. Door dat ene gebroken been had er echt niets anders opgezeten: ik moest haar wel dragen, ik had geen andere manier kunnen bedenken om haar uit de auto en in de rolstoel te manoeuvreren. Ik had echt mijn uiterste best gedaan om haar zo voorzichtig mogelijk vast te pakken, maar toch stootten wij beiden ons hoofd tegen het dak van de auto en schaafde ze een knie. Ik herinner me hoe verrast ik was geweest: ze woog werkelijk bijna niets en ze was ongelooflijk zacht. Het besef dat iets dat zo licht en zo zacht was zo doodsbang voor mij kon zijn, deed mij gruwen van mezelf.

Eenmaal binnenshuis inspecteerde ik de schade. Mijn voorhoofd bloedde niet maar het hare wel. Ik trachtte de wond te desinfecteren met jodium doch ze wilde maar niet stil zitten en uiteindelijk was ik genoodzaakt om het flesje over haar uit te spetteren. Er kwamen druppels in haar ogen terecht, tranen vloeiden naar buiten.

Toen meneer Abdullah de volgende dag langskwam, berispte hij me omdat ik zijn hulp niet had gevraagd.

'Waar zijn we anders buren voor? En ge weet toch dat als ik niet thuis ben, ge altijd een beroep op Aisha kunt doen!'

Ik was erin geslaagd om het kind op de rode sofa in de zitkamer te manoeuvreren. Ik nam toevlucht tot een lange houten slalepel om haar trui op te heffen zonder haar aan te raken. Maar ze kromp toch angstig ineen, zoals destijds haar gewoonte was.

Meneer Abdullah staarde.

Het waren niet enkel de littekens maar ook hoe ongelooflijk mager ze onder haar kleren was. Haar ruggengraat en de schouderbladen zagen er zo broos uit dat het moeilijk was je voor te stellen hoe het hele zaakje op de een of andere manier nog steeds aan elkaar hing. De vorige avond had ik geprobeerd om haar oude instituutsoutfit te verwisselen voor een vers gewassen hemd om in te slapen. Maar na haar de trui te hebben uitgetrokken en te hebben gezien wat eronder verscholen zat, had ik besloten om haar de nacht in haar oude kleren te laten doorbrengen. Het leek gewoon niet juist om ze weg te nemen en haar volledig te ontbloten, zelfs al was het maar voor een seconde. Ik kon zien dat meneer Abdullah net zo aangedaan was als ik nog steeds was, want het duurde een hele tijd voor hij erin slaagde om iets te zeggen.

'Voedsel,' concludeerde hij uiteindelijk, zijn baardharen gladstrijkend. 'Enorme hoeveelheden kwalitatief hoogstaand voedsel, dat is wat wij nodig hebben. Niet het soort afval dat de mensen tegenwoordig aan kinderen durven te voederen. Volg mij, ik zal een demonstratie geven.'

Hij zette met zijn wijde mantel achter hem aan wapperend koers in de richting van mijn keuken. Hij begon energiek een aubergine fijn te snijden.

'Conservenblikken! Zowaar als ik hier sta! Ik heb het met mijn eigen ogen gezien; een vrouw in het park die een baby voedde uit een conservenpotje. Geen wonder dat de nieuwe generatie erop achteruitgaat. Geen wonder dat men zoveel problemen heeft om hen in school en uit de criminaliteit te houden. Conservenblikken, mijn beste! En plastieken zakken met verharde aardappelschijven erin! Geen wonder dat dat kind van u zo mager is geworden.'

Ondertussen had ik Bérénice in haar rolstoel de keuken ingereden.

'Kinderen weten instinctief wat goed voor hen is – wel, dat gaat misschien niet voor alle kinderen op, maar toch wel voor het uwe, ik heb daar een goed oog voor,' vertrouwde meneer Abdullah mij toe terwijl hij met een rijpe aubergine naar Bérénice wees. 'Dat kind heeft gewoonweg nog nooit een fatsoenlijke maaltijd gehad, dat is het hele probleem.'

Hij klutste eieren, jongleerde met potten en pannen, liet bodempjes olie sissen, sneed met minuscule precisie de vetrandjes van een kipfiletje, en strooide peper in het rond als was hij een magiër die een toverdrank bereidde.

'Een van mijn moeders recepten. Ah, wacht maar eens af. Ge

zult zien hoe ze dit gaat verslinden. Ah, dat meiske van u, een tere bloem, zij zal kwaliteit herkennen als ze ermee geconfronteerd wordt!'

Een half uur later spuugde Bérénice meneer Abdullahs eerste delicatessen uit. Ik kon zien dat hij het niet had zien aankomen. Het kostte hem enkele ogenblikken om de schok te boven te komen.

'Precies zoals ik dacht,' mompelde hij uiteindelijk. 'Hier zijn buitengewone maatregelen aan de orde. Ze hebben dat arme kind zo lang uitgehongerd, als wij haar nu opnieuw tot eten willen verleiden, zullen wij haar iets moeten serveren dat de normale proporties van het sublieme ruim overstijgt. Maar een Abdullah doet altijd wat hij gezegd heeft, al moet hij er de hoogste vijgenboom voor inklauteren, en ik heb al een idee. Iets dat mijn grootmoeder dikwijls maakte. Absoluut onfeilbaar. Als ge mij voor een momentje wilt excuseren, ik moet Fatima om enkele kruiden gaan vragen en ook nog om iets anders. Zo terug. Begint maar alvast enkele paprika's te wassen. En zie of ge een zakje rijst kunt vinden. Nee, laat maar. Ik zal wat van de onze meebrengen. Een mens kan niet zomaar de eerste de beste rijst gebruiken. Fatima? Een noodgeval! Waar hebt gij die vijgen van gisterenavond verstopt? Fatima?'

Hij marcheerde vastberaden naar buiten. Gedurende de volgende weken bakte, braadde, kookte, flambeerde, frituurde en grilleerde meneer Abdullah elk fatsoenlijk ingrediënt dat hij kon bedenken, holde heen en weer tussen mijn keuken en de zijne, gleed uit over gevallen kikkererwten, en besmeurde zijn mantel terwijl hij met zijn vrouwen kibbelde over alle recepten die hij zich herinnerde, aanpaste of opnieuw verzon. Hij trotseerde oude familievetes tijdens verwarrende internationale telefoongesprekken teneinde de exacte hoeveelheden peterselie en koriander, de juiste soort honing en de mysterieuze gisting van een nog mysterieuzer soort brood te achterhalen, allemaal in de hoop Bérénice te verleiden haar koppige vasten te staken.

Ondertussen bleef ik experimenteren met de nederiger ingrediënten van de Belgische keuken. Ik kwam er al snel achter dat Bérénice geen frieten met mayonaise lustte.

Ik nam verlofdagen op omdat ik haar overdag niet alleen durfde te laten. Ik bracht uren door met het lezen van boeken over kinderen en pedagogische technieken. Soms werd ik overspoeld door wanhoop, ik trok de haartjes rond mijn kaalste plekken uit, ik riep voor de zoveelste keer in de richting van meneer Abdullahs keuken. Hij kwam telkens opnieuw binnensprinten met een van zijn laatste culinaire creaties, struikelend over zijn eigen kleed maar allesbehalve klaar om het bijltje erbij neer te gooien.

'Bérénice?' herinner ik me hoe ik haar op mijn knieën vroeg. 'Bérénice, waarom wil je niet eten?'

We hadden geen van beiden een oog dichtgedaan, nachten aan een stuk. Zelfs het verschonen van haar kleren was een bijna onmogelijke opgave omdat ze nog steeds zo bang voor mij was. Ik had getracht om haar arme haren tenminste een beetje te kammen, maar had haar bijna verwond met de kam.

'Zij is als een volbloedpaard,' observeerde meneer Abdullah. 'Uiterst gevoelig.'

'En weet je ook iets over de eetgewoontes van het volbloedpaard?'

Hij gooide zijn handen in de lucht.

'Ah, dat is een kwestie van geduld, mijn vriend! Geduld, toewijding en oneindig veel liefde. Een volbloed eet alleen als hij u volledig vertrouwt. Maar geen paniek, beste man. Wij geraken er wel. Hebt ge als eens geprobeerd om die stukjes appel zeer, zeer fijn te snijden? Wie weet werkt dat wel! Wie weet!'

Toen ik er uiteindelijk in slaagde om Bérénice een paar met zorg uitgezochte en geschilde stukken fruit te doen eten, had ik het gevoel een wonder te aanschouwen. De volgende dag slaagde ik er echter even wonderwel weer in om haar de stuipen op het lijf te jagen – door achter haar te gaan staan terwijl ze nog aan het eten was; ze kromp onmiddellijk geschrokken ineen, spuugde uit wat ze nog in haar mond had, en weigerde de drie volgende dagen te eten, te slapen, en opgepakt te worden. Ik moest haar vaak nogal stevig vastgrijpen en ze kreeg gemakkelijk blauwe plekken.

Toen Bérénice voor de allereerste keer een beetje at van meneer Abdullahs speciale rijstpap, ging hij op een keukenstoel zitten, leunde achterover en zei:

'Zo simpel. Het godenmaal. Ik had het moeten weten. Ze is een echte prinses.'

De prinses spuugde alle rozijnen behoedzaam uit maar at toch een hele halve kom van de romige rijstpap met bruine suiker. We staarden beiden dromerig naar haar magere armen en verbeeldden ons hoe wij een klein laagje vet zich langzaam onder de bleke huid konden zien opslaan.

'Stel je voor dat ze er daar elke dag één van eet,' zei ik terwijl ik mij ook neerzette en een sigaret opstak.

'Ja, stel je voor,' zei meneer Abdullah, al net zo onder de indruk.

De volgende dag spuugde ze de rijstpudding weer uit, waarschijnlijk omdat ik een ander merk van rijst had gebruikt.

'Wat had ik gezegd,' zei meneer Abdullah.

Ze had werkelijk oog voor detail.

Daarom legde ik in het begin dagelijks lijstjes met mijn bevindingen aan. Op 1 april 2003 schreef ik bijvoorbeeld:

- bevestiging van hypothese van 29-31 maart: eet niet indien derde partij achter haar plaatsneemt – drinkt ook niet in gelijksoortige situatie
- water & thee: succesvolle inname. melk: tot nog toe onsuccesvol.
- opmerking: a) draag steeds een schort bij het serveren van vloeibare voedingsstoffen
              b) alle vloeibare voedingsstoffen moeten koud zijn
                 – serveer met een rietje
- geschatte tijd voor het prutsen met het rietje na inname van vloeistof bij benadering 20 min. (zuigt kleine beetjes lucht door rietje: waarschijnlijk een vorm van speelgedrag => aanmoedigen

- zie hoofdstuk 3 van *Hoe kinderen leren door spel*: 'Positieve
bekrachtiging')
- Kriek bier & chianti: succesvolle inname – neveneffect: doet
evenwicht verliezen indien probeert te wandelen (=> beter om
hoeveelheid van inname te beperken).

Over het algemeen genomen zou ik stellen dat ze een vrij goede
smaak heeft, concludeerde ik in mijn lijst van 1 april, reeds uitkijkend naar wat de volgende dag brengen zou.

Door middel van proefondervindelijk onderzoek begon ik de
duizend kleine dingetjes die nodig waren om Bérénice te doen
eten te ontdekken. Toch was elke dag een nieuw avontuur. Het
was niet altijd even gemakkelijk maar die eigenste details beho-
ren nu tot mijn meest kostbare herinneringen.

Na een tijdje stopte Bérénice met bang voor mij te zijn.

Op aanraden van meneer Abdullah ontwikkelde ik de gewoonte om haar verhalen en plaatselijke anekdotes te vertellen
om haar op de hoogte te brengen van de geschiedenis van haar
vaderland. Wij waren het erover eens geweest dat de vaderlandse
geschiedenis een verwarrend onderwerp is, en dat men er daarom
niet vroeg genoeg mee kan beginnen, want elke inwoner heeft
toch een bepaalde basiskennis nodig om zijn dagelijkse overle-
vingskansen te doen stijgen.

'Hoeveel denk je dat ze begrijpt?' vroeg ik meneer Abdullah
dikwijls.

Hij schudde dan altijd zijn hoofd.

'Onmogelijk om ooit zeker te weten wat een ander van onze
woorden begrijpt,' zei hij. 'Groot mysterie! Maar ga toch maar
door, ik vind het ook interessant. Ik leer bij. En leg nu nog eens
uit waarom die vier Heemskinderen op één paard reden? Hadden zij het geld niet voor vier paarden? Me dunkt dat dat toch
een zeer oncomfortabele regeling moet zijn geweest.'

Het was waar dat ook Bérénice een zeer goede luisteraar was.
Ze zat altijd zeer stil, haar ogen volgden de bewegingen van mijn
handen nog steeds behoedzaam maar de rest van haar lichaam

leek nu op haar gemak. Eén keer, toen ik nog in het midden van mijn uiteenzetting over de Guldensporenslag zat, viel ze zelfs in slaap (meneer Abdullah scheen hetzelfde probleem te hebben). Na de Guldensporenslag was Bérénice niet langer op haar hoede voor mijn handbewegingen. Ze luisterde nu met halfgesloten ogen en haar hoofd tegen mijn schouder aangeleund. Maar 's nachts had ze nog steeds moeite om te slapen. Ze leek last van nachtmerries te hebben. Waar was ze bang voor? Ze kon het mij niet vertellen. Ik brak mijn hoofd over de redenen die achter haar stilzwijgen schuilgingen. In haar dossier vond ik een hele lijst medische termen, maar omdat ikzelf ook een wetenschapper ben, ken ik de neiging van deskundigen om in geval van twijfel simpelweg een hypothese neer te schrijven waarvan gehoopt wordt dat in de nabije toekomst niet zal worden aangetoond dat ze vals is. Ik zocht inderdaad enkele van die woorden op, maar slaagde er niet in om hun betekenis in verband te brengen met Bérénice, of met het dagelijkse leven dat ik met haar deelde.

'Elk uitstel heeft zijn eigen zegen,' zei meneer Abdullah. 'Als haar hart het wenst zal haar tong de woorden vinden om ons aan te spreken, Insha'Allah,' voegde hij er plechtig aan toe.

In de tussentijd moest ik improviseren. Met vele koppen straffe koffie aangevuld met occasionele klappen tegen mijn wang forceerde ik mezelf om de hele nacht wakker te blijven zodat ik over haar kon waken, want ik vreesde dat ze na een nachtmerrie in paniek op zou staan om in haar eentje rond te spoken en zich misschien ergens te bezeren. Ik maakte van de gelegenheid gebruik om te proberen de achterstand die ik op mijn werk had opgelopen in te halen.

Ik waakte elke nacht in het donker, met een oog op het slapende kind gericht terwijl ik een zwak lampje aandeed en begon te schrijven. Gelukkig verdwenen Bérénices nachtmerries nadat ik haar toestond om de nacht in mijn bed door te brengen. Ik kwam er echter al snel achter dat sommige mensen onze slaap-arrangementen nogal vreemd, zelfs immoreel, vonden.

Hoofdstuk 3

Het gebeurde op een bijzonder warme en zonnige dag. Bérénice en ik waren in de tuin. Wij speelden een spelletje. Ik had haar eerst voorgedaan hoe ze een pingpongballetje aan het uiteinde van een rietje kon vastzuigen. Met haar voorliefde voor rietjes was ze daar al snel mee weg. Daarna deed ik een paar pingpong-balletjes in een klein bassin gevuld met water en toonde haar hoe je ze er met het rietje uit kon proberen te vissen. Ze vond het zeer plezant. Water plaste over het bassin en deed haar lachen van plezier.

'Je wordt helemaal nat, Bérénice,' vertelde ik haar na een tijdje. Ik liet haar het witte kleedje met lichtblauwe bloemetjes dat ze gedragen had uittrekken. Het was zulk schoon weer en ik dacht werkelijk dat elke andere ouder hetzelfde gedaan zou hebben (ook al zag ik mezelf niet echt als een ouder, ik zag mezelf eerder als iemand die voor Bérénice zorgde omdat haar echte ouders het niet langer konden doen).

Ze ging onmiddellijk verder met haar spel en rende vrolijk over het gras, nu slechts gekleed in haar witte ondergoed. Het was werkelijk een plezier om naar haar te kijken. Ze was nog steeds mager, maar niet langer op een onnatuurlijke manier. Het linkerbeen was goed genezen. Ze hinkte inderdaad een beetje, maar mijns inziens droeg dat slechts bij tot het mirakel dat Béré-nice was. Ik was ook ingenomen te bemerken dat de littekens nu minder goed zichtbaar waren – van een afstandje kon je ze alleen nog zien als je goed wist waar ze waren, zoals ik deed. Ik was mij er werkelijk totaal niet van bewust iets verkeerd te doen, maar zoals snel zou blijken had mijn buurman van de andere kant, Sigrid Verdronken, daar zijn eigen gedacht over.

Hij was ook in zijn tuin bezig geweest, aan het werk in zijn schuurtje zoals hij vaak doet bij schoon weer. Ik denk dat hij aan het proberen is om zijn schuur om te bouwen tot een tuinhuisje. Tussen ons gezegd en gezwegen, hij heeft een nogal eigenaardige smaak. Als je het mij vraagt lijkt het meer op een bunker dan op een tuinhuis. Wat de mensen er tegenwoordig al niet voor over-hebben om een bouwvergunning te kunnen bemachtigen.

Sigrid Verdronken kwam uit zijn schuurtje tevoorschijn en zag Bérénice met haar pingpongballetjes over het gras hollen. Spettertjes water blonken op haar naakte armen en benen.

Hij bleef een tijdje staan en staarde naar haar terwijl hij eerst aan zijn grijze ringbaard en toen aan zijn buik krabde. Zijn hand reikte onder de T-shirt die hij zo vaak draagt – zijn naam en de naam van de website van zijn politieke partij staan erop afgedrukt, ik vermoed dat hij het voor promotiedoeleinden draagt. Toen hij klaar was met krabben, wandelde Sigrid Verdronken met kwieke tred naar de haag die onze tuinen van elkaar scheidt.

'Ik vraag me af wat de kinderbescherming hiervan zou zeg-gen!' riep hij in mijn richting. Soms wens ik weleens dat hij geen stem als een klok had.

'Wat bedoelt u?' Ik stond op en snelde op hem toe, in de hoop dat dit hem ertoe zou bewegen zijn schallende stemgeluid tot een minimum te beperken. Bérénice was nog steeds over het gras aan het rennen en leek haar spel bij lange nog niet moe.

'Gij en dat jonge meiske helemaal alleen in dat grote huis,' zei Sigrid Verdronken traag. 'Durf niet te zeggen dat ge er nog niet aan gedacht hebt.' En hij gaf mij een vette knipoog.

'Eh... ja. Waaraan precies?' vroeg ik.

'Voor mij moet ge u niet van de domme houden. Vrijgezellen onder elkaar,' legde mijn vriendelijke buurman uit. 'Vertel mij nu niet dat het idee nog niet bij u is opgekomen.'

Een van Bérénices pingpongballetjes ketste af op mijn hoofd. Ze werd steeds beter in het mikken.

'Wel, het idee komt op dit eigenste moment bij mij op,' zei ik toen ik eindelijk begreep wat Sigrid Verdronken bedoelde. Nu begreep ik ook waarom hij geknipoogd had. Het was dat speciale soort knipoog dat mannen elkaar soms geven, vroeger had ik nooit door wat het betekende en het is lang mijn gewoonte geweest om terug te knipogen, denkende dat het om een grap ging die ik niet begrepen had. Daarna is er een periode geweest – nadat homofilie ontdekt werd, ergens in de zestiger jaren als ik mij goed herinner – waarin ik dacht dat dit er iets mee te maken moest hebben. Dat was ook het einde van mijn gewoonte om terug te knipogen. Later, toen ik gepromoveerd werd tot professor, legde mijn assistent aan de faculteit mij uit wat de bedoeling van de knipoog was, maar in de context van een echt gesprek blijf ik het vaak vergeten. Het is dikwijls vermoeiend om echte gesprekken met mensen te voeren, men is genoodzaakt om aan zoveel dingen tegelijkertijd te denken.

'Ik zou voorzichtig zijn, als ik van u was. Een gerucht,' zei Sigrid Verdronken, 'kan soms snel de ronde doen.'

Ik leunde tegen de haag en deed verwoede pogingen om mijn sigaretten in mijn broekzak te lokaliseren.

'Vuurtje?'

'Merci.'

Ik moest evenwicht zoeken tegen de haag. Mijn knieën knikten onbedaarlijk.

'Het zijn natuurlijk mijn zaken niet,' zei Sigrid Verdronken galant. 'Wat ge in uw eigen huis achter gesloten deuren uitspookt gaat mij niet aan, om nog maar te zwijgen van wat er gaande is tussen u en die kleine mongool.'

'Zij is geen...' begon ik, er niet in slagend om het woord dat hij gesproken had te herhalen. 'En ze is zeer intelligent.'

Bérénice had haar belangstelling in de pingpongballetjes verloren. Ze had zich languit op haar rug op het gras laten vallen, en experimenteerde hoeveel spuug men in één keer door de lucht kan doen vliegen.

'Dat is voor mij allemaal hetzelfde,' zei Sigrid Verdronken. 'Doe wat ge niet laten kunt. Zoals ik al zei, het kan mij niet bommen waar gij u in uw eigen huis mee bezighoudt. Maar wat mij wel iets kan bommen is hoe deze buurt aan het verloederen is.'

Hij wees in de richting van meneer Abdullahs huis.

''t Is daar net een hoerenkot! Hoeveel vrouwen heeft hij nu? Dat moet gij toch weten! Ik zie u daar genoeg binnen en buiten lopen! Met hoeveel vrouwen is die nu al getrouwd?'

'Oh, het gewoonlijke aantal. Eén,' zei ik, zeer goed wetende dat het niet waar was.

'Ge liegt dat ge zwart ziet, Bouillon,' oordeelde Sigrid Verdronken. 'Maar ik vergeef het u, gij oude bok, wij goede Vlamingen moeten samenspannen. Maar dat onnozel stuk geitentemmer in zijn lange slunsen kan maar beter oppassen! Oh, hij weet heel goed dat hij bij mij vandaan moet blijven. Met al zijn vrouwen en al zijn ongemanierde kinderen! Wilden, dat zijn het, Bouillon, ongetemde wilde beesten. En een man die een kleed draagt is geen man, zeg dat ik het gezegd heb. En er ondertussen dan nog een hele harem op na houden, allemaal op de kosten van de belastingbetaler, de profiteur!'

Ik zei dat meneer Abdullah werkt als hoefsmid.

'In 't zwart en met een uitkering erbij zeker,' vermoedde Sigrid Verdronken.

Ik zei dat ik niet dacht dat dat waar was.

'Eén vrouw zou meer dan voldoende moeten zijn voor een man,' vond Sigrid Verdronken.

Hier kon ik hem geen ongelijk geven. Daarnaast ging mijn aandacht op dit moment van de conversatie eerder uit naar Bérénice die aan mijn voeten knielde (ze had haar rietje eindelijk in de steek gelaten). Ik vroeg haar om op te houden met het aaneenbinden van mijn schoenveters, een trucje dat ze zich een tijdje geleden had eigengemaakt en dat ze jammer genoeg niet gemakkelijk afleerde – waarschijnlijk omdat ze er dikwijls nogal spectaculaire resultaten mee bereikte. Ik had er werkelijk geen flauw vermoeden van gehad dat kleine meisjes zo ondeugend konden zijn.

'Twee, of zelfs drie is gewoonweg te veel!' riep Sigrid Verdronken uit. 'Ik heb niet eens één vrouw! En *hij* zou er *drie* mogen hebben! Het is barbaars! Volgens mij doet hij het expres, de opschepper! Wel, het is tijd dat hij leert dat ik me niet belachelijk laat maken. Als ik er de kans toe krijg zal ik hem weleens een toontje lager leren zingen. Wij moeten samenspannen, Bouillon. Gij inviteert hem bij u thuis, van u heeft hij geen schrik. En dan moet ge mij waarschuwen en dan kom ik wel af en zullen we die kamelendrijver eens een goede schrobbering geven. Laat het zware werk maar aan mij over. Ge moet dat soort gasten tonen wie de baas is, dat is het enige.'

Ik probeerde te doen alsof ik niet aan het luisteren was en boog voorover om mijn schoenveters uit de knoop te halen. Ik vroeg Bérénice om haar pogingen om mijn sokken met aarde te vullen een andere keer voort te zetten.

'Beschouw het als uw goede daad voor het vaderland,' stelde Sigrid Verdronken voor. 'Een kans om uw gebrek aan vaderlandsliefde goed te maken.'

Ik vertelde hem dat ik naar binnen moest om Bérénices avondeten klaar te maken, nam haar bij de hand, draaide mij om en begon samen met haar van hem weg te lopen. Maar Sigrid Verdonken had nog niet alles gezegd wat hij te zeggen had:

'Zorg maar goed voor dat schoon meiske!' riep hij me achterna. 'Ik heb een goede kameraad die bij de politie werkt. En verhalen over schone meiskes en brave huisvaders zullen ze daar zeker heel interessant vinden!'

Bérénice en ik vluchtten naar binnen. Ik probeerde een sinaasappel voor haar te schillen maar sneed mezelf bijna met het mes omdat mijn handen te veel beefden. Ik dacht aan meneer Abdullah. Ik zou hem nooit kunnen verraden.

'Al die jaren,' vertelde ik Bérénice, 'is meneer Abdullah mijn beste vriend geweest. We kennen elkaar al van uit de tijd toen we allebei nog jong waren en ik nog in het leger zat.'

Ik stond op het punt om haar het verhaal te vertellen over hoe meneer Abdullah en ik elkaar hadden ontmoet, maar aarzelde toen. Het was tot nu toe mijn gewoonte geweest om heel frank en oprecht te zijn als ik tegen Bérénice praatte, maar nu realiseerde ik me dat er in de geschiedenis van het land van haar voorvaderen, zoals meneer Abdullah het altijd noemde, een paar hoofdstukken voorkwamen waar ze nu wellicht nog te jong voor was. Ze zou er minstens eenentwintig voor moeten zijn, redeneerde ik. Minimaal. Die avond vertelde ik Bérénice slechts een gecensureerde versie van het verhaal over hoe meneer Abdullah en ik elkaar leerden kennen. Ik liet de al te duistere waarheden weg. Als ik toen maar geweten had wat voor dramatisch effect die spoedig op Bérénice, meneer Abdullah en mezelf zouden hebben.

Hoofdstuk 4

De gemiddelde Belg is als soldaat weinig soeps, heeft een Engelse collega van mij vaak verkondigd, en ik heb hem nooit durven tegenspreken. Indien het gemiddelde inderdaad laag is, dan wordt het wel een hele prestatie om onder het gemiddelde terecht te komen. In '62 was dat niettegenstaande mijn vurige hoop. Mijn moeder hoopte het al even vurig met mij. Wij hoopten dat ik ongeschikt voor de militaire dienst zou worden verklaard. De dokter die het medisch onderzoek uitvoerde, wierp één blik op mij, greep mijn schouder en sleurde mij uit de rij vandaan.

'Ziet eens, ik keur zelfs dít niet af,' zei hij tegen de andere jongemannen in de rij. 'Dus probeer maar niet om af te komen met uitvluchten die uw mama voor u bedacht heeft.'

De hele rij keek diep teleurgesteld.

De dokter bewees een man van zijn woord te zijn want hij liet ons allen door. En zo kwam het dat wij al snel mochten genieten van het militaire leven. Ik schreef in een brief aan mijn moeder dat ik vanaf de allereerste dag een voorbeeld voor de andere kadetten was geweest. Ze schreef terug, met een dringend verzoek om van de drank te blijven.

Natuurlijk was er geen tijd voor drank. Er moest veel te veel op en neer gerend worden, allerhande oefeningen moesten overleefd worden. Ik was een jongeman en ik dacht dat ik mijn lichaam kon laten doen wat ik het beval te doen.

Mijn meerderen deelden in dit misverstand. Daar hadden wij in het leger wel vaker last van. Het bood echter wel opportuniteiten om snel vlot tweetalig te worden.

'Et pour les Flamands, la même chose!' herhaalde onze sergeant altijd tolerant na ons eerst de instructies in het Frans te hebben medegedeeld. Men kon onmiddellijk merken dat de gelijke-rechtenbeweging al tot diep in de kern van het Belgische leger was doorgedrongen.

'Allez, fiston, nog een kilometerke voor de mama erbij,' schreeuwde mijn korporaal teder in mijn oor terwijl wij een heuvel oprenden.

'Oui, mon corporal.'

Ik heb mij dikwijls afgevraagd waarom men in het Frans spreekt over 'mijn korporaal' of 'mijn sergeant' – in mijn ervaring bezitten zij u in plaats van andersom.

'Allez, Jeanette, probeer uw voetjes niet nat te maken,' schreeuwde mijn sergeant toen wij een enorm meer moesten oversteken.

'Oui, eh... non, mon sergent.'

Met de hoed in de hand komt men door het ganse land. Hopelijk niet veel verder.

'Mon sergent, de asperge is weer in 't water gevallen. Oui, alweer la petite Jeanette!'

Het is mij inderdaad weleens opgevallen dat de aanspreking Jeanette af en toe wordt gebruikt om uitdrukking te geven van een kleine twijfel over iemands seksuele geaardheid, maar ik ben ervan overtuigd dat het woord in mijn geval slechts werd gebruikt als een verkleinwoord van mijn feitelijke voornaam: Jean. Hoe dan ook, ze bleven mij uit het water vissen telkens als ik erin viel. Ik werd voor de voeten van mijn meerderen gedeponeerd.

'Ik denk dat we er hier nog een voor de rijkswacht hebben,' zei mijn korporaal. Ik kwam er later achter dat dit een soort grap was die wel vaker in het leger werd verteld. Het betekende niet dat ik gepromoveerd werd om mij aan te sluiten bij 's lands speciale militaire politie-eenheden. Het betekende dat ik competent genoeg was bevonden om de stallen van hun paarden uit te mesten. Ik was eenentwintig, op mijn identiteitskaart stond niettegenstaande de achterdocht van mijn sergeant wel degelijk 'geslacht: mannelijk' geschreven, en er was dus geen manier om aan het leger te ontsnappen.

'Ongelooflijk,' hoorde ik mijn sergeant tegen mijn korporaal zeggen. 'Hoeveel keer is hij daar nu al ingevallen?'

'Geen flauw idee. Zoiets heb ik nu nog nooit meegemaakt,' antwoordde mijn korporaal. 'Het is bijna fysiek onmogelijk. Leeft hij nog?'

Ik hoestte wat water op.

'Merde, ik begrijp niet hoe hij in godsnaam zelfs maar door de keuring is geraakt. Waar zijn die gasten van het medisch onderzoek mee bezig?'

'Putain, ik weet waar ík mee bezig ben. Buiten ermee. Ik doe geen oog dicht als ik eraan denk hoe dat insect hier in mijn bataljon rondkruipt.'

'Spijtig dat die wet over dienstweigering op grond van gewetensbezwaren nog niet is goedgekeurd.'

'Merde, om dat stuk crétin in 't leger te houden, daar heb ík gewetensbezwaren mee!'

Een jaar later werd de wet over dienstweigering op grond van gewetensbezwaren goedgekeurd.

In de tussentijd moesten ze ergens met mij naartoe. Dus werd ik de volgende dag naar de rijkswacht en hun paarden gezonden. Ik kwam spoedig goed met de paarden overeen. De rijkswachters hadden een iets delicater temperament. Ik was eerlijk toegegeven doodsbang voor hen maar dat was mijn eigen fout, want als kind had ik tijdens de oorlog met een van hen een onfortuinlijke ontmoeting gehad.

Ik kan niet ouder dan vijf jaar geweest zijn. Ik liep op straat, aan mijn vaders hand. Ik denk dat het in de tweede helft van de oorlog geweest moet zijn, maar ik zou er mijn hoofd niet om durven verwedden. Een moeder met een kind snelde langs. Een rijkswachter met een hond kwam onze richting uit. In oorlogstijd was de rijkswacht natuurlijk onder het gezag van de bezetters geplaatst. Dat zal voor hen ook niet altijd even gemakkelijk geweest zijn. En weeral taalproblemen, natuurlijk. Daar weten Belgische militairen alles van. Heeft een mens eindelijk fatsoenlijk Frans geleerd, kan hij weer van nul beginnen met het Duits. Naar het schijnt waren ze er bij de rijkswacht echter al snel mee weg, dat zal wel iets te maken hebben gehad met het feit dat het Duits dichter bij het Nederlands dan het Frans staat. En een gemotiveerd mens telt voor twee. Waarschijnlijk dachten ze, als we eerst de orders maar kunnen verstaan, dan kunnen we ze achteraf altijd nog niet uitvoeren.

Maar die rijkswachter met zijn hond was waarschijnlijk gewoon op patrouille. De hond was een Duitse herder; een soort hond dat tegenwoordig blijkbaar nog steeds veel wordt gebruikt voor politiewerk. Ik heb trouwens zelf vroeger nog een Duitse herder gehad en het was een zeer goedmoedig dier; Bérénice hield veel van hem. Maar nu over wat er tijdens de oorlog met die andere hond is gebeurd.

Er is geen andere manier om het te verwoorden. We zagen hoe die vrouw met haar kind de rijkswachter en zijn hond passeerden, en plotseling greep de hond het kind beet. Het was een meisje, afgaand op haar lengte denk ik dat ze ongeveer van mijn leeftijd geweest moet zijn, of misschien een klein beetje jonger. Ik zou natuurlijk nooit durven beweren dat de rijkswachter de hond had bevolen om aan te vallen. Ik vermoed dat die hond gewoon honger had, zoals velen van ons.

Het vreemde was dat er niets gebeurde. De hond zette zijn tanden in het kind, tot bloedens toe, maar niemand durfde zich ermee te bemoeien. Er waren trouwens niet zoveel mensen op straat. Enkele mensen kwamen uit hun huizen en vormden een klein groepje. Ik veronderstel dat iedereen wachtte tot de rijkswachter zijn hond ter orde zou roepen. Maar hij keek alleen toe. Hij deed niets. Misschien was hij net zo geschokt als wij waren. Misschien werd hij door angst overmand.

Moed is niet erfelijk, daar zijn mijn vader en ik het beste bewijs van. Die dag liet mijn vader mijn hand los en rende naar het meisje en de hond. Hij schopte met zijn voet, mikte naar de hond maar raakte in plaats daarvan het scheenbeen van de rijkswachter die een gil uitstootte. Mijn vader wierp zichzelf op de hond. Hij redde het meisje en zette haar op zijn arm, buiten bereik. Hij schreeuwde de rijkswachter een verwensing toe. Ik geloof niet dat mijn vader op dat moment nog helder nadacht. Dat kwam wellicht door de adrenaline van het gevecht. Ik heb het zelf nog nooit meegemaakt, adrenaline bedoel ik, maar dat komt vast omdat ik nog nooit in een echt gevecht verwikkeld ben geweest, laat staan dat ik er ooit een gewonnen zou hebben. Maar toch stel ik mij zo voor dat mijn vader, door het gevecht met de hond, een andere wereld was binnengestapt, waarin hij voor een seconde alles vergat, en de rijkswachter het allerergste scheldwoord dat hij kon bedenken in het gezicht schreeuwde:

'Nazi!'

Tegenwoordig durven sommige mensen dat woord te gebruiken als een milde vloek, wat mij altijd doet huiveren als ik mij herinner hoe gevaarlijk dat woord toen was. In die tijd kon zelfs de straat op het verkeerde ogenblik oversteken gevaarlijk zijn. Toegegeven, dat kan vandaag de dag nog steeds gevaarlijk zijn.

Ik geef me gewonnen. Ik ben er helemaal niet meer zeker van of dit tijdens de oorlog gebeurde of enkele jaren erna. Maar ik geef er de voorkeur aan om te blijven denken dat dit tijdens de oorlog gebeurd is, want dan kan ik me verbeelden dat de hond honger had, dat mijn vader de enige man was die het tegen de rijkswachter durfde op te nemen omdat er niet veel andere mannen in de buurt waren, en dat de rijkswachter onder het bevel van de bezetters stond in plaats van onder het onze.

Ook al ben ik bang dat vandaag de dag, net zoals de straat oversteken op het verkeerde moment, nazi zeggen tegen de verkeerde persoon nog steeds gevaarlijk kan zijn. Ja, ik zal toch moeten toegeven dat dit waarschijnlijk na de oorlog gebeurde. Ik geloof niet dat iemand – zelfs mijn vader niet – het zou hebben aangedurfd om dat woord in het openbaar als een scheldwoord te gebruiken voor de oorlog afgelopen was.

Mijn vader droeg het meisje op zijn arm, en stak zijn andere hand naar mij uit. Ik rende naar hem toe maar toen ik naar mijn vaders hand reikte, haalde de rijkswachter uit en schopte mij in de maag met zijn laars. Ik had er natuurlijk nog geen idee van dat ik, niet al te veel jaren later, voor hen zou moeten werken en dat ik hun laarzen weer dicht bij mijn gezicht zou zien tijdens een verscheidenheid van aangelegenheden.

Alle rijkswachters die ik heb gekend hadden een uitgesproken indrukwekkend postuur. Een andere toegangsvereiste om het korps te vervoegen hield wellicht het bezit van een grote zwarte snor in. Doorheen mijn militaire dienst bleef ik een heilig ontzag voor hen koesteren, maar de karweitjes die ze mij lieten uitvoeren (de stallen uitmesten en het binnenplein bezemen) waren gelukkig niet al te ingewikkeld. Na een tijdje begon ik er echt plezier in te krijgen. Dit takenpakket was zeker meer in overeenstemming met mijn mentale en fysieke capaciteiten dan het soldatenleven was geweest. En als bijkomend pluspunt waren vooral de paarden zeer vriendelijk tegen mij.

Het is slechts één keer voorgekomen dat een paard iets onvriendelijks tegen mij deed, maar dat gebeurde slechts omdat het dier pijn had. Zo werd het mij uitgelegd door meneer Abdullah, die toen ook nog een jongeman was. Ze hadden hem die dag speciaal laten komen om een klein wonder te verrichten met een gebroken hoef.

'Men mag een paard nooit of te nimmer straffen,' zei meneer Abdullah in zijn bloemrijke Frans. 'Het zijn adellijke en zachtaardige wezens. Ze hebben geen kwaad in de zin.'

Terwijl hij dit zei werkte hij aan de hoef van een paard dat al drie mannen recht het ziekenhuis in had geslagen. Ik hield het paard voor hem vast en beefde een beetje.

'Als gij een paard als een wild beest behandelt, zal het u insgelijks behandelen,' bevestigde meneer Abdullah.

Eerder die dag was hij kalm de stallen binnengewandeld, op zijn weg enkele grappen, een rij van onze grootste zwarte snorren en een paar waarschuwingen negerend. De jonge meneer Abdullah droeg zijn lange gewaad en het kleine veelkleurige hoedje dat hij tegenwoordig nog steeds draagt. Hij is waarschijnlijk nooit op de hoogte geweest van het populaire volksgebruik om mannen Jeanetten te noemen.

Hij had één blik op het paard en op ons geworpen alvorens twee bevelen te geven: 'U moet allen de stallen verlaten,' en 'Behalve hij daar, hij zal het paard voor mij vasthouden.' Hij had mij bedoeld. Ik aanvaardde de eer met matig enthousiasme.

'Met spierkracht komt men bij een paard nergens. Nederigheid is wat wij nodig hebben.'

Ik had ervaring met nederigheid.

Hij toonde mij hoe ik het paard moest vasthouden en wat ik moest doen als het verschoot. Toen zette meneer Abdullah zich aan het werk. Sissend water, rook, hamerslagen, gesmoorde hijgbuien, een flapperende mantel die de rookpluimen achternazat, talrijke 'ma princesse!'s en 'n'ayez pas peur ma fille!'s. Ik besefte dat ik een ware tovenaar aan het werk zag.

Na drie uren van noeste arbeid en diepe concentratie zei hij: 'Klaar. Ah, prachtig! Kom maar eens zien. Ja, kom hier, beste man. Wees niet bang, ik zal u tonen wat wij gedaan hebben.'

Wij knielden bij de achterbenen neer en meneer Abdullah deed de details van zijn kunstwerk uit de doeken. Hij had de kapotte hoef op miraculeuze wijze hersteld met een zeer gesofisticeerd hoefijzer. Ik had gezien hoe hij met niets was begonnen en het ijzer helemaal zelf gesmeed had. Het paste precies.

'Sterk genoeg voor een olifant,' sprak de meester trots. 'Dit hoefijzer is als de kaken van een leeuwin die zojuist een prooi heeft gevangen: honderd procent solide en levensgevaarlijk voor wie in de weg zou durven staan.'

Voor wij een minder pijnlijke manier konden bedenken om het uit te testen, vloog de staldeur open en stormde mijn nieuwe adjudant binnen om te vragen of die Turk eindelijk met die knol klaar was.

Het paard schrok op en sloeg achteruit, en ik voelde het inderdaad perfect aansluitende hoefijzer tegen mijn achterwerk alvorens ik in een grote boog door de lucht werd gekatapulteerd. Ik landde voor de voeten van mijn adjudant. Dat was ik ondertussen al gewoon aan het worden, dus na de eerste vlaag van verrassing vermengd met doodsangst herstelde ik mij snel en hees mezelf weer overeind.

Mijn meerderen bedankten meneer Abdullah en beloofden hem spoedig voor zijn werk te zullen betalen. Toen ging hij weg.

Een half uur later kwam hij terug, doch niet vrijwillig. Hij werd voorwaarts gedreven door een rijkswachter die zijn matrak als een vrij proactieve herdersstaf gebruikte. Meneer Abdullah hobbelde in zijn flapperende mantel voor hem uit.

'Ik zag hem rond uw stallen sluipen,' zei de rijkswachter tegen mijn adjudant. 'Hij probeerde mij een paar blaasjes wijs te maken en zegt dat u hem had uitgenodigd. Ik dacht dat ik maar beter kon komen controleren of hij niets gestolen heeft.'

'Goed idee,' zei mijn adjudant. 'Nu ik eraan denk, hij is inderdaad een hele tijd alleen in de stallen geweest, zonder een van mijn mannen om toezicht op hem te houden.'

Hij keek mij aan.

'Enfin, tenzij ge dat stuk Jeanette meerekent,' zei hij ruimdenkend.

Ik nam het als een compliment. Maar de jonge meneer Abdullah niet. Hij stapte buiten het bereik van de matrak, klopte zijn mantel af, zette zijn hoedje weer recht en eiste een verontschuldiging.

'Dat manschap van u' – hij wees naar de matrak – 'heeft mij uiterst mensontwaardig behandeld. Ik eis een verontschuldiging en die man moet onmiddellijk geschorst worden. Geen enkele man kan een andere man op dergelijke wijze behandelen, zelfs al was hij een dief of een moordenaar. Ik ben geen van beiden, ik kwam hier vandaag slechts omdat u' – hij wees uitdagend met zijn haviksneus naar mijn adjudant – 'speciaal om mijn diensten had gevraagd. Dat paard' – hij wees nu met zijn neus in de richting van de stallen – 'was bijna niet meer te herstellen. Het is een grote schande hoe dat dier behandeld werd.'

Hij keek naar mij.

'Het is mij nu duidelijk dat u uw mannen met hetzelfde respect behandelt als dat waar u uw dieren mee behandelt. Ik kan de woorden niet vinden om uiting te geven aan mijn ernstige en overweldigende verontwaardiging,' voegde hij er in zijn prachtige Frans aan toe.

'Houd uw gemak maar,' sprak mijn adjudant in gebroken boerenfrans. 'Ge hebt goed werk geleverd met die merrie en we kunnen u nog nergens van beschuldigen. Als ik zie dat ge niets gestolen hebt, kunt ge nog eens komen. Een goede hoefsmid kan ik altijd gebruiken.'

'Ik weiger! Ik neem ontslag!'

'Ge waart nog niet aangenomen.'

'Ik zou op de graven van al mijn voorvaderen spugen alvorens ik een positie aanvaard die mij zou associëren met de onmenselijke praktijken waar u zich schuldig aan maakt!' luidde meneer Abdullahs reactie op zijn eerste aanbieding voor vast werk in dit land. Hij draaide zich om en wilde trots weglopen, met zijn mantel wapperend in de wind. Jammer genoeg werd hij neergeknuppeld en moest hij enkele dagen in het gevang doorbrengen om van de schok te bekomen.

Een week later werd meneer Abdullah opnieuw ontboden om aan een ander paard te werken. Ik hield het paard voor hem vast zoals voorheen. Het paard was niet langer de enige die een bandage droeg. Meneer Abdullah schikte het verband rond zijn voorhoofd alvorens hij zich weer aan het werk zette.

'Ik doe dit onder protest, en slechts uit medelijden met het arme dier,' zei hij. 'Dit is de laatste keer dat ik ervoor zal kunnen zorgen. Ik kan hier niet langer blijven.'

'Wat is er dan aan de hand?' vroeg ik. 'Zijn de mensen hier niet tevreden met het werk dat u levert?'

Maar het was iets heel anders. Meneer Abdullah kon het zich eenvoudigweg niet veroorloven om in het land te blijven. Hij had een verblijfsvergunning. Wat hij niet had was een huis om in te wonen. Ik probeerde uit te vissen hoe dat kwam zonder onbeleefd te zijn. Het werd duidelijk dat het probleem eruit bestond dat sommige huisbazen een beetje achterdochtig waren als het eropaan kwam om te verhuren aan iemand die ze niet zo goed konden inschatten. Ik keek naar meneer Abdullahs capabele handen die de contouren van de hoef met zoveel fijngevoeligheid betastten. Ik zei:

'Het huis naast ons staat te huur.'

Toen ik mijn verlof had, vroeg ik mijn moeder om met de huisbaas te praten, een voorstel waar ze zeer zenuwachtig van werd want zulke dingen was ze niet gewoon, die waren altijd mijn vaders verantwoordelijkheid geweest. Een week lang brandde al ons eten aan. Zaterdagmiddag kwam mijn moeder tot een besluit, zette haar zondagse hoed op en wandelde te voet de hele weg naar de huisbaas. Toen ze terugkwam, glimlachte ze. Een week later verhuisde meneer Abdullah naar het huis aan onze rechterkant.

'Vader zou 't zelfde gedaan hebben,' zei mijn moeder.

Politiek gezien zou het overzichtelijker zijn geweest als Sigrid Verdronken onze rechterbuurman en meneer Abdullah onze linkerbuurman was. Maar het grappige is dat als je in de achtertuin gaat staan, en onze huizen van van achteren beziet, links rechts wordt en recht krom wordt. Pardon, ik bedoel links natuurlijk.

Hoofdstuk 5

'Het vreemde is,' vertelde ik Bérénice die avond aan de keukentafel, 'dat het toch door Sigrid Verdronken komt dat meneer Abdullah, zijn vrouwen en ik elkaar zo goed hebben leren kennen.'

Bérénice had de hele sinaasappel opgegeten maar weigerde de banaan. Ik begon hem in kleine schijfjes voor haar te snijden.

'Meneer Abdullah en ik hadden reeds vele jaren als buren naast elkaar gewoond,' zei ik, en at een schijfje banaan in de hoop dat ze mijn voorbeeld zou volgen – als het op fruit aankwam, at Bérénice dikwijls als ik eerst at.

Ze duwde de banaan weg.

'Je hebt gelijk,' zei ik. 'Ik moet nauwkeuriger zijn. We hadden in feite al meer dan dertig jaar naast elkaar gewoond, maar we hadden nog nooit meer woorden dan een simpele bonjour en een rappe bonsoir uitgewisseld. Ik ben bang dat dat mijn fout was.'

Ik schonk mijzelf een kriekske in en begon Bérénice te vertellen hoe ongemakkelijk ik mij altijd tegenover meneer Abdullah had gevoeld. Hij was uiteindelijk volledig van mijn goede wil afhankelijk geweest voor zoiets belangrijks als een huis om in te wonen. Ik was natuurlijk blij geweest om hem een dienst te hebben kunnen bewijzen, maar ik dacht dat meneer Abdullah zich wel erg ongemakkelijk moest voelen nu hij zo bij mij in het krijt stond. Uiteindelijk was hij een vreemdeling in dit land en zou hij de dienst die ik hem bewezen had toch nooit kunnen vergoeden? Maar toen gebeurde er iets dat de dingen tussen ons zelfs nog ongemakkelijker maakte.

Op een ogenschijnlijk rustige zaterdagmiddag wandelde ik

met mijn hond op straat. Ik gooide weleens een stok, ik hoefde zelfs niet eens 'apport' te zeggen, want mijn hond was doof en ging sowieso achter de stok aan. Ik had er echter niet op gerekend dat meneer Abdullah zich die zaterdag juist op een kleine middagwandeling zou begeven. Ik had er ook niet op gerekend dat meneer Abdullah hiervoor een wandelstok zou gebruiken.

Spijtig genoeg vergiste mijn hond zich dus van stok en greep die van meneer Abdullah in plaats van die die ik gegooid had. Hoewel dat nog niet zo'n ramp zou zijn geweest als Sigrid Verdronken ons niet op hetzelfde moment van achteren zou zijn genaderd.

Ik riep ondertussen alles dat ik kon bedenken naar de hond die jammer genoeg nooit een al te goede liplezer is geweest. Hij kwam mijn richting uit gerend, wat tenminste al iets was, ook al hield hij meneer Abdullahs wandelstok nog steeds in zijn muil. Maar toen rende hij in plaats van naar mij, naar Sigrid Verdronken. Het drong tot mij door dat het gezichtsvermogen van de hond wellicht ook niet meer zo zuiver was. Sigrid Verdronkens gezichtsvermogen was echter uitstekend. Hij trok meneer Abdullahs wandelstok snel uit de muil van mijn hond en gooide die in een container die gevuld was met afval van de straatwerken. En zei opgewekt:

'Opgeruimd staat netjes.'

Ik wist niet hoe ik mij bij meneer Abdullah kon excuseren, ik voelde mij zo beschaamd dat ik nauwelijks kon praten. Misschien daarom dat meneer Abdullah mij bij hem thuis uitnodigde om een kop thee met honing te komen drinken. Zo werd onze wekelijkse gewoonte om op zaterdagavond af te spreken geboren. We vonden het beiden aangenaam om te zitten roken en praten of zwijgen al naargelang we er zin in hadden. Meneer Abdullah rookte zijn pijp en ik mijn gebruikelijke Belga's. 's Avonds drink ik meestal bier of wijn maar als ik naar de Abdullahs ging miste ik het niet echt, want meneer Abdullahs eerste vrouw, Aisha, serveerde buitengewoon smakelijke thee. Dat herinnert mij aan die keer toen meneer Abdullah voor het eerst gewag maakte over zijn eerste vrouw. Ik zei:

'Mijn innige deelneming.'

'Deelneming waarmee? Ze is magnifiek! Aisha, mijn duifje? Kun je eens hier komen alsjeblieft?'

Eén panische seconde lang vreesde ik dat iemand een urn zou komen binnendragen.

'Aisha? Mijn lieftallig paradijsvogeltje?' riep meneer Abdullah. 'Waar zit je, klein wild woestijnbloemetje van me?'

'Aisha, Aisha, waar zit je, klein wild woestijnbloemetje van me?' echode de oude papegaai in de hoek. De vogel voegde iets toe in een taal die ik niet verstond. Meneer Abdullah bloosde tot achter zijn oren en zei:

'Shht, Archimedes, zwijg! Zeg niets meer!'

Eindelijk wandelde een ontzagwekkend grote, struise vrouw met een theeblad de kamer in. Ik kon het staren niet helpen.

'Ah, Aisha, daar ben je, mijn klein teer wilgenblaadje!' zei meneer Abdullah. 'Ik zie dat gij er volledig terecht nogal verdwaasd uitziet, beste man. Een oogverblindende schoonheid, nietwaar? Wacht tot ge mijn andere vrouwen ziet. Fatima? Bashirah?'

Er kwamen nog twee vrouwen de kamer binnen. De jongste droeg een baseballpetje. Ik had ondertussen begrepen dat meneer Abdullah met ál deze wonderschone vrouwen getrouwd was. Ik knikte vol respect.

'Fatima is de moeder van mijn oudste zoon. En Bashirah hier is een voortreffelijk voetbalspeelster. Ze traint voor het nationale vrouwenteam. Ah, er bestaat een lange traditie van sportieve prestaties onder de vrouwen van mijn familie! Mijn moeder bijvoorbeeld, was een uiterst bedreven ruiter in haar jeugd. Ge hebt wellicht al gehoord over onze Arabische volbloeden? Letterlijk alle paardenrassen van de hele wereld werden veredeld met het sterke bloed van onze Arabische hengsten. Van de Engelse volbloed tot de kleinste pony en het grote Brabantse trekpaard. Het Arabische paard! Oh, wat een paard. Zo'n uithoudingsvermogen! Zulke fijne benen! Het kan dagen, eeuwigheden lang door de woestijn blijven rennen, zonder maar een druppel water. Oh, zo'n schoonheid! Zo'n adellijk voorkomen! Gelijk onze vrouwen, mijn vriend, sterk en nobel!'

''t Is Wittekerke op tv,' onderbrak Bashirah hem. Ze had haar baseballpetje afgenomen en droeg daaronder een haarband waarop 'Guns N' Roses' stond geschreven. 'Ik wil zien of Patsy en Chris weer samen zijn.'

'Ja, natuurlijk, mijn teer rozenknopje. Ga, ga! Ah, het enthousiasme van de jeugd. Als je klaar bent, Bashirah-chérie, kom dan weer terug en breng de kinderen. Ik wil dat zij onze gast ontmoeten.'

Ik betwijfelde of meneer Abdullah verstand had van Guns N' Roses. Ik had zelf slechts volledig toevallig iets over hen opgevangen van een van de conciërges op de faculteit. Spijtig genoeg werd hij ontslagen alvorens hij mij de laatste geheimen over happy metal muziek kon verklappen.

'En vertel eens? Heeft u een vrouw, of wellicht een vriendin?' vroeg meneer Abdullah die – met de uitzondering van popmuziek – duidelijk meer wist over westerse gewoontes dan ik over de zijne.

'Nee, ik ben niet getrouwd,' zei ik, 'en ik heb ook nog nooit een vriendin gehad.'

'Geen kinderen?' vroeg meneer Abdullah die van de schok zijn pijp liet vallen.

'Neen.'

'Bedoelt ge dat gij daar helemaal alléén in dat grote huis woont?'

'Ja.'

'Mijn innige deelneming,' zei meneer Abdullah. 'Een man zonder vrouw is als een kameel op een fiets: uiterst zeldzaam en volkomen nutteloos. Familie is het allerbelangrijkste.'

Ik dacht aan mijn ouders en knikte ernstig.

'En een leeg huis is als een verlaten tent in de woestijn: de gazelles zullen erin spelen.'

Toen ik hem onbegrijpend aankeek, voegde hij eraan toe: 'Dat wilt gij te allen tijde vermijden. Het zijn prikkelbare en ambetante beesten, gazelles. Neem één ding van mij aan. Beter om de kleine mormels buiten te houden.'

Ik knikte opnieuw.

'Maar maakt u zich geen zorgen, beste man.' Meneer Abdullah maakte een grootmoedig gebaar in de richting van de deur van de zitkamer, alwaar vijf giechelende gezichtjes ons gadesloegen.

'Insha'Allah, op een dag zal uw huis ook gevuld zijn met de stemmen van vrouwen en kinderen,' sprak hij genereus.

'Insha'Allah,' voegde de oude papegaai eraan toe.

'Archimedes! Wanneer gaat gij nu eindelijk eens leren om die giftige tong van u onder controle te houden?'

'Insha'Allah, Insha'Allah, koppiekrauw! Archimedes wil een petitbeurreke!'

'Bashirah, zeg alsjeblieft tegen de kinderen dat zij moeten ophouden met woorden te leren aan die vermaledijde vogel. Dieren zouden moeten leren te zwijgen als mensen praten. Dit is niet natuurlijk.'

In de loop der jaren hebben meneer Abdullah en ik elkaar dikwijls om raad gevraagd. Ik help meneer Abdullah altijd met zijn belastingaangifteformulier en ik kan mij tenminste één andere gelegenheid herinneren waarop hij mijn advies vroeg aangaande een zelfs nog ernstigere zaak. Deze betrof een nichtje van hem, genaamd Kadisha – nog zo'n schone naam voor een zonder twijfel ook zeer schoon meisje.

'Ze is van plan om spoedig naar dit land te komen,' vertelde meneer Abdullah mij die bewuste zaterdagnamiddag met een zeer serieuze stem. 'Ik had haar enkele dagen geleden aan de telefoon. Ze hoopt om spoedig te kunnen verhuizen en heeft er haar zinnen op gezet om hier naar de universiteit te gaan. Gij zult beter dan ik weten hoe het in dit land gesteld is met de situatie van vrouwelijke studenten. Daarom wilde ik vragen: zou het veilig zijn om haar te laten gaan?'

Ik overwoog de vraag zorgvuldig. Ik wist dat meneer Abdullah veel waarde aan mijn mening zou schenken. Wat mijn antwoord ook zou zijn, het zou een grote invloed hebben op het leven van dit jonge meisje.

Ik dacht lang na terwijl meneer Abdullah in stilte zijn pijp rookte.

'Tegenwoordig,' zei ik uiteindelijk, 'gaan vrouwen hier ook naar de universiteit. We hebben hieromtrent in de beginjaren inderdaad enkele kleine incidenten moeten overleven, maar vandaag de dag loopt het systeem vrij vlotjes.'

'Hopelijk niet *te* vlotjes?' informeerde meneer Abdullah kritisch.

'Ik weet precies wat je bedoelt,' zei ik, 'doch zit er maar niet over in. We hebben tegenwoordig zelfs een paar vrouwen onder het onderwijzend personeel. We hebben enkele kleine aanpassingen voor hen moeten maken, maar over het algemeen genomen kan ik zeggen dat het om een verrijkende ervaring gaat. En wat uw nicht betreft...'

Ik haalde diep adem.

'Wees gerust,' besloot ik mijn betoog. 'Ze zal veel voordeel kunnen slaan uit een universiteitsopleiding.'

'In dat geval,' zei meneer Abdullah, 'zal ik ervoor zorgen dat ik haar naar de faculteit stuur waar gij doceert. Op die manier zal ik mij meer op mijn gemak voelen, wetende dat ge een oogje op haar zult kunnen houden.'

Ik knikte en voelde mij zeer vereerd om zo'n grote verantwoordelijkheid te worden toevertrouwd. Het was al jaren geleden dat ik zelf nog les had gegeven aan de eerstejaars, maar ik verzocht een bijzonder betrouwbare collega van mij, professor Habermat, om het meisje in mijn plaats in het oog te houden.

'Door de jaren heen heb ik mijn uiterste best gedaan om het vertrouwen dat meneer Abdullah zo gul in mij plaatst niet te beschamen,' vertelde ik Bérénice die avond nadat Sigrid Verdronken ons die merkwaardige waarschuwing had gegeven.

45

Bérénice en ik zaten nog steeds aan de keukentafel. Ze had de banaan ondertussen volledig verorberd en speelde nu met mijn lege bierflesje. Ik streelde haar haren. Ze waren nog maar juist lang genoeg gegroeid om ze weer te vlechten, in twee dunne tresjes waar ik altijd onhandig twee blauwe haarlintjes aan vastknoopte. Ik dacht aan het instituut. Ik wilde niet dat ze daarnaar terugging. Bérénices haar voelde zacht aan in mijn hand.

Een gerucht, herinnerde ik mij hoe Sigrid Verdronken gezegd had, doet soms snel de ronde. Ik trok mijn hand rap terug en spiedde door het keukenraam naar buiten om te zien of er iemand naar ons aan het kijken was.

De tuin was leeg.

Bérénice trok aan mijn andere hand en wees naar het fornuis om mij te tonen dat ze honger had en hoopte dat ik snel aan het eten zou beginnen.

Ik stond op en zocht naar eieren voor een omelet.

'Ik wou dat Sigrid Verdronken ergens anders woonde,' vertelde ik Bérénice. 'Ergens ver hier vandaan. Bij voorkeur in een ander land of misschien op een ander continent.'

Hoofdstuk 6

Maar toen vond ik onverwachts een bondgenoot. Haar naam was Elvira en ze was vierentwintig. Nog een klein meisje, maar deze keer eentje met een vrij grote mond.

Ze zou Bérénices beste vriendin worden.

Ik moet eerlijk bekennen dat Elvira mij af en toe aan een zin van Brusselman heeft doen denken: 'Zij is een kleine rebelse godin die in een verscheurd T-shirt en een bevlekte jeans tot mij is gekomen, het lief dat ik nooit heb gehad toen ik jong was, behalve in mijn dromen' – enkel en alleen vanwege het T-shirt en de jeans natuurlijk. En het rebelse karakter. En dat over de godin klopt wellicht ook. Ik twijfel er niet aan dat de schrijver dat op een geheel fatsoenlijke manier heeft bedoeld. Zelf heb ik geen oor voor poëzie maar dat is waarschijnlijk eerder een voordeel; zoals onze leraar Nederlands altijd zei, gelukkig zijn wij Belgen niet erg literair aangelegd, wij hebben te veel talen en kunnen maar niet besluiten welke wij het eerst zullen verkrachten.

Op een goede dag wandelde ik nietsvermoedend mijn assistent Lammes kantoor op onze faculteit aan de Katholieke Universiteit van Leuven binnen, en zag tot mijn grote verbazing dat er een meisje naast hem zat. Ze zat op de stoel die gewoonlijk tegen de muur staat (we hebben in ons kantoor allen de beschikking over twee stoelen; één om op te zitten en een tweede om aan te bieden aan mensen die ons durven te bezoeken). Het meisje had de bezoekersstoel van de muur weggeschoven en naast Lammes stoel gezet. Ze leunde nonchalant achterover, met haar voeten op zijn bureau, de modderige hielen slechts centimeters van zijn typende vingers verwijderd. Ze waren zachtjes over iets aan het praten.

'Goede...eh... middag,' zei ik.

Ik had nog nooit van mijn leven iemand daar zo, op die manier, zien zitten. En ze was niet eens een faculteitslid!

Ze droeg een versleten zwarte leren vest en korte bruine, ook zeer afgedragen, leren laarsjes. Een gat in haar jeans liet een fraaie, gezonde, jonge knie met een paar rode schrammen erop bloot.

Ze stak nogal af tegen de rest van de omgeving. Je moest gewoon wel naar haar kijken, al was het maar om te proberen het geheim te doorgronden van al het onvoorstelbare gemak waarmee ze daar zat.

Toen ze mij zag, verwijderde Elvira haar voeten van Lammes bureau en zei goedemiddag professor, mij met mijn titel aansprekend zoals gebruikelijk is voor alle studenten. Maar toen deed ze iets dat hoogst ongebruikelijk was voor een student. Ze knipoogde naar mij. Geen enkele *vrouw* had ooit naar mij geknipoogd.

Vreemd genoeg had ik niet het gevoel dat ze oneerbiedig of zelfs maar onbeleefd was. Ik had eerder het gevoel dat ze mij ergens over in vertrouwen nam. Alsof ze er een zinspeling op had gemaakt dat onze aanwezigheid hier op een bepaalde manier grappig was, wie weet zelfs een beetje belachelijk. Ik was vanzelfsprekend volledig uit het lood geslagen door het feit dat een vrouwelijke student – ik dacht toen nog dat ze een student was – het zou wagen om naar mij te knipogen, maar toch kan ik niet zeggen dat ik het werkelijk onaangenaam vond. Het was eigenlijk wel plezierig eens een mens te ontmoeten die op de hoogte bleek te zijn van het feit dat veel van wat op onze faculteit gebeurt op een bepaalde manier inderdaad nogal belachelijk is. Ik zweer dat ik, als ik niet zo overdonderd was geweest, zelfs een poging zou hebben ondernomen om terug te knipogen.

Nadat ze vertrokken was, hoorde ik van Lamme dat ze geen student was, maar gewoon een vriendin die langskwam. Dat vond ik op zichzelf al zeer interessant want, ofschoon ze klaarblijkelijk geen legitieme reden had om hier te zijn, bleef ze toch regelmatig binnenspringen, één, soms zelfs twee keer per week. Het scheen haar geen enkel schuldgevoel te bezorgen om Lamme eventjes van zijn werk te houden en ik zei er ook nooit iets van. Ik had het wel gekund, ik was niet bang voor haar. Maar ik vond het altijd een aangename verrassing om Lammes kantoor binnen te wandelen en haar daar te zien zitten. Ik bood haar dan een sigaret aan, Lamme haalde koffie voor ons en dan zaten wij daar een tijdje met ons drieën. Een vrouw die mij niet de stuipen op het lijf jaagde, ik vond het nogal een openbaring.

Ik vond ook dat ik relatief gemakkelijk met haar praten kon, over allerhande onderwerpen, zelfs over Bérénice.

'Vroeger heb ik ook weleens last gehad met in slaap te geraken,' zei Elvira dan, met één voet op Lammes bureau – zodra ze gemerkt had dat ik haar er niet om berispte, trok ze haar voeten niet langer terug als ik binnenkwam, alhoewel ze mij wel met mijn titel bleef aanspreken, waar ik dankbaar voor was.

'Dat is na een tijdje overgegaan. Als ik van u was zou ik er niet te veel over piekeren,' raadde Elvira mij aan, en ik vond het altijd een hele geruststelling om zulke informatie van haar te vernemen. Zij was van de vrouwelijke kunne en met haar schenen de dingen toch op een of andere manier goed te zijn gekomen. Zie je wel, met Bérénice zouden de dingen ook goedkomen.

Aan Elvira durfde ik intieme vragen over Bérénice te stellen, die ik bij meneer Abdullah nooit ter sprake had durven brengen, vanwege de simpele reden dat hij een man was en ik ook.

'Volledig normaal,' zei Elvira dan, met één hand krabbend aan de blote knie die door het gat in haar jeans stak. 'Hoe oud is ze nu? Bijna zes? Nee, de meeste meiskes hebben dat voor de eerste keer als ze een jaar of twaalf, dertien zijn. Enfin, dat hangt er zo wat van af. Van mij, ik was zestien. Lamme, hebde goesting om vanavond bij ons thuis naar een film te komen zien?'

Ze scheen geen enkele van mijn vragen of opvoedingsmethoden als aanstootgevend te ervaren. Ik voelde mij enorm opgelucht.

Maar Elvira had meer kwaliteiten. Ze scheen erg goed op de

hoogte van het dagelijkse leven in de faculteit, en wist veel over de personeelsleden maar ook over kleine, nuttige dingetjes zoals hoe men meer koffie uit de koffieautomaat kon krijgen, welke deuren geopend konden worden met dezelfde passe-partout, of hoe je in het gebouw kon inbreken als je je hele sleutelbos vergeten was. Toen kwam uit dat zij professor Habermats assistent geweest was, enkele jaren geleden toen ikzelf niet in Leuven was geweest vanwege een betrekking op een buitenlandse universiteit. Ze scheen in die periode goede vrienden met Lamme te zijn geworden. Ik zag hen vaak kleine pakketjes uitwisselen. Eerst dacht ik dat het om iets illegaals moest gaan maar het bleken gewoon gekopieerde cd's te zijn.

'Eigenlijk ook half-illegaal,' zei Lamme, 'maar we zijn voorzichtig.'

Ik had zoveel jaren gespendeerd aan het naleven van alle mogelijke regels en wetten, en vond het nogal amusant om te constateren dat er zich nu dicht in de buurt van mijn bureau, recht voor mijn eigen neus als het ware, iets half-illegaals voltrok, en dus liet ik ze hun gang gaan. Ik vroeg hun zelfs om een cd met hun favoriete muziek erop, maar dat is een vergissing gebleken want ik kreeg er vrij snel hoofdpijn van en heb het sindsdien niet meer opgezet.

'Ik had vroeger hetzelfde,' zei Elvira. 'Naar zoiets moet ge léren luisteren!'

Ik zei dat ik te oud was om nog iets te leren en daar moesten ze alle twee hard om lachen.

'Maar u bent een professor! Uw leven draait toch om leren?'

Ik zei dat het precies omgekeerd was: professor zijn betekent dat ik verondersteld word om andere mensen te doen leren. Daar moesten ze weer om lachen, een verheugend feit want normaal gezien ben ik er niet goed in om mensen te laten lachen. In ieder geval niet opzettelijk.

'Weet u wat het ding is met die muziek,' zei Elvira, 'het hangt allemaal af van de juiste omgeving.'

En zo kregen Bérénice en ik een uitnodiging voor een fuif

in het oude boerderijtje waar Elvira woonde, in het midden van het Vlaamse platteland. Op dit memorabele evenement zou ik spoedig ontdekken dat Elvira Sigrid Verdronken meer dan goed kende.

Ik had geaarzeld alvorens haar invitatie te accepteren. Ik dacht dat het goed voor Bérénice zou zijn om Elvira te ontmoeten, een ander jong meisje om vriendschap mee te sluiten, en ik wilde ook graag Elvira's advies vragen betreffende een paar zaken. Maar een fuif... toen ik zelf nog jong was, waren fuiven nooit echt mijn specialiteit geweest. Uiteindelijk won mijn nieuwsgierigheid. Dat is dikwijls mijn ervaring geweest met het ouderdomsproces: geneugten die mij ooit ontzegd werden schijnen mij nu per toeval in de schoot te worden geworpen.

'Ga jij daar ook naartoe?' had ik Lamme gevraagd, nadat Elvira weer vertrokken was.

Lamme is mijn assistent geweest sedert hij ongeveer vijf jaar geleden afstudeerde. Hij doet zijn naam eer aan en eet gemakkelijk drie porties van wat andere mensen ook op hun bord hebben. Zijn favoriete bier is Mort Subite. Hij is goedgebouwd en sterk genoeg om met één arm een vol biervat te torsen. Hij is uiterst betrouwbaar.

'Natuurlijk,' zei Lamme. 'Ik ga dikwijls bij hen thuis.'

Hij legde uit dat Elvira het liefje was van een goede vriend van hem, genaamd Jefke.

Toen ik Jefke voor de eerste keer ontmoette, moest ik wel even slikken.

Ik stond oog in oog met een soort van hopelijk kleinschalige crimineel. Zo zag hij er in ieder geval uit. Aangezien het dorp waar hij woonde werkelijk zeer kleinschalig was, hoopte ik maar dat zijn vergrijpen navenant zouden zijn. Ter compensatie droeg hij zijn zwarte haar langer dan mijn sergeant van destijds voor iemand van zijn geslacht onverdacht zou hebben gevonden, hulde hij zich in afgereten zwart leder, hield hij zijn grote zwarte zonnebril te allen tijde op zijn neus, en gebruikte alleen asbakken als die zich in een straal van tien centimeter van zijn drievingerige hand bevonden. Hij liep mank en had slechts één oor.

'En, goesting om te fuiven, professor?' vroeg Jefke bij wijze van begroeting. ''t Schijnt dat gij van zoete dingen houdt.'

Elvira had hem zeker verteld over mijn voorliefde voor kriekenbier. Als ik hem alleen op straat zou zijn tegengekomen, zou ik echter toch snel zijn overgestoken naar de andere kant. Ik hield Bérénice bij de hand en trachtte om harentwille een schijn van moed hoog te houden maar ze leek, in tegenstelling tot ikzelf, helemaal niet schuw. Ze had de vreemde man aanvankelijk nogal zakelijk opgenomen. Maar toen ze de hand met de mankerende vingers gewaarwerd, viel haar mond open. Geïmponeerd vloog haar blik heen en weer tussen zijn rechterhand en de mijne, vergelijkend. Toen haar blik weer op Jefkes hand bleef rusten, was die doordrongen van onverscholen fascinatie.

Jefke lachte zijn scheve, bruine tanden bloot. Ik schatte hem ergens in de dertig. En Bérénice had gelijk. Onze-Lieve-Heer heeft rare doch hopelijk niet al te gevaarlijke kostgangers.

Ik deed een stap voorwaarts en schudde de verminkte hand. Bérénice sloeg het met ontzag gade. Ik knikte en zei:

'Ik zou een glas Krieklambiek bier zeer appreciëren. Het is een van mijn persoonlijke favorieten.'

Elvira moest erom lachen en vroeg of ik aan drie kratten genoeg zou hebben. Blijkbaar deden zij sommige dingen toch in het groot. Ik hoopte dat het bij bier zou blijven.

Het was de avond van de fuif. Wij hadden elkaar op het trottoir tegenover het faculteitsgebouw ontmoet. Jefke en Elvira hadden dichtbij geparkeerd. We hadden afgesproken dat Bérénice en ik hen in mijn auto zouden volgen. Spoedig reden wij door de Vlaamse heuvels en moest ik mij haasten om Jefke en Elvira's verdachte, zwarte wagen bij te houden. Jefke had mij verteld dat het een '82 Pontiac Firebird was. Mijn aandacht was vooral getrokken door het feit dat er een levend varken op de achterbank meereisde. Zij leidden ons met een indrukwekkende snelheid de weg over de kronkelende plattelandswegeltjes.

Bérénice keek geïntrigeerd naar het voorbijschietende landschap dat zo anders was dan de stad die ze gewend was.

'Let vooral op de uiterst inventieve architectuur,' raadde ik haar aan. 'Daar zijn onze Vlaamse boeren wereldbefaamd om. Ze staan daarnaast vooral bekend vanwege hun warme gastvrijheid en intense liefde voor alles wat vreemd is, en spreken ook allen vloeiend meerdere talen, vooral Frans. In het verleden waren zij namelijk genoodzaakt om die taal te leren. En eens met het Frans begonnen wisten zij niet van ophouden. Dit heeft wellicht te maken met een korte periode van onderdrukking door de weinige aristocratische en steeds in het Frans sprekende grootgrondbezitters die ons land rijk is. De erfenis is een tot op de dag van vandaag voortdurende passie voor het Frans en een enorme creativiteit om met uiterst bescheiden middelen hele boerenhoven op te trekken die uiterlijk bijna niet te onderscheiden zijn van een stal. Bovendien hebben de pijnlijke ervaringen van de armoede van weleer bijgedragen aan het hoge niveau van levenswijsheid en de in het algemeen zeer ruimdenkende levensbeschouwing die er vandaag de dag heerst. Deze heuvels zijn werkelijk de voedingsbodem geweest voor enkele van onze meest ruimdenkende intellectuelen. Let maar op, je zult het gauw aan den lijve ondervinden. Ik moet je echter wel waarschuwen dat het belangrijk is om hen nooit of te nimmer voor het hoofd te stoten, want dan kunnen zij zeer gevaarlijk worden. De toorn van de Vlaamse boer is verschrikkelijk. Vergis je niet, achter die façade van fijngevoelige zachtaardigheid schuilt een zeer harde kern. Dat zal wellicht ook wel iets te maken hebben met de hoge mate van fysieke ontberingen die men hier heden ten dage nog steeds luchthartig en enkel en alleen uit principe ondergaat. Geloof het of niet, maar naast deze kleine boerenhofjes lijkt ons eigen vervallen huis een hoogtepunt van moderne luxe en comfort.'

Bérénice en ik ontdekten dat Elvira en Jefke in net zo'n klein boerderijtje woonden, met als frapantste kenmerken een uiteen-lopend assortiment van verschillend gekleurde dakpannen en een redelijk groot hek dat in ieder geval groter was dan waar het toegang op gaf. Het mysterie van het vreemde hek werd opgelost toen wij om het huis heen liepen. Verscholen in de bosjes lagen twee torens en de overblijfselen van een oude muur. Hier moest ooit een zeer klein kasteeltje hebben gestaan. De plaatselijke defi-nitie van een kasteel bleek een constructie te zijn die – in tegen-stelling tot een boerderij – ietsjes groter dan een stal was, met enkele kleine torentjes en een muur eromheen gebouwd. Elvira vertelde ons dat het kasteel een tijdje geleden werd platgebrand. Wat zei ik over de toorn van de Vlaamse boer. Achter de restanten van de oude muur lag wat er nog overbleef van een slotgracht – enkeldiep en zoals de geschiedenis had aangetoond, ook al niet erg succesvol in het buitenhouden van ongewenste bezoekers. De twee torens waren al even vervallen, maar hun daken lekten niet – of liever, vele generaties van optimistische doe-het-zelvers had-den er al hun creativiteit op botgevierd. In één toren huisde nu een ezel, de andere toren werd als extra dansvloer gebruikt als de huiskamer in het kleine boerderijhuisje te klein werd.

Spoedig nadat wij arriveerden, kwamen de eerste gasten bin-nendruppelen. Er waren mannen bij met haar in kleuren die mijn vroegere sergeant in extase zouden hebben gebracht. Er waren jonge gasten die helemaal geen haar hadden. Er waren man-nen die zwarte nagellak droegen en er was een zeer grote vrouw die lange zwarte lederen laarzen droeg die zo lang waren dat ze helemaal tot haar... wel, ze waren zeer lang. Twee goedgebouwde boerenzonen zaten in een hoek en hielden een levendig toernooi om te ontdekken wie de luidste wind kon laten. Dronkenschap vormde wellicht een andere uitzondering op het fijngevoelig-heidsprincipe.

'Als dat zo doorgaat wordt de Engelse term 'gentleman far-mer' in Vlaanderen een contradictio in terminis,' fluisterde ik Bérénice toe, de gelegenheid aangrijpend om haar een moeilijk woord te leren. 'Ik stel voor dat wij ons wat op de achtergrond houden en proberen om onopgemerkt in de massa op te gaan. Volg mijn voorbeeld.'

Een reusachtige man met een groene hanenkam, een broek uit zwart leder en massieve armen vol tatoeages kwam op mij af.

'Is het waar wat ze zeggen?' bulderde hij. 'Zijt gij echt nen professor?' Zijn vingers gleden over de zware gouden kettingen op zijn naakte harige borst.

'Ik... eh... ben er plots niet geheel zeker meer van,' zei ik. 'Maar ik moet toegeven dat het wel op mijn cv staat.'

'Ideaal! Ideaal!' riep hij uit. 'Gij zijt precies de vent die ik zoek. Want als ge een professor bent zult ge wel Engels spreken?'

Bérénice schonk hem een sprankelende glimlach. Ik probeerde uit te leggen dat academici tegenwoordig inderdaad genoodzaakt zijn om in het Engels te schrijven als ze ook maar een kansje willen hebben om hun werk te kunnen publiceren.

'Dan zult ge wel goed zijn in zinnen maken en al?'

Ik zei dat ik mijn best deed.

'Ideaal! Ideaal!' Hij sloeg mij op de schouders zodat ik mij verslikte in mijn bier. 'Ik ben al lang aan 't uitzien naar iemand gelijk u. Wat is uw telefoonnummer? Van nu af aan zijt ge van wacht. Ik zit in de commerce en iemand die vlot Engels spreekt kan ik altijd goed gebruiken.'

Ik zei dat hij Elvira wel om mijn telefoonnummer kon vragen, zelf slaag ik er nooit in om het te onthouden maar Elvira met haar praktische aanleg zou zonder twijfel goed zijn in dat soort zaken.

De groene hanenkam knikte en wij dronken ons bier ad fundum om de kennismaking te beklinken. Hij ledigde zijn glas in één ferme teug; ik spreidde het mijne over vier kleinere slokken. Ik moet toegeven dat ik niet erg goed ben in formele kennismakingen. Misschien kon ik Elvira later naar zijn naam vragen. Ik trok Bérénice – die met veel interesse naar alle tatoeages had staan staren – op mijn schoot. Onze nieuwe vriend ging meer bier halen en toen hij terugkwam, zetten wij de conversatie voort. Terwijl we aan het praten waren, traceerde Bérénice met haar vinger de contouren van de tatoeages op zijn vlezige arm. Toen de staart van een geklauwde Vlaamse leeuw met een rode tong haar vinger naar zijn harige borst leidde, opende de groene hanenkam goedmoedig zijn lederen vest zodat ze haar verkennende onderzoek kon voortzetten. Ze omcirkelde de Waalse haan die op zijn andere tepel danste.

Ik hoopte maar dat daar geen problemen van zouden komen. Het onderwerp van de politiek is al gevoelig genoeg, als men het dan ook nog eens op zijn borstkas laat tatoeëren is het einde snel zoek. Ik durfde het niet luidop te zeggen omdat ik geen zekerheid had over mijn gesprekspartners politieke overtuigingen. Ik vond het uiterst verwarrend: hij droeg beide rivalen tegelijkertijd op zijn borst! Hij bedacht er zelfs een spelletje mee voor Bérénice. Eerst spande hij de spieren in zijn rechterborst. De geklauwde leeuw haalde uit. Daarna spande hij de spieren van zijn linkerborst. De dansende haan sprong op.

'Vive la Belgique!' verduidelijkte hij.

Bérénice moest erom lachen.

'Belgische humor,' voegde hij eraan toe in het Vlaams.

Ik knikte, opgelucht te ontdekken dat mijn gesprekspartner geen nationalist was, want ik ben er nooit zeker van welke van hun grappen bedoeld zijn om te lachen. Feitelijk is het een goede zaak dat er tegenwoordig praktisch geen komieken meer zijn die dat soort onderwerpen durven te beroeren. Het moet een gevaarlijk genoeg beroep zijn. Ik kan mij levendig inbeelden dat zij, na zoveel eeuwen onderdrukt te zijn door al onze verschillende, snel veranderende heersers, vrezen door het ridiculiseren van een van hen, ongewild eer te bewijzen aan een andere, of vervolgd te worden door een derde. Er moeten veiliger vormen van amusement bestaan.

In de hoek waren twee boerenzonen aan het bewijzen dat onze Vlaamse boerenbevolking in ieder geval al rijk is aan onontdekte komische talenten. Ze waren nu overgeschakeld op het maken van grappige boerengeluiden en werden, bij gebrek aan een alternatief, gretig toegejuicht door de andere feestgangers. Ik kon er goed inkomen. In nederige omstandigheden kan een mens het zich niet permitteren al te kritisch te zijn.

Mijn nieuwe vriend en ik lachten en brachten een volgende toast uit. Ik ontdekte algauw dat de groene Hanenkam Elvira zeer graag mocht en veel respect voor haar had. Hij scheen ook onder de indruk te zijn dat ze voordien al hardere tijden had moeten doorstaan, in de dagen toen zij nog als assistent aan onze faculteit tewerkgesteld was.

Ik zei dat ik er persoonlijk voor kon instaan dat haar vorige werkgever, professor Habermat, een fatsoenlijk man was.

'Kan goed zijn, maar voor zover ik gehoord heb, houdt hij er maar rare vrienden op na,' zei de groene Hanenkam. 'Elvira heeft chance gehad daar levend uit te zijn gekomen.'

'Tegenwoordig zien we professor Habermat nog maar zelden op de faculteit,' zei ik. 'Hij aanvaardde namelijk een veeleisende positie in Brussel, alwaar hij onderzoek voor het Europees parlement verricht.'

Toen dreef het gesprek weg in de richting van plezieriger onderwerpen en het was al enkele uren en meerdere pinten later dat ik opstond en zei dat ik eens een kijkje op de boerderij wilde nemen en dat ik op zoek zou gaan naar Elvira.

'Gaat anders eens buiten gaan zien,' raadde mijn nieuwe vriend mij aan. 'Ze is verzekers aan 't dansen.'

Bérénice en ik volgden het geluid van de muziek dat uit de tweede toren scheen te komen. Ik had ondertussen geconcludeerd dat ik mij vreemd genoeg helemaal niet op mijn ongemak voelde. Voor we aankwamen had ik gevreesd dat Bérénice en ik ons waarschijnlijk ongemakkelijk zouden voelen, aangezien wij wellicht het jongste en het oudste lid van het gezelschap zouden zijn. Nu werd duidelijk dat alle andere mensen zonderlinger dan wij waren. Ze waren allemaal ook zeer vriendelijk. Velen knikten ons toe terwijl we ons een weg door de menigte in het huis baanden. Ik had enkele korte gesprekken met een paar andere gasten en zwaaide naar Lamme die zich ondertussen ook bij de feestvreugde had gevoegd en zich bij het groepje boerenzonen ophield. Ik durfde zelfs hallo te zeggen tegen de grote vrouw met haar lange lederen laarzen, ik had me nog nooit gerealiseerd dat het praten met andere mensen zo gemakkelijk kon zijn. De luide muziek zorgde ervoor dat elke fout die je maken kon overstemd werd. Ik voelde mij wonderlijk op mijn gemak.

Bérénice en ik staken het erf over. Het was een prachtige nacht en ik wees omhoog naar de donkere hemel, zocht naar de poolster en probeerde Bérénice de namen van enkele andere sterren te vertellen en was de verschillende sterrenbeelden al door elkaar aan het gooien toen ze aan mijn hand trok. Iets veel dichter bij de aarde had haar aandacht getrokken, en plotseling hoorde ik het ook. Tegen de achtergrond van de luide moderne muziek in de verte, een koppig wijsje, veel ouder en veel dichterbij. Een jongeman met een lange neus en stekkerhaar zat naast de oude waterpomp voor de kleine stal, en begeleidde zijn lied op een gitaar. Hij was helemaal alleen. Bérénice wilde er graag heen en dus wandelden wij naar hem toe om zijn lied beter te kunnen beluisteren. Het ging over een meisje in een rood kleedje, een liefdesliedje, vrij ontroerend om eerlijk te zijn. Bérénice zat neer om van de muziek te genieten, en gebruikte mijn lange schoenen als een klein zeteltje. Toen het lied afgelopen was, voelde ik mij genoopt om de jongeman een compliment te maken.

'Zulke prachtige muziek,' zei ik. 'U zou voor de televisie moeten optreden!'

Hij vertelde mij dat hij geen televisie had, omdat het meisje in het rode kleedje die had meegenomen toen ze hem verlaten had.

Ik wenste hem veel geluk toe op zijn zoektocht om hen beiden terug te vinden.

'Ik zal meer dan geluk alleen nodig hebben,' zei de jongeman met de lange neus. 'Wij zijn een volk van geboren verliezers.'

Nadat Bérénice de gitaar van dichterbij had bewonderd, wensten we de jongeman een goedenacht toe en vervolgden onze weg naar de tweede toren, maar hij riep ons terug voor we halverwege waren.

'Hei! Nu weet ik wie gij zijt! Zijt gij degene die naast die oude zot woont?'

Ik was verrast te horen dat hij mijn linkerbuurman kende, en knikte.

De jongeman legde zich plat van het lachen.

'Ha! Gij zult ook meer dan geluk alleen nodig hebben!' riep hij. Zijn luide stem en zijn onbeheerste, hysterische lach galmden over het erf. 'Wij zijn allemaal collaborateurs! Collaborateurs!'

Ik begreep dat hij wellicht te diep in het glas had gekeken, zei tegen Bérénice die het ook grappig scheen te vinden dat dat een moeilijk woord was dat ik haar een andere keer uit zou leggen, en leidde haar voorzichtjes weg.

Wij gingen de tweede toren binnen. Jefke stond achter een muziekinstallatie en jongleerde met een grote hoeveelheid platen. Ik zag Elvira in het midden van de wilde dansende menigte, en keek er al naar uit om haar enkele vragen te stellen. Ondertussen zetten Bérénice en ik ons neer op de smalle houten bankjes, en sloegen de dansers gade terwijl we van onze drankjes nipten. Bérénice drong erop aan om ook van het mijne te proeven. Ik liet haar eens proberen maar ze vond het natuurlijk niet lekker – ze had mijn voorliefde voor kriek overgenomen maar op dat punt van de avond was ik overgegaan op Leffe en de smaak was waarschijnlijk te bitter voor haar. Toen Elvira het dansen moe was, kwam ze naar ons toe en zette zich ook neer. Ze droeg – bij wijze van uitzondering – een rokje. Een vrij kort rokje.

Gelukkig straalde Elvira zoals gewoonlijk dat speciale aanstekelijke gemak van haar uit. Een mens kreeg er het gevoel door alsof er niets op de wereld bestond dat hij verkeerd kon zeggen of doen; een vrij eigenaardig gevoel dat ik ook herinner bij mijn moeder te hebben gehad – ook al was mijn moeder natuurlijk een heel ander soort vrouw die nooit zulke rokjes zou hebben gedragen, of verscheidende alcoholische dranken achterover zou hebben geslagen alsof het limonade was.

Zoals ik had gehoopt scheen Bérénice het gevoel net zoals ik op te pikken. Ze bestudeerde Elvira, schoof langzaam dichter naar haar toe, greep toen Elvira's hand en kroop bij haar op schoot. Ik kon goed begrijpen waarom: ik zou hetzelfde gedaan hebben (als ik Bérénices leeftijd gehad had, bedoel ik). Elvira liet haar paardjerijden op haar knie. Ik voelde een krop in mijn keel. Hen samen te zien giechelen, met hun vingers ineengestrengeld en hun ogen twinkelend van plezier, gaf me een gevoel alsof een onrecht dat ik wellicht nooit volledig zou kunnen bevatten, niettegenstaande langzaamaan werd vergoed met elke meisjesachtige lachbui die ze deelden.

Toen ze het spelletje moe was geworden, zette Bérénice zich naast Elvira neer en begon haar vriendins haren te vlechten. Er verscheen nog meer bier en spoedig was ik dronken genoeg om te zeggen wat ik dacht, maar niet langer sober genoeg om het erg welbespraakt te kunnen doen. Ik begon de boerenzonen steeds beter te begrijpen.

'Elvira,' zei ik, 'ik heb raad nodig want ik heb een groot probleem met een gebuur van mij die jammer genoeg precies naast mij woont. Maar eerst wil ik je iets anders vragen. Enkele uren geleden praatte ik met een groene man die mijn vriend is en ook jouw vriend, en die mij vertelde dat de vrienden van mijn andere vriend, professor Habermat, jou vroeger het leven moeilijk hebben gemaakt. Elvira, zeg nu eens eerlijk, waar slaat dat allemaal op?'

'Da's al lang geleden,' zei Elvira. 'Nog van voor de tijd dat ik bij Jefke woonde.'

'Elvira,' zei ik, 'je maakt hier een grove vergissing, maar ik zal het je vergeven omdat het een vergissing is die door veel jonge mensen wordt gemaakt: je zegt lang geleden, maar je bent één derde van mijn leeftijd. Je hebt het recht niet om lang geleden te zeggen, maar omdat je mijn vriend bent zal ik het je maar vergeven en door de vingers zien. Nu, vertel mij alsjeblieft wat ik weten wil, want ik ben zeer nieuwsgierig geworden en doe het alsjeblieft ook rap, want ik heb het gevoel dat ik spoedig het toilet zal moeten bezoeken.'

'Wat wilt u weten?' vroeg ze.

Ik was het vergeten.

'Ik ben het vergeten,' zei ik, 'maar jij die zo jong bent, jij zult wel een beter geheugen hebben. Het was die vraag die ik je zojuist stelde. Een minuut geleden. Nee, minder dan een minuut geleden. Zeg mij alsjeblieft niet dat je het vergeten bent, want als dat het geval is, is de pedagogische methode die ik al jaren op mijn studenten heb toegepast fout. Zij is namelijk gebaseerd op, en ik citeer hier letterlijk uit een vergadering met de decaan, de assumptie dat het verstand van een twintigjarige ertoe in staat is om een nieuw feit voor tenminste enkele minuten vast te houden.'

Natuurlijk was ze minder dronken dan ik en negeerde ze dus gewoon mijn vraag en begon over iets heel anders. Iets over haar ezel en over meneer Abdullah die een zeer goede hoefsmid was. Blijkbaar kende ze ook een van meneer Abdullahs nichtjes die een goede vriendin van haar scheen te zijn. Omdat ik zelf wel al vrij dronken was, trof dit feit mij niet als een uitzonderlijk toeval maar eerder als vrij saaie informatie. Ik was echter niet in de positie om haar tegen te spreken en probeerde mijn aandacht dus bij het gesprek te houden door de gaten in de zwarte nylonkousen die ze voor de gelegenheid droeg aan een grondige analyse te onderwerpen. Elvira droeg ook zwarte lederen laarzen – ze reikten slechts tot haar knieën maar hadden lange puntschoenen. Wellicht een nieuwe mode. Eén nylonkousenbeen knikte mee op het ritme van de muziek, op de knie van haar andere been balanceerde ze haar bierglas. Zoals ik die avond ontdekte, werd Elvira niet wild, pijnlijk gênant dronken, op de manier waarop sommige mensen – ikzelf meegerekend – dan plotseling allerlei dingen durven zeggen en doen waar zij overdag zelfs niet aan zouden durven denken. Ik veronderstel dat mensen als Jefke en Elvira zich overdag al niet al te veel inhouden, dus tegen de tijd dat het nacht is, is er weinig over om andere mensen nog verder mee te choqueren. Of, hetgeen mij waarschijnlijker lijkt, heb ik die laatste fase van hun dronkenschap simpelweg zelf nooit kunnen aanschouwen, omdat ik tegen die tijd zelf met de grond gelijk ben. Het enige opvallende symptoom dat ik bij Elvira heb kunnen opmerken, is dat ze na een tijdje trager begint te spreken. Verscheidene pinten en bezoeken aan een boom (ik) en aan het houten wc-hokje op het erf (Elvira) later keek ze me recht in de ogen en zei met trage, omfloerste stem: 'Professor, laat mij u eens iets vertellen.' Ik staarde terug, zo alert als de omstandigheden toelieten. Die avond had Bérénice mijn schoenveters al aan diverse objecten vastgebonden en ik hoopte maar dat ik mij voor het volgende bezoek aan de boom tijdig zou kunnen losknopen.

'Over die vraag die u mij eerder stelde,' zei Elvira. 'Die gebuur van u, Sigrid Verdronken, is inderdaad een zeer opmerkelijk man.'

Toen vertelde ze me iets dat ik nog in geen honderd jaar had kunnen raden, ook al heb ik er vaak met mijn neus bovenop gezeten. Er is werkelijk iemand als Elvira nodig om een geheim als dit te kunnen raden.

'U weet toch dat hij een negationist is?' vroeg ze.

'Een wat?'

'Een man die niet gelooft dat wat er in de Tweede Wereldoorlog gebeurd is, echt gebeurd is. Hij heeft veel boeken geschreven om het te bewijzen. Ze noemen dat... wel, ze noemen het een speciaal soort van ontkenning. Hij is er nogal beroemd om. Ze hebben hem ook al proberen op te pakken, maar geen enkel land durft het aan om hem voor het gerecht te brengen. Zeg nu niet dat u al jaren naast hem woont en daar niets van af wist? Hij moet ongeveer van uw leeftijd zijn.'

Ik heb Elvira zelfs nog nooit naar het nieuws zien kijken en toch weet ze altijd van allerlei dingen af. Ik, aan de andere kant, heb inderdaad vele jaren lang naast Sigrid Verdronken gewoond, ik heb door de jaren heen zelfs verscheidene invitaties aangenomen om hem te bezoeken in zijn opmerkelijke huis, en toch had ik het nooit geraden.

Nadat mijn moeder stierf, ontwikkelde ik de gewoonte om korte verslagen van mijn dagdagelijkse bezigheden neer te schrijven in een oud schriftje. Op een dag toen ik Sigrid Verdronken een bezoek had gebracht, schreef ik:

> Mijn buurman Sigrid Verdronken is een ware expert op het gebied van de vaderlandse geschiedenis, en hoewel hij geen geleerde aangesloten bij een universiteit is, zou ik hem graag de eer willen betuigen hem als een uiterst ontwikkeld man te beschouwen. Hij specialiseert zich in de geschiedenis van de Tweede Wereldoorlog en heeft een bijzondere interesse in Duitsland en Vlaanderen en wat hij hun gedeelde Germaanse erfenis noemt. Bij een bezoek aan zijn huis valt de absolute fascinatie voor zijn vakgebied onmiddellijk op. De zitkamer, het bureau en zelfs de slaapkamer zijn gevuld met een verscheidenheid aan kostbare voorwerpen die ons aan dit specifieke historische tijdvak herinneren. Hij moet zich kosten noch moeite gespaard hebben om ze te verzamelen want sommige lijken mij erg zeldzaam.

Ik was inderdaad altijd zeer onder de indruk na zo'n bezoek. Een beetje verder schreef ik:

> Ik heb zelden een man ontmoet die zoveel data en namen van invloedrijke politici en militairen uit het hoofd kent. Zijn uitmuntende kennis stelt hem er zelfs toe in staat om kleine fouten te kunnen ontdekken in de geschiedschrijvingen van andere historici. Vorige week vertrouwde hij mij toe dat hij een beurs had aangevraagd bij een Amerikaanse mensenrechtenorganisatie. Hij heeft zelfs geholpen om een politieke partij op te richten die zijn onderzoek steunt.

'Politieke partij? Ja, het vroegere Vlaams Blok,' zei Elvira, de woorden met tegenzin uitsprekend.

Mijn bierglas viel. Ik was op slag ontnuchterd.

'Je bedoelt het tegenwoordige Vlaams Be... Beuh...Beuh...' sputterde ik.

Elvira knikte.

Gelukkig was Bérénice ondertussen naar Jefke en zijn muziekapparatuur toe gelopen, want het Vlaams Belang was een hoofdstuk uit de vaderlandse geschiedenis dat ik voorlopig ook liever even oversloeg. Hoe noem je een extreem rechtse partij die andere extreem rechtse partijen op socialisten doet lijken?

'Hij is een van de stamvaders,' zei Elvira. 'Kent u het dagboek van Anne Frank?'

Ik zei dat ik erover gehoord had.

'Het is een dagboek dat door een jong meisje geschreven werd, tijdens de oorlog, terwijl ze met haar familie ondergedoken zat in een van de huizen op de grachten in Amsterdam. Ze slaagden erin om daar bijna de hele oorlog te overleven, maar net voor de bevrijding moet iemand ze aangegeven hebben, en ze werden gearresteerd en op transport gezet. Het enige lid van de familie die de oorlog overleefde was de vader, Otto Frank. Na de oorlog vond hij het dagboek van zijn dochter terug en liet het publiceren. Weet u wat Sigrid Verdronken gedaan heeft?'

Ik zei dat dat niet het geval was.

'Hij daagde Otto Frank voor het gerecht, onder de beschuldiging dat hij het dagboek vervalst had. En dat is nog maar een van de minder spectaculaire dingen die hij gedaan heeft. Hij heeft ook...' Elvira leunde achteruit, ze praatte nu zeer langzaam, de alcohol moet eindelijk ook naar haar hoofd gestegen zijn. Ik kon het horen aan de woorden die ze gebruikte, die waren heel wreed en direct, veel te wreed en te direct voor een sober gesprek dat het daglicht kon verdragen.

'Hij is aan het experimenteren met dat gas. U weet wel, dat gas dat ze gebruikten... Zyklon B. Hij probeert te bewijzen dat het alleen kan worden gebruikt om te ontluizen. En Heilige moeder Maria hierboven, 't zijn niet bepaald katholieke methodes die hij gebruikt voor zijn proefnemingen.'

Elvira's linkerhand omvatte vluchtig de pols van haar rechterhand, de hand waar ze haar sigaret mee vasthield. Haar vingers wreven over de huid. Ik staarde haar verdwaasd aan. Prachtige handen had ze trouwens, met fijne, sierlijke vingers, maar ik kon mij niet op hen concentreren. Ik was aan het denken aan iets anders dat ik jaren geleden had opgeschreven:

Het is werkelijk een mysterie waarom moeder, die meestal graag over de oorlog praatte, altijd geweigerd heeft om een woord te wisselen met onze charmante buurman.

Elvira had dat mysterie zojuist opgelost.

'En hoe komt het dat geen enkel land Sigrid Verdronken voor het gerecht durft te brengen?' vroeg ik hoopvol. 'Wellicht omdat hij nu zijn opinies heeft gematigd en in feite volkomen ongevaarlijk is geworden?'

'Hij heeft zo zijn connecties, van vroeger, van bij de rijkswacht. Niet het soort man om ruzie mee te willen, als uw leven u lief is.' Elvira ademde rook uit, was een moment stil, keek naar Jefke die aan de andere kant van de dansende menigte stond, nog steeds bezig met zijn muziekinstallatie. Met al zijn verminkingen was Jefke er natuurlijk niet het soort man naar om zichzelf op de dansvloer te begeven. Ik zag hoe hij Bérénice toonde hoe ze een nieuwe plaat op kon leggen. Haar dunne vingertjes hielden de plaat voorzichtjes bij de randjes vast – dat moest hij aan haar hebben uitgelegd terwijl Elvira en ik aan het praten waren. Jefke zwaaide vrolijk met zijn drievingerige hand toen hij een nieuw lied aankondigde.

Naast mij contrasteerde Elvira's profiel feeëriek tegen het zwarte deurgat. Ze was weer van onderwerp veranderd en praatte opnieuw over haar ezel. Ik was niet in staat mij te verroeren en bleef dus maar zitten. Ik hoopte dat Elvira tenminste dronken genoeg was om het geluid van mijn klapperende tanden niet te horen. Ik keek naar Bérénice. Ze stond nog steeds aan Jefkes zijde, zijn verminkte hand rustte op haar tengere schouders terwijl ze van het ene been op het andere sprong, de bewegingen van de mensen in de menigte vertaalde in een klein dansje van haarzelf.

Hoofdstuk 7

De volgende maanden probeerde ik Sigrid Verdronken zo veel mogelijk te ontwijken. Loerend vanachter een spleet in de gordijnen bestudeerde ik zijn gewoontes, en maakte aantekeningen over wanneer hij thuiskwam, wanneer hij het vuil buitenzette, wanneer hij een middag vrijaf nam, wanneer hij de nacht elders doorbracht. Het was een enorme opluchting te constateren dat Sigrid Verdronken een zeer punctueel man was. Bérénice en ik konden nu onze eigen gewoontes aanpassen teneinde de kans op toevallige ontmoetingen tot een minimum te beperken.

Sigrid Verdronken scheen zijn vrije middagen vooral door te brengen in het schuurtje achter zijn huis en bleek ook een devoot tuinier. Ik lette er angstvallig op om Bérénice binnenshuis te houden als hij door een vlaag van liefde voor zijn natuur werd overvallen. Doch telkens wanneer meneer Abdullahs kinderen langswandelden op hun weg naar school, zag ik Sigrid Verdronken met zijn spade naar hen zwaaien. Hij scheen ook iets naar hen te roepen. Ik slaagde er nooit in om het te verstaan, maar wat het ook was, meneer Abdullah scheen het niet te appreciëren. Hij vroeg mij zelfs om hem naar het politiebureau te vergezellen, om een klacht in te dienen.

Ik was niet direct overenthousiast.

'Maak u toch geen zorgen!' zei meneer Abdullah en hij duwde me zijn camionetje in. 'Het politiekorps is al lang niet meer de onprofessionele chaos die het was toen wij zelf jong waren! Het stond gisteren nog in de krant. Vandaag de dag is alles volledig gemoderniseerd! De tijden zijn veranderd, mijn vriend. En wij zijn oud geworden!'

Hij parkeerde zijn camionetje naast het politiebureau. Wij

werden door een agent te woord gestaan. De man leek in het begin vriendelijk genoeg. Hij duikelde een formulier op om enkele details over ons geval te noteren.

'Naam van de aanklagende partij?'

'Abdalrahman Abdullah.'

'Moeten we het spellen?' vroeg ik.

Dat zou inderdaad een goed idee zijn.

'Naam van de beschuldigde partij?'

'Sigrid Verdronken.'

'Pardon, ik kan u niet helpen,' zei de politieagent. Hij legde zijn pen neer en gooide het formulier weg.

Er was veel moeite voor nodig om meneer Abdullah ertoe te bewegen het politiebureau te verlaten.

'Waag het niet om te proberen mij mijn klacht niet te laten neerleggen, beste man! Ik zal een klacht tegen u neerleggen! Schrijf op: ondergetekende Abdalrahman Abdullah legt klacht neer tegen... wat is uw naam? Wat? Nee, ik ga nergens heen! Wíj gaan nergens heen zolang...'

Ik trok aan zijn arm en fluisterde: 'Je maakt het alleen maar erger. De ene helft van dit politiekorps is vast de beste vrienden met Sigrid Verdronken en de andere helft is waarschijnlijk banger van hem dan wij zijn. Hoe dan ook, we zullen hier niemand vinden die het tegen hem wil opnemen.'

Op de terugweg werd meneer Abdullah bekeurd voor het verzuimen een gordel te dragen.

'De tijden zijn veranderd.' Hij schudde zijn grijze hoofd. 'Alleen niet op de manier waarop wij gehoopt hadden.'

'Ssjt... zie dat het zwaantje je niet hoort,' fluisterde ik dringend in zijn oor.

'Zwaan? Wat? Waar? Maar, beste man, waar hebt ge het over?' vroeg meneer Abdullah, in verwarring om zich heen kijkend. 'Gevogelte? Maar wij zijn in het midden van de stad!'

'Ssjt! Ik had het over de agent, zo noemden we dit soort vroeger altijd, met hun zwarte uniform dat afsteekt tegen die grote witte motorfiets en die fluo-oranje helm met het zwarte vizier, zie je wel, net als de bek en de poten van de Euraziatische groot-gebekte knobbelzwaan. En hun humeur is al even...'

Het zwaantje steeg af van zijn motorfiets, en fronste.

'U had daar nog iets aan toe te voegen, meneer?' vroeg hij meneer Abdullah.

'Helemaal niet,' antwoordde ik snel in zijn plaats. 'Mijn vriend maakte slechts een volledig onschuldige en dus niets met u te maken hebbende opmerking over het eh... weer. Zoveel regen, meneer, dat is toch niet normaal meer. En ze voorspellen nog onweer voor 't weekend ook!'

Op de terugweg deed ik mijn best om meneer Abdullah ervan te overtuigen zijn kinderen te vragen niet langer langs Sigrid Verdronkens tuinhek te wandelen.

'Deze straat is groot genoeg voor ons allemaal,' zei ik. 'Het is gewoon een kwestie van mekaar niet voor de voeten te lopen.'

Tijdens de eerstvolgende weken deed ik mijn best om de kunst van het niet voor Sigrid Verdronkens voeten lopen te perfecti-oneren. De situatie in onze straat scheen eventjes te bekoelen. Sigrid Verdronken bleek veel van huis te zijn, wat goed nieuws betekende voor Bérénice die de namiddagen nu weer met spel-letjes in de tuin kon doorbrengen. Ik probeerde om te verge-ten wat Elvira mij had verteld over de oorlog, over het gas, over Sigrid Verdronkens experimenten, zijn gevaarlijke connecties en zijn politieke overtuigingen. Jonge mensen overdrijven al eens, en iemand als Elvira had natuurlijk een rijke fantasie.

Op de faculteit ging een van de kuisvrouwen met pensioen. Haar dochter stelde voor dat ze naar een rusthuis zou gaan – wat ik een vrij schokkend idee vond, ze was uiteindelijk slechts enkele jaren ouder dan ik was. De kuisvrouw scheen ook niet erg ingenomen met het plan van de dochter.

. 'Kon ik u maar inviteren om bij ons te komen wonen,' vertelde ik haar, met in mijn achterhoofd Bérénice die geen vrouwelijke verwanten overhad. 'Spijtig genoeg is onze buurt nogal... ik weet niet goed hoe ik het moet uitdrukken.'

'Waar woont u dan?'

'In Schaerbeek.'

'Oh.'

Dit gesprek nam plaats in mijn kantoor op de universiteit. Ik zat achter mijn bureau, de kuisvrouw stond rechtop. De vloer van mijn kantoor leek te groot voor haar. Arme vrouw. Ze droeg sandalen met houten zolen, hetzelfde soort dat mijn moeder altijd droeg, en korte wollen sokjes, als een schoolmeisje.

'Wel, technisch gezien zou mijn huis groot genoeg moeten zijn,' zei ik, 'en ik heb een dochtertje van bijna zes jaar oud. Ze zou uw gezelschap misschien wel op prijs stellen.'

Ik had Bérénice nog nooit eerder mijn dochter genoemd. Toen dacht ik aan meneer Abdullah – Bérénice bracht de middag bij zijn familie door zoals ze vaak deed op tijdstippen waarop ik verplicht was om mijn neus op de faculteit te laten zien.

'We doen gewoon alsof u echt familie bent,' vertelde ik de kuisvrouw in een vlaag van inspiratie, 'en u weet wat ze zeggen: familie is het allerbelangrijkste. Het is een kwestie van de gazelles buitenhouden, zoals een goede vriend van mij het altijd uitdrukt.'

De kuisvrouw wreef over haar ogen en knikte.

Ze verhuisde de volgende dag. Ik zei haar dat ze voorzichtig moest zijn en altijd eerst moest kijken of Sigrid Verdronkens groene auto in de straat geparkeerd was voordat ze naar buiten ging. Ze knikte gehoorzaam.

Zoals ik gehoopt had, mocht Bérénice haar meteen graag. Hetzelfde gold voor meneer Abdullah die een ware passie voor haar appeltaarten ontwikkelde. Toen Jefke het nieuwe lid van ons gezin ontmoette, noemde hij haar 'Bomma,' en ofschoon Bomma geen kleinkinderen had, begonnen wij haar al snel allemaal op deze manier aan te spreken. Ik vond het toch al moeilijk een passender woord te bedenken voor een vrouw van haar leeftijd. Ze scheen haar nieuwe naam echter wel te appreciëren. Bomma was een vrouw van weinig woorden maar ze was een uitstekende huishoudster en een goede kok. Haar gerechten herinnerden mij vaak aan die van mijn moeder, waar ik soms tranen van in de ogen kreeg.

Omdat Bérénice zo gek was op Elvira, maakte ik er een punt van om gelegenheden te zoeken waarop zij tijd met elkaar konden doorbrengen. Als ik er 's avonds zeker van was dat Sigrid Verdronken niet thuis was, nodigde ik haar, Jefke en Lamme bij ons thuis uit om een pint te komen drinken en Bomma's kookkunsten te komen uittesten.

'De kust is veilig,' vertelde ik Elvira dan aan de telefoon. 'Hij is de hele avond weg.'

'Bent u zeker?... Oké, professor, we komen af. Tot seffens.'

Onze nieuwe vrienden wandelden dan met veel lawaai binnen, zetten een krat bier neer, omhelsden Bomma, en installeerden zich rond de keukentafel. Bérénice zat bij Elvira, die haar op de wang kuste en iedereen glazen inschonk terwijl Lamme Bomma hielp om het eten op tafel te zetten. Jefke begon ons altijd een of andere rare grap te vertellen of hij bediende zich van zijn drievingerige hand om Bérénice een goochelkunstje te laten zien. Ze klom dan bij Elvira op schoot, geïntrigeerd om te ontdekken waar hij de ontbrekende speelkaart had verborgen. Bérénices verrukking over zijn goocheltrucs deed mij al mijn initiële reservaties aangaande Jefke vergeten. Bovendien zei mijn moeder altijd dat mensen die veel spreekwoorden kennen een groot hart hebben, en Jefke bleek uit een eindeloos reservoir met rustieke gezegdes te putten die hij ogenschijnlijk lukraak kon aanwenden om verscheidene gebeurtenissen uit de actualiteit te becommentariëren, zoals:

- 'Praten gelijk een kip zonder kop' (over de militaire visie van een machtig buitenlands staatshoofd)
- Als de boer niet kan zwemmen, geeft hij het water de schuld' (over een speech van een van onze eigen politici);
- 'Een verliefd hart maakt dorstig' (terwijl hij zichzelf nog een pint inschonk);
- 'Grote vissen eten de kleine' (over meneer Abdullahs belastingbrief);

- 'Wol vanbuiten, stront vanbinnen' (over een defilé van de twintig Miss Belgium Beauty-kandidates);
- 'Koude handen, warm hart' (toen Elvira een handschoen verloor);
- 'Kleine meisjes hebben grote ogen' (toen ze hem terugvond);
- 'Zelfs de duivel gaat te biecht' (waarschijnlijk over hemzelf, want hij had juist aan Bérénice het geheim van een goocheltruc uitgelegd).

De keuken was gevuld met stemmen en gelach.

'Volledig gazelle-vrij,' dacht ik. Meneer Abdullahs voorspelling was uitgekomen. Wij waren net een echte familie. Bérénice was hier veilig, welk een groot geluk om zulke vindingrijke vrienden te hebben gevonden die ons hadden geholpen om de omstandigheden ernaar te maken.

Tijdens aangename avonden als deze betrapte ik mijzelf er dikwijls op dat ik Elvira bijna in vertrouwen nam over Sigrid Verdronkens bedreigingen om Bérénice en meneer Abdullah kwaad te doen. Maar ik deed het nooit, ik wilde het geluk van het heden niet verstoren. Nu wens ik dat ik het wel had gedaan, voor de zaak escaleerde, en het te laat was.

Hoofdstuk 8

Het gevaar kwam uit een richting waarvan ik het nooit, maar dan ook nooit vermoed zou hebben.

Op 13 september 2005 ontmoette ik een vrouw. Ze wrong zich door de menigte op de Leuvense Oude Markt naar mij toe, greep mijn hand en schudde die vastberaden. Ze droeg een mantelpakje. Ik had het vage idee haar ooit al eens ontmoet te hebben.

Ze moest luid roepen om zich aan mij verstaanbaar te kunnen maken, want het middeleeuwse plein was propvol dansende en zingende mensen. Die dag was mij de eer te beurt gevallen om De Gouden Bordenwisser te ontvangen en de festiviteiten in onze oude universiteitsstad waren nog in volle gang. Toen ik de vrouw ontmoette, had ik mijn speech nog maar net beëindigd, ik was letterlijk net afgedaald van het kleine platform dat in het midden van de Markt was opgericht, ik hield De Gouden Bordenwisser nog in mijn hand, Elvira had zojuist een handdoek gestolen uit de toiletten van café Het hopeloze geval om het zweet van mijn voorhoofd te vegen, en ik stond nog op mijn benen na te trillen van de stress die het praten tegen zoveel mensen tegelijk bij mij teweeg had gebracht.

'They must all be very proud of you!' schreeuwde de vrouw, wijzend naar de zingende menigte en het beeldje van de Gouden Bordenwisser in mijn hand.

'Not really!' schreeuwde ik terug, ook in het Engels. 'Ze zijn vooral opgelucht dat mijn andere collega, professor Habermat, het niet gekregen heeft! Hij wordt tewerkgesteld door het Europees parlement! In zijn eigen vakgebied wordt hij zeer gewaardeerd maar bij ons schijnen sommige mensen hem merkwaardig genoeg niet zo te mogen. Misschien omdat hij altijd al ons kopieerpapier opgebruikt. Maar ik kan u ervan verzekeren dat hij in alle andere opzichten een zeer fatsoenlijk man is. Hij is zelfs... auw!'

'Voorzichtjes, professor!' riep Elvira in mijn oor. 'Ik heb alle spelden er nog niet uitgehaald!'

Elvira had mij eerder die dag geholpen met het verstellen van de lange zwarte toga die ik tijdens de ceremonie verplicht was geweest te dragen. Ook had ze mij en mijn nieuwe schoenen geholpen om ons evenwicht te bewaren op de vervaarlijke kinderkoppen van het marktplein. Gelukkig maar dat Elvira blijkbaar dicht achter mij stond – ik kon haar vingers op mijn rug voelen terwijl ze spelden uit mijn toga trok – want ik werd overvallen door een kleine verlammende angst voor de buitenlandse vrouw die nog steeds weigerde mijn hand los te laten.

Ik had nog nooit van mijn leven iemand als deze buitenlandse vrouw gezien. Ze was zeer groot, haar haar was zeer rood, haar huid zeer blank, en ze zag er zeer... professioneel uit. Ik ben het gewend om mijzelf te beschrijven in termen van mijn tekortkomingen. Maar deze vrouw scheen er gewoon helemaal geen te hebben. Ze leek zowaar van een advertentie in *The Economist* af te zijn gesprongen. Ik herinnerde mij hoe ik naar zulke glanzende foto's had gekeken, volledig onder de indruk van de onbeperkte mogelijkheden van de hedendaagse fotografie die er zo wonderwel in slaagt om de dingen er zo veel beter uit te laten zien dan zij in werkelijkheid zijn. Natuurlijk bestaan zulke volmaakte, wonderschone en zelfzekere mensen niet in het echte leven, had ik gedacht.

'Martha. From Harvard,' riep de buitenlandse vrouw mij glimlachend toe. Ze weigerde nog steeds mijn hand los te laten. Sindsdien heb ik altijd aan haar gedacht als 'Harvard Martha.' De ontdekking dat ik de hand had staan schudden van iemand van een wereldbefaamd instituut als Harvard maakte een zeer diepe indruk op mij, en in mijn hoofd bleven de twee woorden die op dat memorabele ogenblik gesproken werden als het ware aan elkaar kleven.

Maar er lagen nog meer verrassingen in het verschiet. Plotseling herkende ik de vrouw. Vele jaren geleden, toen ik nog maar net was benoemd als hoogleraar in de wiskunde, was deze vrouw mijn studente geweest. Zij was in feite de allereerste vrouwelijke student geweest die onze faculteit ooit had geëxamineerd. Ik was degene die dat examen had moeten afnemen. Aangezien zij een vrouw en ik mijn gewoonlijke onhandige zelf was geweest, had dit geresulteerd in een nogal zenuwslopende affaire. Wie had ooit durven denken dat zij het intussen zover zou hebben geschopt. Helemaal tot in Amerika. Dan moet een mens toch ver kunnen schoppen. Onwillekeurig vloog mijn blik over haar rijzige verschijning naar beneden, naar de rode naaldhakken waarmee ze moedig op de Leuvense kasseien balanceerde. Riskant schoeisel, dat kon een man – zelfs ik – onmiddellijk zien.

'It's really great to see you again, professor Sjaan-Klote,' vervolgde Harvard Martha in haar vloeiende Engels. Ik viel bijna om toen ik hoorde dat zij zich mijn voornaam zelfs nog herinnerde! Ze deelde mede dat ze vanaf maandag mijn nieuwe collega zou zijn en dat ze zich bij ons departement zou aansluiten in het kader van een academische uitwisseling, waarin ze enkele oude colleges van professor Habermat zou overnemen. Ze was niet alleen in het bezit van een Harvard-diploma en meer kwalificaties dan drie Belgische decanen bij elkaar, haar werk scheen in de Verenigde Staten van Amerika ook heel bekend te zijn. Ik was natuurlijk verheugd om het nieuws over haar briljante carrière te vernemen, hoewel ik nauwelijks kon begrijpen waarom een wetenschapper van haar kaliber onze kleine universiteitsstad de grote eer van dit persoonlijke bezoek zou willen bewijzen. Misschien was het zelfs te veel eer. Toen Harvard Martha enkele andere collega's de hand schudde, draaide ik mij rap om naar Elvira en smeekte:

'Laat mij alsjeblieft niet alleen met die vrouw.'

Maar toen Elvira en ik terug naar de faculteit wandelden, haastte Harvard Martha zich op haar hoge hakken onrustbarend snel achter ons aan.

Mijn kantoor zag er uit als een slagveld. Monsieur Lebrun, de oude kleermaker die Elvira had geholpen om te verhoeden dat mijn magere lijf zou verdrinken in de volumineuze toga, zat zachtjes mompelend op een krat en dronk een glas wijn om van het gevecht te bekomen. De vloer was bedekt met flarden zwarte stof, scharen, meer naalden, papier, bubbeltjesplastic, gebroken glas en papieren slingers die naar beneden waren gevallen. Toen monsieur Lebrun mij zag, slaakte hij een diepe zucht en hees zichzelf overeind om mij weer uit de toga te proberen te bevrijden.

'Pas d'épaules!' bleef hij maar herhalen. 'Een man zonder schouders! Excuseert u mij dat ik mij pardonneer en mijn gedacht zeg, monsieur, maar in al de vijftig jaren van mijn carrière heb ik al veel meegemaakt maar nog nooit iets dat zo hopeloos was als dit. Als u bedoel ik. Pas d'épaules!'

Elvira grijnsde en knielde neer om mij uit mijn gevaarlijke nieuwe schoenen te helpen. Plotseling wist ik niet meer zeker of dat wel een goed plan was.

Harvard Martha trippelde mijn kantoor binnen en keek verbaasd rond. Wat een tegenslag dat zij juist vandaag was gearriveerd, herinner ik me dat ik dacht. Ze moest wel denken dat de mensen in dit departement een stel chaotische krankzinnigen waren. Maar, ook al zullen wij natuurlijk nooit kunnen concurreren met een wereldberoemde instelling als Harvard, doen wij toch wel degelijk ons best om onze beperkte middelen zo goed mogelijk aan te wenden. Ik moet hier snel iets zeggen, bij voorkeur iets dat erin zal slagen om de reputatie van onze oude universiteit hoog te houden. Want wij zijn hier toch wel degelijk met heel veel uiterst serieuze zaken bezig.

'Professor, dat moest ik u nog vragen,' riep Lamme, 'wat moeten we met al die wijnflessen aanvangen?'

Hij en Jefke droegen een grote kist vol wijnflessen naar binnen, de eerste van de negen – overschot van het feest van gisteren, toen wij nog vrolijk hadden staan fuiven in café De lustige Jeanette – en stapten behendig over een paar lege whiskeyflessen op de vloer. Harvard Martha trok een wenkbrauw op.

'Moeten we ze in uw bureau zetten zoals u gevraagd had?' informeerde de sterke Lamme die niettegenstaande ineenkromp onder het gewicht van de wijnflessen.

Ik werd gered door de rinkelende telefoon. Spijtig genoeg kon ik er niet bij omdat mijn rechterarm in de toga verstrikt was geraakt. De oude monsieur Lebrun was er nijdig aan aan het trekken. Elvira stond op, nam de kauwgum uit haar mond en plakte die aan mijn bureau voor ze haar handen aan haar vlekkerige T-shirt afveegde en de telefoon opnam.

Harvard Martha greep de gelegenheid met beide handen aan. Ze haalde diep adem, wandelde op mij toe en schonk mij een brede glimlach waarbij haar hagelwitte tanden bloot kwamen. Haar hoofd was nu heel dicht bij het mijne.

'Professor, zou ik...' begon ze, en niesde toen, heel luid, en recht in mijn gezicht. Gelukkig had ik de handdoek van Het hopeloze geval nog steeds binnen handbereik.

'Waarmee kan ik u van dienst zijn?' vroeg ik, enkele fluimen afvegend. Uit het van al te dichtbij bewonderen van een man die gezegend is met gelaatstrekken als de mijne kan inderdaad weinig goeds voortkomen.

'I'm so sorry! Gosh, dat is me al heel lang niet meer overkomen. Het is een tik. You know, van de stress. Waarschijnlijk door de lange vlucht. Gelukkig heb ik er pillen tegen. Alleen is het wel jammer dat die mij altijd mijn eetlust doen verliezen, maar gelukkig heb ik heel goede pillen om de spijsvertering te bevorderen en... Sorry, daar zal ik u natuurlijk niet mee lastigvallen. Er is echter een vraag die ik u wilde stellen...'

Ik huiverde.

'Ik hoop dat het geen academische vraag is?' informeerde ik, want als dat wel het geval was, rekende ik er wel op hem niet te begrijpen. Iedereen weet dat de wetenschappers van Harvard een mijlenverre voorsprong hebben op de rest van de wereld.

'Nee, het is feitelijk meer een persoonlijke vraag. Ziet u, ik ben nog maar net aangekomen en ik heb nog geen tijd gehad om een appartement te zoeken. Daarom, wel, vroeg ik mij af, als dat niet te veel moeite voor u zou zijn, zou ik misschien voor een zeer korte periode bij u kunnen logeren... for old times' sake?'

'Ik eh... weet niet zeker of de buurt waar ik woon u wel zou bevallen,' stotterde ik en ging met mijn handdoek de strijd aan tegen een nieuwe rivier van zweet die van mijn voorhoofd afgutste. 'Het is mij ter ore gekomen dat het deel van de stad waar wij wonen door sommigen nogal eh... ruw is bevonden.'

Op dit ogenblik stapte het hoofd van ons departement mijn kantoor binnen.

'Een uitstekend plan,' vond hij. 'Vooral voor jou, Jean-Claude,' voegde hij eraan toe in het Nederlands. 'Wij moeten elke gelegenheid aangrijpen om het onze belangrijke gast zoveel mogelijk naar de zin te maken, vind je niet?'

Ik had me zijn ongenoegen op de hals gehaald toen Bérénice net bij mij was komen wonen en ik zoveel weken verlof had opgenomen. Ik kon aan zijn gezicht zien dat als ik niet toestemde, hij zijn plan om mij voortijdig op pensioen te sturen zeker zou uitvoeren, en ik had er juist op gerekend om nog een zeer lange tijd te blijven werken zodat Bérénice later, als ik er niet meer zou zijn, van mijn spaarcentjes kon profiteren.

'Thanks so much, maar de professor heeft mij net verteld dat hij het heel druk heeft,' zei Harvard Martha, een snelle blik op mij en mijn handdoek werpend. 'Ik heb een paar telefoonnummers van goede hotels, I really don't mind at all.'

'Nee! Nee, het... zal een grote eer zijn,' panikeerde ik, mij de schrale pensioenplannen herinnerend.

'Echt? Are you sure?'

'Of course,' zei ik, de handdoek uitwringend boven een kleine emmer.

'Oh, thank you so much, dat is werkelijk buitengewoon vriendelijk van je, Sjaan-Klote,' zei Harvard Martha. Haar ogen lichtten op. 'Je zult niet eens merken dat ik er ben, dat beloof ik! En maak je geen zorgen over de buurt, ik heb lang in New York gewoond, dus ik ben wel ergens aan gewend.'

'Pas d'épaules!' klaagde monsieur Lebrun die nog steeds wild aan mijn toga aan het trekken was. 'Een man zonder schouders, ongelooflijk!'

Toen Elvira met de telefoon in haar hand op mij toeliep, excuseerde Harvard Martha zich. Mijn bezoekster ging vrolijk boven op mijn bureau zitten. Ze probeerde een gesprek aan te knopen met Lamme, die vaak stottert als hij zenuwachtig is. Vandaag scheen hij gelukkig geen moeite te hebben om zich verstaanbaar te maken. Ik hoorde hem iets aan haar uitleggen over de wijnflessen.

'Meneer Abdullah,' zei Elvira tegen mij. Ze duwde de hoorn zachtjes tegen mijn oor, haar slanke vingers beroerden bijna mijn grijze slaap.

Meneer Abdullah feliciteerde mij in euforische bewoordingen voor mijn ontvangst van de Gouden Bordenwisser. Hij gaf de telefoon door aan Bérénice zodat ik ook even met haar kon praten.

'Wij hebben een gast,' vertelde ik haar met één oog op de hoogbenige vrouw die zojuist Elvira's kauwgum op de achterkant van haar rok had ontdekt en vooroverboog in een verwoede poging hem er af te pellen.

'Ik geloof dat zij vanavond bij ons intrekt,' vervolgde ik en propte de handdoek van Het hopeloze geval in mijn aktetas.

Hoofdstuk 9

Maar Bérénice was niet erg ingenomen met onze gast. Hun eerste ontmoeting was vrij spectaculair.

'Hello there! Hoe heet jij?' Harvard Martha zette haar koffer neer en hurkte neer voor Bérénice. 'En wie heeft die mooie lintjes in jouw haren gedaan?'

Ze glimlachte en probeerde om Bérénices vlechtjes te strelen, maar Bérénice deinsde terug. Ik kon er inkomen. Al die sprankelende hagelwitte tanden vertoonden ongelukkigerwijs een vrij treffende gelijkenis met het gebit van een tijger.

Toen Harvard Martha Bérénice over het hoofd trachtte te aaien kromp ze ineen, verstopte zich razendsnel achter mij en ik voelde hoe haar bange vingertjes zich aan mijn broekspijp vastknelden – gelukkig droeg ik een broekriem.

Ik verontschuldigde Bérénice, zei dat ze soms wat verlegen kon zijn tegen mensen die ze voor het eerst ontmoette, legde een hand op Bérénices schouders om haar te kalmeren, controleerde snel mijn broekriem met mijn andere hand, vroeg mijn gast of zij haar jas wilde uitdoen en indien niet, of ze het erg vond als ik de mijne alvast uittrok, deed een volgende poging om de situatie te normaliseren door Harvard Martha een glas aan te bieden, en trachtte in mijn hoofd te prenten dat ik haar onder geen beding zo mocht noemen, zelfs niet in gedachten, teneinde de kans op pijnlijke versprekingen uit te sluiten.

'Klinkt goed,' zei Martha, en schonk ons een nieuwe glimlach. Bérénice stootte een vreemd, sissend – vrij katachtig – geluid uit, en voor ik doorhad wat ze van plan was sprong ze vanachter mij vandaan, greep een appel uit de schaal op het dressoir, gooide die naar de ongewenste bezoeker (en trof haar recht op de borst), verschool zich toen weer razend snel achter mij, en weigerde gedurende het komende half uur om mijn been los te laten.

'I'm so very, very sorry,' zei ik. 'Dat doet ze normaal nooit. Bérénice, gelieve de borstkas van onze gaste niet met appels te bekogelen, want...'

Want ze komt van Harvard, herinnerde ik me, en kan mij doen ontslaan!

'Want zulke vruchten zijn fragieler dan je denkt,' improviseerde ik.

Martha raapte de appel op.

'Gewoon een ongelukje. Wees niet boos op haar, Sjaan-Klote. Kinderen zijn zo speels op die leeftijd.'

'Oh, ik zou nooit boos kunnen zijn op Bérénice,' flapte ik er uit. 'Zij is als een Arabische volbloed; sterk en tam doch uiterst gevoelig op een zeer bevallige manier.'

Mijn gast onderdrukte een nies. Het had inderdaad beter geklonken uit meneer Abdullahs mond. Ik moet hem incorrect geciteerd hebben.

'Sterk in de zin van sterk temperament,' legde ik uit. 'Niet in de zin van sterke benen. Ofschoon ik moet bekennen dat zij inderdaad zeer sterke benen heeft, ik bedoel, niet buitenproportioneel sterk natuurlijk, gewoon normale goedgevormde, eh... benen.'

Toen hield ik mijn mond voor ik het nog erger kon maken.

Ik begon bijna te hopen dat ze mij een academische vraag zou stellen.

Martha gaf toe aan een hoestbui en rommelde in haar handtas, misschien op zoek naar haar pillen, herstelde zich toen, streek een lok haar uit haar ogen en keek nieuwsgierig rond. Ik hoopte maar dat wij erin zouden slagen om een manier te bedenken om het haar hier gemakkelijk te maken zonder Bérénice van streek te maken, om nog maar te zwijgen over al mijn met zorg opgebouwde veiligheidsmaatregelen die ze hopelijk niet in de war zou sturen. Spijtig genoeg had Martha echter, zoals spoedig bleek, een zeer gevaarlijke hobby: joggen. Op haar allereerste avond verkleedde mijn gast zich plotseling in een helrood trainingspak en rende de keukendeur uit, zonder mij zelfs maar te vertellen waar ze heenging.

'Nee! Wacht! Pas op! Kijk uit! Wees voorzichtig! Kom terug! Op dit uur is het buiten niet veilig!' riep ik.

'Maak je geen zorgen om mij, Sjaan-Klote,' riep ze terug. 'Ik kom uit New York!'

Ik bracht het komende uur loerend door mijn favoriete spleet in de gordijnen door, angstvallig afwachtend of wij de arme ziel nog terug zouden zien. Toen ze eindelijk verscheen, zag ik haar praten met Sigrid Verdronken! Ze schenen in een vriendelijk gesprek verwikkeld te zijn, Martha schonk hem ook enkele glimlachen, er was zelfs een moment waarop ze haar hoofd achterovergooide en luid lachte. Toen wees ze naar haar horloge en zei waarschijnlijk tegen Sigrid Verdronken dat het tijd was dat ze doorging.

'De mensen zijn hier zo vriendelijk!' zei ze toen ze weer binnenkwam. 'Wat een schattige oude man!'

'Yes, but...' begon ik moedig, maar ik denk niet dat ze me gehoord had, want ze bleef maar praten. Aan de andere kant, met die tic nerveux was het misschien beter om mijn buitenlandse gaste niet onnodig te verschrikken – haar verblijf zou uiteindelijk slechts van zeer korte duur zijn.

'We hadden zo'n interessant gesprek,' zei Martha. 'Hij mag jou heel graag, Sjaan-Klote. Hij heeft mij van alles verteld, over jou en ook over het kleine meisje natuurlijk.'

Ze probeerde nogmaals om Bérénice over het hoofd te aaien, maar Bérénice deinsde nogmaals terug.

Martha beet haar lip en ging over op een andere strategie.

'Kijk eens, Bérénice, ik heb een cadeau voor jou meegebracht. Wil je het uitpakken? Ik wed dat je er heel blij mee zult zijn en... oh jee, Sjaan-Klote, gaat het?'

'Yes, yes,' zei ik. 'Ik denk dat ik een vuiltje in mijn oog heb.'

Bérénice had zich opnieuw aan mijn been vastgeklampt en ik voelde haar beven. Zo had ze zich niet meer gedragen sinds het prille begin, toen ze het instituut nog maar net verlaten had. Om heel eerlijk te zijn, mijn gemoed was inderdaad ongeveer volgelopen toen ik haar in die oude gewoontes terug zag vallen. Ik werd er opnieuw aan herinnerd hoe gemakkelijk het evenwicht verstoord kon worden.

Waarom was zij zo bang voor onze gast? Misschien omdat ze een vrouw is, overwoog ik. Ik ondervind zelf soms ook enige moeite om met hen te communiceren.

'Waarom bewaren we het geschenk niet voor morgen?' stelde ik zachtjes voor. Wellicht zullen zij spoedig aan elkaar gewend raken, hoopte ik. Bérénice is altijd al een stuk moediger dan ik geweest. En hoe dan ook, Martha's verblijf zal maar van zeer korte duur zijn.

Martha deed haar best om zich aan te passen aan de nieuwe omgeving.

'I love it,' riep ze uit toen ze voor de eerste keer onze krakende trap besteeg. 'Ik ben gek op oude huizen, die zijn zo authentiek!'

Het volgende moment struikelde ze over een losgekomen stuk tapijt. Ik zou mijn hand hebben uitgestoken om haar val te verhinderen als ik er zeker van was geweest dat ze zo'n intiem gebaar op prijs gesteld zou hebben. Ik bood haar in de plaats een pleistertje aan, en nam mijzelf voor om iets te doen aan dat tapijt. En misschien ook aan die twee kapotte tredes. En als ik dan toch bezig was kon ik net zo goed ook eens naar dat stuk uitstekend plafond kijken.

'Dolletjes,' zei Martha over mijn keuken. 'Het is zo fantastisch ouderwets!'

Bomma wierp een geschokte blik op haar bloemetjesjurk, wreef haar handen aan haar schort af en verifieerde of haar grijze knot nog goed vastzat.

'I really love your outfit,' zei Martha snel. Bomma haastte zich om haar een glas in te schenken.

Martha's opmerking had mij ook enigszins verbaasd. Mijn keuken was namelijk volledig uitgerust met een gasfornuis met vier verschillende kookplaten en een koelkast inclusief een klein schap speciaal voorzien om een verscheidenheid aan etenswaren in gevroren toestand te bewaren. De ingelijste foto van koning Boudewijn was inderdaad een beetje gedateerd, maar zulke foto's zijn niet langer gemakkelijk te verkrijgen. Misschien houdt de nieuwe koning niet van poseren. Het was waar dat de tafel vrij oud was, maar het tafelkleed was splinternieuw. Bomma had het zelf gehaakt en ik wist dat ze altijd de laatste patronen uit de wekelijkse *Bompafan* gebruikte. Ik had de keuken altijd als het modernste gedeelte van het huis beschouwd.

Ik had tegen Martha gezegd dat zij maar moest doen alsof ze thuis was, en ze reisde vrolijk door het huis heen, elke kamer met hernieuwd enthousiasme verkennend. Mijn slaapkamer vormde geen uitzondering.

'En het kleine meisje slaapt ook in deze kamer?' vroeg Martha mij.

Bérénice zat op mijn bed, ze was aan het schilderen.

Ik wees zenuwachtig naar het veldbed in de hoek en legde uit dat dat Bérénices bed was. Ik loog natuurlijk. Bérénice had in geen eeuwen in dat veldbed geslapen. Ze sliep altijd bij mij, in het oude bed dat van mijn ouders was geweest – jugendstil en gemaakt van donker mahoniehout dat al twee wereldoorlogen had overleefd.

Boven mijn bed hingen reproducties van Pieter Brueghels *De kinderspelen* en *De strijd tussen carnaval en vastenavond*. De kleine middeleeuwse figuurtjes met hun grappige grimassen inspireerden, zoals ik had gehoopt, vaak Bérénices schilderijtjes – hoewel ze zich op de dag van Martha's aankomst meer aangetrokken scheen te voelen tot *De triomf van de dood* die aan de tegenoverliggende muur hing, boven het bureau waar ik het meeste van mijn wetenschappelijk werk deed.

Martha boog voorover en bestudeerde Bérénices schilderijtje.

'Eh... Sjaan-Klote, heb je dit gezien?'

Bérénice was Brueghels kleine geharnaste skeletten met minuscule precisie aan het natekenen. Ze zagen er zowaar zeer realistisch uit, maar Martha leek niet erg onder de indruk van Bérénices schildertalenten. Ze onderdrukte een huivering. 'Waarom proberen we niet om een mooi lief prinsesje te schilderen?' raadde ze Bérénice aan.

Als antwoord begon Bérénice een klein zwaardje aan de hand van een van haar skeletten te schilderen – het was waar dat ze een bijna beangstigend oog voor detail had. Ik hing snel een laken over *De triomf van de dood*, nam *De strijd tussen carnaval en vastenavond* van de muur en hield het de vlijtige artieste voor.

'Kijk hier, Bérénice,' zei ik, en wees naar een vrolijk ventje met een dikke buik. 'Een man met een luit. Dat is een muziekinstrument dat een beetje op een gitaar gelijkt. Wist je trouwens dat ik vroeger nog viool heb gespeeld? Het is een prachtig instrument, zeer romantisch en soms ook zeer tragisch.'

Bérénice veranderde haar zwaard gehoorzaam in een luit. Toen kopieerde ze de worsten die werden vastgehouden door het ventje dat naast de luitspeler stond. Ze hing de kleine worstjes tussen de benen van haar skelet – haar anatomische kennis kon soms ook nogal intimiderend zijn. Ik sprong snel voor Bérénice en haar schilderkunsten en probeerde Martha af te leiden door mijn viool van onder het bed op te vissen.

'How romantic! Waarom speel je niet iets voor ons, Sjaan-Klote? Met die viool in je hand zie je er precies uit als een middeleeuwse trou...trouble...'

'Troubadour?' vroeg ik. Het was duidelijk dat ze hoge verwachtingen van mij had.

'Yes!' Ze wilde mijn arm aanraken, als om haar woorden kracht bij te zetten, maar Bérénice, plotseling weer heel erg op haar hoede voor onverwachte bewegingen, schrok op en gooide een van haar verfpotjes om. Rode waterverf verspreidde zich over het dekbed en doorweekte haar schilderijtje. Mijn hart bloedde toen ik een traan in haar oog zag glinsteren.

'Trek het je niet aan,' had ik tegen Bérénice gezegd terwijl ik het schilderijtje probeerde te drogen met de handdoek van Het hopeloze geval. 'Ze bedoelt het goed, en ze blijft hier wellicht niet lang. Ik wilde dat ik wist hoe ik eronderuit kon komen; het hoofd van ons departement zegt dat het belangrijk is voor de promotie van internationale academische betrekkingen.'

Het was waar dat als Bérénice niet erg ingenomen was met Martha, onze studenten niet dankbaarder hadden kunnen zijn voor haar komst. Hetzelfde gold voor mijn collega professor Bloem:

'Een vrouw! Een echte! Eindelijk! Hoe meer, hoe liever!'

Martha was aanvankelijk zeer onder de indruk van onze studentenaantallen, maar had iets meer moeite om de Leuvense onderwijsmethode naar waarde te kunnen schatten.

'Meer dan duizend studenten in het eerste jaar! Het moet jullie wel veel tijd kosten om al die examens te verbeteren... en hoe slagen jullie erin om voor hen allen tutorials te organiseren?'

'Tutifru...?'

'Tutorials; wekelijks persoonlijk contact met elke student zodat je erachter kunt komen of zij alles wel begrijpen?'

Ik probeerde uit te leggen dat wij zulke moderne dingen hier niet hebben, maar ik denk niet dat ik het erg goed deed want ze bleef haar hoofd maar schudden:

'Maar dit is heel moeilijke leerstof! Er is geen syllabus. Geen handboek. Geen oefeningenboek. Geen studiebegeleiding, studiegroepen, tutorials, of wat voor vorm van praktische hulp dan ook. En wat de hoorcolleges betreft, voor zover ik uit zijn notities kan opmaken leek professor Hei-bermat die gewoon... ter plekke te verzinnen, tijdens de zeldzame keren waarop hij wel degelijk op kwam dagen. Als ik niet beter wist, zou ik denken dat zijn lesmethode eruit bestond om de studenten voor de examens de schrik op het lijf te jagen! Vinden jullie dat soms normaal? Ik stel mij diepe vragen bij de slagingspercentages.'

'Oh, die zijn zeer laag,' verzekerde professor Sapristi haar optimistisch. 'Het verbeteren van de tweedejaarsexamens neemt minder dan geen tijd in beslag!'

'Ik doe 's nachts geen oog dicht als ik eraan denk hoe al die jonge mensen afzien. Als dat het Belgische onderwijssysteem is, dan moet het systeem veranderd worden,' vertelde Martha mij tijdens onze terugrit naar huis, een muitend vuistje opheffend tegen professor Habermats notities die in haar schoot lagen. 'Ik voer tutorials in,' besliste ze terwijl wij door het drukke verkeer de stad uit reden.

'Privélessen voor duizend studenten?' vroeg ik ongelovig.

'Zoveel kunnen het er onmogelijk zijn. Die namenlijst die ze mij gegeven hebben kan niet kloppen, want ik heb ze eens geteld toen ze in de les zaten en het kunnen er niet meer dan honderddertig geweest zijn. En sommigen zijn niet eens studenten maar clochards die hun roes komen uitslapen. Er zijn wel veel clochards in Leuven, vind je ook niet, Sjaan-Klote? Arme mensen, ze komen natuurlijk in de collegezalen schuilen tegen de koude – sommigen worden af en toe wakker en brengen zelfs papier mee om dan net te doen alsof ze schrijven, waarschijnlijk om voor studenten door te kunnen gaan zodat niemand ze buitengooit.'

Ik hield mijn mond maar.

'Nee, die lijst kan onmogelijk kloppen, achthonderd studenten kunnen toch moeilijk in rook opgaan,' mijmerde Martha. 'En als ze niet in mijn les zitten, waar zitten ze dan?'

Wij stopten bij het stoplicht naast café Het hopeloze geval.

'Eens kijken, als ik anderhalf, nee een uur per student uittrek, en als ik in mijn lunchuur doorwerk, en 's morgens misschien enkele uren vroeger kom, en eh... 's avonds misschien een paar uur langer blijf... en al mijn eigen onderzoek voor de weekends houd, en maar drie uur per nacht slaa... nee, dan kom ik er nog steeds niet. Ik zal sneller moeten werken. En, Sjaan-Klote, denk je dat de studenten er iets op tegen zouden hebben om mij ook op zaterdagen te ontmoeten?'

Het boze vuistje zwaaide nog steeds door de lucht. Ik knikte snel.

Het nieuws deed de ronde. Al gauw was het onmogelijk om Martha's kantoor te passeren omdat er een immense menigte studenten voor de deur samendromde, die allemaal hoopten om enkele minuten door te brengen met de nieuwe buitenlandse docente die gratis uitleg gaf. Het verschil met het oude systeem was aanzienlijk. Voorheen was het de studenten niet toegelaten om onze gang te betreden.

Professor Sapristi leed onder acute depressiviteitsaanvallen. Het was ons echter verboden om de Amerikaanse docente een strobreed in de weg te leggen. Orders van het departement.

Ik moet toegeven dat er ook bepaalde voordelen waren.

Op een dag stapte Martha mijn kantoor binnen toen ik net op het punt stond om uit het raam te springen (spreekwoordelijk) omdat ik zojuist ontdekt had dat vandaag de deadline was voor een zeer belangrijk voortgangsrapport waarvoor de decaan niet zou aarzelen om mij de excommuniceren (iets minder spreekwoordelijk) als hij erachter kwam dat ik het niet klaar had. Hij zou het persoonlijk komen ophalen.

De overweldigende onderzoeksmethodes van mijn nieuwe collega peuterden het probleem in een mum van tijd uit mij. Toen hoorden we een klop op de deur en de decaan marcheerde naar binnen.

'Ga maar weer weg,' zei Martha. 'Hij twijfelt nog wat over de eerste zin.' Ze richtte zich tot mij: 'Zou een extra week voldoende zijn, Sjaan-Klote?'

'Een... een week?' stotterde ik.

'Waarom kom je er over een paar maanden niet eens naar vragen,' zei Martha. 'Hij heeft het nogal druk.'

De decaan strompelde in shocktoestand naar buiten.

Ook nog steeds in shocktoestand en mij aan mijn bureau vastgrijpend om mijn evenwicht te bewaren, bedankte ik Martha en verzekerde ik haar dat ik mij onmiddellijk op het rapport zou smijten.

'See you later then,' stelde ik voor.

'Not if I see you first!' voorspelde Martha. 'Dat herinnert

mij eraan dat... oh no, please, niet bleek worden, Sjaan-Klote! Ik bedoelde dat niet letterlijk. Nee, ik beloof je dat ik je niet met mijn boekentas zal slaan, kom bij dat raam vandaan, Sjaan-Klote. Het was maar een grapje. Ik bedoelde natuurlijk niet dat ik je van kant zou ma... ik zweer dat het alleen maar een uitdrukking is.'

Ik moest haar maar op haar woord geloven.

Er moesten inderdaad enkele taalverschillen overbrugd worden. Tijdens haar lange verblijf in Amerika scheen Martha het gewoon te zijn geworden om zich te allen tijde in het Engels uit te drukken. Haar academische Engels overweldigde het mijne zonder enige tegenstand, en mijn huis-tuin-en-keuken-Engels was zelfs nog sneller uitgeput, wat het moeilijk maakte om aan Martha de kleine subtiliteitjes die Bérénices geluk uitmaakten uit te kunnen leggen. Ik bladerde door enkele Engelstalige literaire werken, maar vond het onmogelijk om op zo'n korte termijn te leren hoe subtiel te zijn in het Engels. Jammer genoeg scheen Martha haar moedertaal vergeten te zijn. Meneer Abdullah was geschokt toen ik het hem vertelde:

'Die arme vrouw! Oh, afgrijselijk! Stel je voor, om je eigen moedertaal te zijn vergeten! Arme ziel. Oh, wat een wreed lot. Maar, aan de andere kant, mijn vriend, ben ik zeer blij dat ge mij dit verteld hebt.'

'Blij?'

'Ja, want, om u de waarheid te zeggen: ik had reeds opgemerkt dat er aan deze vrouw iets niet klopt. Zij heeft zeer vreemde gewoontes... en daar steekt iets achter, let op mijn woorden. Om een voorbeeld te geven, ik heb niets tegen sport, maar deze vrouw, het is werkelijk niet te geloven, steeds opnieuw zie ik haar onze straat op en neer hollen, bijna alsof zij... door iets achternagezeten wordt, maar dat kan het niet zijn, want zij rent *zeer* traag, wat zeg ik, ze komt haast niet vooruit! Uiterst merkwaardig gedrag. Maar nu begrijp ik alles. De arme ziel is natuurlijk helemaal in de war. Gij en ik zullen haar moeten helpen, beste man, want, laten wij een koe een koe noemen, hoe ge het ook bekijkt, al dit nutteloze heen en weer geren kan nergens goed voor zijn.'

Hier kon ik hem geen ongelijk geven.

'Wij moeten een plan smeden, beste vriend. Ah, ik geloof dat ik al een glimp van een idee heb. Ten eerste is het noodzakelijk dat wij erin slagen om deze arme ziel zich haar moedertaal te doen herinneren. De kans is groot dat dit het probleem al volledig zal verhelpen. Nu, luister goed naar wat ik u te vertellen heb, dit is wat wij gaan doen...'

'Ben je hier echt helemaal zeker van?' vroeg ik meneer Abdullah nadat hij zijn plan aan mij had uitgelegd.

'Absoluut,' zei hij. 'Aisha heeft in het verleden een mildere vorm van dezelfde techniek op mij toegepast en de resultaten waren uiterst bevredigend.'

'Maar jij bent met Aisha getrouwd! Dit is een compleet andere situatie! Denk toch aan de mogelijke gevolgen. En wat zal zij van mij denken? Ze zal doodsbang zijn!'

En ze zou niet de enige zijn.

'Ge moet dat zo niet bezien,' beweerde meneer Abdullah. 'De ene dienst is de andere waard en het is uiteindelijk toch voor haar eigen goed! Bovendien kunnen de effecten van een kleine schok in dit geval best in ons voordeel spelen.'

'Een kléine schok? Als er iets klein zal zijn, zal het alleszins de schok niet zijn. Je kunt dit van iedere man vragen, maar niet van mij; de arme vrouw zal een hartaanval krijgen. Is het niet veiliger om de dingen gewoon te laten zoals ze zijn?' pleitte ik. 'Trouwens, de manier waarop zij sommige lokale termen uitspreekt, heeft eigenlijk best wel iets aandoenlijks. Ze heeft zo de gewoonte om aan haar uitspraak, als het ware, een kleine, exotische toets toe te voegen, vrij ontwapenend soms, als ik zo vrij mag zijn.'

'Nee, nee, il faut aller jusqu'au bout,' besloot de enige vrouwenexpert die ons gezelschap rijk was.

Meneer Abdullahs plan was simpel. Ik wachtte telkens tot Martha een boek aan het lezen was, of iets anders deed wat haar aandacht volledig opeiste, daarna besloop ik haar geruisloos van achteren, om dan plots voor haar op te springen en snel iets in een van onze landstalen te roepen, in de hoop dat dit enige vorm van betekenisvolle herinnering bij haar teweeg zou brengen. Tot nog toe was dat niet het geval geweest.

Eén huis verder volgde meneer Abdullah de ontwikkelingen op de voet, hij had voor dit doel zelfs een speciaal notitieboekje aangelegd.

'Nog steeds geen succes met het Nederlands,' zei ik dan terwijl ik meneer Abdullahs huis na de zoveelste mislukte operatie binnenstrompelde. 'Ze schrok zich alleen maar een ongeluk, en die boekentas komt telkens toch harder aan dan een mens zou verwachten. Om nog maar niets te zeggen over die volle fles melk die ze door de schok liet vallen. Op ditzelfde moment is ze haar doorweekte handgeschreven nota's over haar laatste onderzoeksrapport boven het gasfornuis heen en weer aan het wapperen, in de hoop ze nog op tijd droog te krijgen voor haar presentatie van vanmiddag. Je kunt Nederlands van je lijst schrappen, dat is een ding dat zeker is.'

'Hmm. En we hebben ook al geen geluk gehad met het Frans en het Duits. Ge hebt ze alle reeds vijf malen uitgeprobeerd. Dan resten ons slechts de Vlaamse dialecten. Ziet ge dat zitten?'

'Ik weet niet... ik heb uitgerekend dat als ik er één per dag doe, ik na twee weken halverwege zou kunnen zijn. Ik zal onze bestellingen bij de melkman moeten verhogen. Hopelijk hebben ze bij de apotheek al nieuwe aspirines binnen. Hetgeen mij eraan herinnert, heb je je kinderen al gevraagd om niet langer Sigrid Verdronkens tuinhek te passeren?' vroeg ik meneer Abdullah, onze aandacht overhevelend van het Martha-probleem naar het Verdronken-probleem. We hadden er geen idee van dat beide problemen zich, achter onze rug, al lang verenigd hadden in één, veel gevaarlijker, probleem.

Op een ochtend luisterde ik per abuis en volledig toevallig een van Martha's telefoongesprekken af. Ze was in de bijkeuken;

haar kleine draagbare telefoontje scheen daar dikwijls een betere ontvangst te hebben.

'That's great!' hoorde ik haar zeggen. 'Nee, maak je maar geen zorgen om mij, alles loopt gesmeerd, en precies volgens de verwachtingen!'

Je kon echt merken dat Martha er een heel optimisch wereldbeeld op na hield, want in werkelijkheid waren zij en ik beiden hopeloos overwerkt en de uitputting nabij, zij vanwege haar levensbedreigende hoeveelheid tutorials, ik door de stress en zorgen om Bérénice die erg bang voor Martha was geworden.

De prachtige pop die Martha haar als een geschenk had aangeboden, had haar alleen maar banger gemaakt. De pop had mij trouwens ook de stuipen op het lijf gejaagd; haar glimlach had mij herinnerd aan de groteske gelaatsuitdrukkingen van de zonderlinge bloemen op de muur in het instituut waar ik Bérénice had gevonden, maar ik had er geen idee van gehad hoe ik dat ook maar kon beginnen uit te leggen aan de beschaafde, hoogopgeleide vrouw in haar smetteloze mantelpakje.

'Ik weet niet wat er met me aan de hand is... misschien is het toch waar dat ik er niet voor deug om met kinderen om te gaan,' had Martha zacht gezegd, met een verdrietige blik, terwijl ze de in de steek gelaten pop in haar armen wiegde. 'Waarom is ze zo bang voor mij? De volgende keer zul je me wat tips geven, toch, Sjaan-Klote? Het lukt nooit als ze doodsbang voor mij is. Ze is gewoon zo anders dan alle andere kinderen die ik ooit heb gekend.'

Heilige moeder Maria hierboven, laat haar alstublieft snel een appartement vinden, bad ik.

Als Martha niet in de buurt was, speelde Bérénice met de hond, humde zachtjes kleine melodietjes tegen mij of Bomma, of at een handje kersen waar ze eerst behoedzaam alle pitjes uithaalde voor ze de kersen één voor één naar haar mond bracht, net als voorheen. Maar als Martha de kamer binnenkwam liet ze alles vallen, en begon zelfs opnieuw de littekens op haar polsen te wrijven – een andere gewoonte overgehouden aan haar leven in het instituut.

Ik nam mij voor om Bérénice zoveel mogelijk uit Martha's buurt te houden door haar te vermaken met verscheidene spelletjes die ik haar had leren spelen, zoals zakdoekje leggen, pingpong, een vereenvoudigde vorm van dammen, een zeer vereenvoudigde vorm van schaken, en meccano. Gelukkig verdween de uitwerking die Martha op Bérénice had zodra ze de kamer weer verliet, en, ook al een geluk bij een ongeluk, had Martha zoveel werk. Ze spendeerde de weinige tijd die ze thuis doorbracht volledig in haar eigen kamer, in een radeloze poging om bij te blijven. Het nieuws over de uitvinding van de tutorial had zich nu tot ver buiten ons eigen departement verspreid, met massa's hoopvolle studenten van andere departementen en zelfs andere faculteiten die zich haastten om Martha's barmhartigheid persoonlijk uit te komen testen en een spervuur van behoevende vragen uit te storten over de buitenlandse docente voor wie de grens tussen clochard en student steeds vager werd maar die het, volgens de geruchten, nog steeds in strijd vond met haar academische idealen om hun vragen te weigeren.

Als Martha zich 's avonds bij uitzondering niet met haar werk in haar kamer opsloot, vroeg ik Bomma om met Bérénice in mijn kamer te spelen, en verzamelde moed om mijn buitenlandse gaste in de keuken te onderhouden. Voeder haar gewoon zo snel mogelijk wat sterke drank zodat ze je onaangename persoonlijkheid wat minder opmerkt, nam ik mezelf voor. En in 's hemelsnaam, vermijd gênante gespreksonderwerpen. Praat in ieder geval nooit over jezelf. Of over de buurt. Of over de universiteit. Of over Brussel. Wellicht was het veiliger om België in het algemeen te mijden.

Spijtig genoeg bleek dat Martha geen alcohol dronk, en onze conversatie droogde volledig op toen ze mij gretige vragen over Bérénice begon te stellen, want ik wist niet hoe die te beantwoorden – met betrekking tot Bérénice zijn er nooit vastomlijnde antwoorden geweest en zelfs al waren die er wel geweest, dan had ik nog niet geweten hoe ze in mijn dubieuze Engels uit te drukken. Op zoek naar minder verbale vormen van tijdverdrijf trachtte Martha mij de regels van enkele kaartspellen bij te brengen (it's *easy*, Sjaan-Klote!).

'Is dit het soort spelletjes waarvoor men goed moet zijn in doen alsof?' had ik zwetend gevraagd, enkele zakdoeken in de aanleg. 'Want ik vrees dat dat niet mijn sterkste kant is.'

'Maar wel de mijne,' zei Martha die optimistisch de kaarten begon te verdelen. 'Wacht maar, ik kan het jou ook leren.'

Het hoeft geen betoog dat ik elk spel glansrijk verloor, maar één verdieping hoger scheen Bérénice zich ondertussen tenminste te amuseren, zakdoekjes leggend met Bomma en de hond.

Eén incident deed me er echter aan twijfelen of Bérénice Martha echt vergat zodra ze uit het gezichtsveld verdween. Toen Martha weer eens was gaan joggen, had ik Bérénice in haar kamer gevonden.

Ze stond voor het kleine dressoir dat Martha tijdelijk had omgedoopt tot kaptafeltje. Haar dunne vingers gleden over verscheidene kleine voorwerpen die Martha daar bewaarde, kleine potjes en flesjes en andere mysterieuze vrouwendingetjes. Dan keek Bérénice in Martha's ovale spiegel. Plots werd haar blik strak en geconcentreerd. Ik stond op de gang, gluurde de kamer binnen, en was zeer verrast door het tafereel, want Bérénice had nog nooit echt in spiegels gekeken. De enige andere spiegel in het huis was die in de badkamer, en ofschoon ze het doel ervan begreep, was ze er toch altijd vrij onverschillig tegen geweest. Ze had nog nooit eerder in een spiegel gekeken met de blik van de kritische volwassene die werkelijk zíet – en het risico loopt om er snel spijt van te krijgen, iets waar ik logischerwijze zelf rijkelijk ervaring mee heb.

Abrupt bewoog ze haar hand en bedekte het litteken op haar borst. Haar uitdrukking werd zachter. Toen liet ze haar hand weer zakken. Haar ogen werden weer hard.

Heilige Maagd, laat haar dit ogenblik alstublieft vergeten op het ogenblik waarop het gepasseerd is, bad ik. Ik wist niet hoe ik dit ongedaan kon maken. Misschien wist Elvira het.

Ik besloot om haar, Jefke en Lamme uit te nodigen. Hun

laatste bezoek was al weer een tijdje geleden en het zou ons ongetwijfeld allemaal wat opmonteren.

'Onze vriend is niet thuis, wel?' vroeg Elvira mij aan de telefoon.

'De kust is veilig,' zei ik, 'hij is nooit thuis op zaterdag en
zondagavond.'

Had ik maar geweten dat hij dit weekend juist wel thuis zou
zijn, en dat voor een heel speciale reden.

Hoofdstuk 10

De ramp voltrok zich op zondag 20 november 2005. 's Morgens kreeg ik een voorproefje van wat de dag nog voor ons in petto had.

Om ongeveer tien minuten na zeven schuifelde ik door mijn keuken, nog steeds half in slaap. Ik probeerde het licht aan te doen maar er gebeurde niets.

'Help onthouden dat ik die lamp vervang,' mompelde ik tegen Bérénice die na mij de keuken was binnengekomen. Bomma was nog niet op, vreemd, want zij was gewoonlijk het eerste wakker. Ik trok de gordijnen open en stond plots oog in oog met Sigrid Verdronken!

Ik sloot mijn ogen, in de hoop dat ik wellicht nog aan het dromen was. Maar toen ik mijn ogen opnieuw opende was Sigrid Verdronken nog steeds daar. Hij stond buiten in de tuin, voor het keukenraam, heel dichtbij, met zijn neus bijna tegen het glas. Hij bewoog niet. Hij staarde alleen. Naar mij.

'Eh... goedemorgen,' zei ik.

Sigrid Verdronken gaf geen antwoord. Alleen zijn ogen bewogen. Hij staarde nu naar iets achter mijn rechterschouder. Bérénice! Ze was nog in haar nachtkleedje. Sigrid Verdronken slikte. Zijn ogen werden groter. Ik trok de gordijnen snel weer dicht.

Voor mijn geestesoog zag ik de volgende krantenkop:

BEJAARDE PROFESSOR PROBEERT KLACHT NEER TE LEGGEN TEGEN BUURMAN. TEN LASTE GELEGD FEIT: "HIJ STAARDE NAAR MIJ."

Je verbeelding gaat weer met je aan de loop, zei ik tegen mezelf. Hij wandelde waarschijnlijk gewoon, toevallig, dit raam voorbij.

'Gosh, jij ziet eruit alsof je wel een kop koffie kunt gebruiken,' hoorde ik achter mij. Het was Martha. Ze was reeds aangekleed en klaar om te gaan joggen. Bérénice zat neer op de keukenstoel die het verst van haar vandaan stond, maar leek gelukkig geen aanstalten te maken om over haar littekens te wrijven.

'Good morning,' zei ik en wandelde in de richting van het aanrecht om water te gaan koken voor Bérénices bad (de boiler was aan de oude kant – het deerde mij niet om mezelf met koud water te wassen, en Bomma en Martha maakten er ook geen bezwaar tegen, maar ik vermoedde dat kinderen bevattelijker waren voor verkoudheden, vooral nu het winter aan het worden was).

'Je ziet er echt een beetje vermoeid uit, Sjaan-Klote. Waarom ga je eerst niet even zitten terwijl ik sterke koffie voor ons zet. Het merk dat je gebruikt is trouwens fantastisch! Ik heb meteen maar een extra pak ingeslagen toen ik gisteren naar de winkel ging en het was spotgoedkoop. De dingen kosten hier werkelijk zo goed als niets,' zei Martha terwijl ze mij bij de gootsteen wegduwde. 'Ik wilde eigenlijk graag eventjes een *little talk* met jou hebben, als dat goed is.'

Het was waar dat Martha zeer verlekkerd was op wat zij 'little talks' noemde. Het verlangen naar deze kleine praatjes kon haar op ogenschijnlijk elk willekeurig moment van de dag overvallen. Zelfs als ik me in mijn kamer verstopte, deerde het haar niet om aan te kloppen en hals over kop binnen te vallen om mij op een little talk te verrassen. De enige vrouw met wie ik het gewend was om echte gesprekken te voeren was Elvira, maar praten met Martha scheen toch verrassend anders te zijn. Met Martha was het eerder een kwestie van heen en weer hollen tussen verschillende gaten in een dijk die steeds groter werden naarmate er meer water naar binnen stroomde, terwijl de vloed mijn argumenten opslokte net zolang tot de dijk barstte, de zee weer bezit nam van de schaarse eilandjes van gezond verstand die ik nog overhad, mijn laatste snars verdronk, en het gesprek over was. Men voelde werkelijk onmiddellijk aan dat zij een zeer goede opleiding had gehad.

Ik ging zitten, begon een appel te schillen voor Bérénices ontbijt, en zette mijzelf innerlijk schrap voor Martha's little talk. Hij begon als een discussie over mijn interieurdesign, of het gebrek eraan zoals zij het, ongetwijfeld gekscherend, uitdrukte.

'Sjaan-Klote,' zei Martha.

'Ja,' zei ik dapper. Voorlopig was ik nog mee.

'Die prenten die je aan je keukenmuur hebt hangen. Die daar is interessant. Rem-bwant, right?'

'Ah, je bent dichtbij,' antwoordde ik, verheugd dat het deze keer over iets ging dat ik misschien zou kunnen begrijpen.

'Wacht. Niets zeggen. Roe-bèns!'

'Bijna!' zei ik. 'Ga nog twee eeuwen terug in de tijd en blijf aan onze kant van de grote rivieren.'

Ik heb altijd een zwak gehad voor raadspelletjes. Ze zijn een beetje zoals wiskunde, maar zonder het risico te lopen door een collega van een andere universiteit op je nummer te worden gezet. Niet dat dat vaak voorkomt. Zoals professor Sapristi altijd zegt, Leuven is werkelijk het Oxford van België, alleen ouder. En armoediger. En zonder bediendes om je eten te serveren en je op te halen van het vliegveld. Aan de andere kant, wij mochten niet vergeten dat Martha uit Harvard kwam.

'Brueghel,' zei ik dus.

'Ah, ik wist dat het iets met een 'r' was! Ik wilde je iets vragen over die schilderijen, Sjaan-Klote. Ik vind die ene, dat prachtige winterlandschap, heel mooi. Maar die aan de andere kant is maar griezelig. Wat stelt het voor? Is dat de toren van Babel?'

Ik knikte. 'Er is een tijd geweest toen de mensen zeer trots waren. Ze wilden een toren bouwen die helemaal tot aan de hemel zou reiken, omdat ze gelijk wilden zijn aan God.'

'Oh ja, dat verhaal herinner ik me. Hoe liep het ook al weer af?'

'Alles stortte ineen.'

'Ja, zoals ik al zei, ik hou meer van die andere prent, dat met sneeuw bedekte boerendorpje. Zó lief!'

'Dat is *De moord op de onschuldige kinderen*. Misschien moet je er wat dichter bij gaan staan,' stelde ik voor.

Ze hield er niet meer zo van toen ze er wat dichter bij stond.

'Gosh, wat zijn ze aan het doen? Het ziet er nogal wreed uit.'

'Dat werd geschilderd in de tijden van de Spaanse inquisitie, toen België nog niet bestond maar een deel was van de Nederlanden en wij tezamen bezet werden door Philips II die ons zijn wreedste generaal, de hertog van Alva, stuurde om de rebellen een lesje te leren.'

'My God, zijn ze die kinderen aan het vermóórden?' Martha keerde de prent de rug toe, huiverde en besloot ter plekke dat de toren van Babel toch liever was.

'En hoe zit het met die boot...' Martha wees naar de derde prent. 'Wie zijn die mensen die erop zitten? Om je de waarheid te zeggen, heb ik altijd het gevoel dat ze me aanstaren als ik aan het eten ben.'

'Dat is *Het schip der dwazen* van Jeroen Bosch.'

'Dwazen?' vroeg Martha, een kleine siddering in haar stem. Bérénice, die schijfjes aan het eten was van de appel die ik voor haar had geschild, keek plots op, ontmoette Martha's blik – een eerste keer –, wendde haar ogen toen weer af en concentreerde zich verder op haar fruitsalade.

'Het is een prachtig schilderij,' zei Martha snel. 'Ik snap zelf niet waarom ik er zo ba... ik bedoel, ik denk dat ik er vannacht zelfs van gedroomd heb.' Ze lachte. 'Blijkbaar ben ik gewoon heel erg onder de indruk van je, eh, interieurdesign, Sjaan-Klote.'

Bomma was ondertussen het middageten beginnen te koken en genoot van het privilege ons Engels niet te begrijpen. Nadat ik Bérénices bad voor haar had klaargemaakt, herinnerde ik me Martha's angst voor *Het schip der dwazen* en besloot om het te verwisselen voor *Boerenbruiloft* die in mijn ouders' oude slaapkamer hing – mijn vader was verzot op Brueghelprenten; omdat ze zo breed zijn lenen ze zich bijzonder goed om grote barsten in de muur mee te bedekken en hij hield niet van behangen.

Elvira en Jefke waren de avond voordien op bezoek gekomen. Omdat Bérénice zich zo met hen had geamuseerd was het redelijk laat geworden, en waren ze blijven logeren. Ze waren beiden nog steeds vast in slaap in mijn oude bed (na de dood van mijn ouders verwisselde ik de bedden. Voortaan slief ik in hun oude bed en ik zette het mijne in hun kamer – ik vond het altijd fijn om te weten dat Elvira en Jefke erin sliepen als zij hier de nacht doorbrachten).

Ze droegen geen pyjama's. Jefke snurkte zacht. Het was me nooit eerder opgevallen dat hij een bochel op zijn rug had. Elvira sliep met haar neus ertegen aangedrukt. Ik sloop de kamer in en probeerde om de prent van de muur te krijgen zonder hen wakker te maken. Ze wilde niet onmiddellijk meewerken. Toen ik er eindelijk in was geslaagd om *Boerenbruiloft* ervan te overtuigen mijn ouders' slaapkamermuur los te laten, bewoog Elvira in haar slaap. Mooie schouders had ze. En hetzelfde soort onderhemdje dat Bérénice droeg. Fijne, zachte stof. Wit. Zeer dunne schouderbandjes. Ik knielde neer en trok aan een van die bandjes. Toen ze niet reageerde, tikte ik haar op de schouder. Ze mompelde iets.

'Elvira? Luister naar mij. Als ik ooit... ik bedoel, als er iets ergs zou gebeuren, zul jij dan voor Bérénice zorgen?'

'Hmm.'

'Elvira? Het is belangrijk. Antwoord mij.'

Ze draaide zich om, met haar gezicht naar het mijne toe, de ogen nog steeds gesloten. Ik ontwaarde een klein kruisje op haar borst – ik wist dat ze niet erg godsdienstig was; ze droeg het wellicht uit gewoonte. Ze had mij eens verteld hoe ze als schoolmeisjes moesten knielen voor een altaartje van de Heilige Maagd waar ze witte lelietjes-van-dalen voor hadden meegebracht. Mijn moeder werd gevraagd hetzelfde te doen toen zij een klein meisje was. Ik veronderstel dat er wordt gehoopt dat zulke kleine routines onze vrouwen gehoorzamer zullen maken in moeilijke situaties. Een uitgeschreven arbitragecontract met bindende clausules erin en bekrachtigd door een goede notaris lijkt mij persoonlijk handiger, maar een mens moet roeien met de riemen die hij heeft en alle pressiemiddelen zijn welgekomen.

Ik leunde over het schilderij heen.

'Elvira, zul jij voor Bérénice zorgen als er iets gebeurde.... ik bedoel, bijvoorbeeld, als ik er niet meer zou zijn, of als iemand zou… wel, als er ergens iets tussenkwam?'

Elvira opende één slaperig oog en keek naar mij en *Boerenbruiloft.*

'Beloof het mij.'

'Ik beloof het,' prevelde ze.

Ze sloot haar ogen weer, draaide mij haar prachtige rug toe en drukte haar neus opnieuw tegen Jefkes bochel aan.

'Ik heb een waardige vervanger voor *Het schip der dwazen* gevonden,' zei ik tegen Martha toen die terugkwam van haar ochtendlijke jog-activiteiten.

Martha was erg ingenomen met *Boerenbruiloft.*

'Oh, die is hééél lief! Look how beautiful! En het past ook zo goed in een keuken, vind je niet?'

Ik friemelde met een paar roestige spijkers om *Boerenbruiloft* aan de keukenmuur te hangen, op dezelfde plaats waar *Het schip der dwaren* voordien was geweest. De vorm was anders en ontblootte een barst in de muur en een paar verbleekte plekken op het behang. Bomma was haar gewoonlijke zwijgzame zelf maar toen Elvira, Jefke en Lamme naar beneden kwamen voor het ontbijt, drong Martha erop aan om een tweede vrouwelijke opinie te horen.

'Ik bedoel maar, vind je het niet een beetje griezelig om zo'n prent aan de muur te zien hangen, die je aanstaart terwijl je aan het eten bent?' vroeg ze met een glimlach.

Elvira glimlachte terug en zei dat zij *De dood van de maagd* aan haar slaapkamermuur had hangen. Jefke en Lamme gaven toe aan een onbedaarlijke lachbui. Ik wist niet zeker of dat betekende dat Elvira een grap had gemaakt of niet, en indien van wel, waarover precies. Het was een feit dat zij ook veel barsten in hun muren hadden – meer dan genoeg reden voor enkele schone, grote Brueghelprenten, zoals mijn vader gezegd zou hebben. Ze hielden waarschijnlijk ook niet van behangen. Toen Elvira en de jongens naar buiten gingen om brood bij de bakker te gaan halen, moest Martha ook lachen, en keek mij aan.

'Ik had kunnen weten dat een special guy like you zulke speciale vrienden zou hebben, Sjaan-Klote! Ook al hebben ze een gevoel van humor waar je even aan moet wennen,' gaf ze toe. Gisterenavond had Jefke haar verslagen in elk ingewikkeld kaartspel dat ze had kunnen verzinnen ('Speelt hij vals?' had ik aan Elvira gevraagd – 'Onmogelijk te zeggen,' had ze geantwoord). Na het laatste spel te hebben gewonnen had Jefke luid gelachen, Martha op de rug geslagen en in haar oor getoeterd dat wie zijn gat uitleent door de ribben moet schijten omdat de zotten altijd de beste kaarten krijgen.

'Ze zijn een beetje... rustiek,' vond Martha. 'Maar ik heb ze toch graag. En het meisje doet mij denken aan... wel, ze doet je beseffen, of liever, je afvragen hoe je leven eruit zou hebben gezien als je allemaal andere keuzes gemaakt zou hebben toen je haar leeftijd had,' mijmerde ze. 'Ja, het meisje doet mij toch een beetje aan mijn zus denken. Zo zorgeloos. Zelfs in de manier waarop ze praat. Als ze er zin in heeft durft ze ook heel vulgair te zijn, vind je ook niet Sjaan-Klote? Maar ik wed dat daar meer achter steekt. Iets zegt mij dat ze dat soort vrijheid niet altijd gehad heeft. Da's waarschijnlijk waarom die nu zo authentiek aanvoelt.'

Martha scheen in een zeer filosofische en uiterst complimenteuze stemming te zijn:

'Toen ik haar leeftijd had was ik nooit... dapper genoeg om zo te durven praten, you know, ik zou bang zijn geweest dat dat bij mannen de verkeerde indru... wel, eigenlijk ben jij een man, Sjaan-Klote. Wat vind jij ervan?'

Ik had Elvira nooit vulgair gevonden, maar als het zo was, dan vond ik het een uitstekende eigenschap voor vrouwen. Ik kon slechts wensen dat zij door meer vrouwen bezeten werd. Het maakt hen zoveel gemakkelijker in de omgang. Onzeker of en hoe uitdrukking te geven aan deze dubieuze gedachten, opteerde ik voor een hopelijk multi-interpreteerbaar kort knikje.

'Hoe dan ook, ik veronderstel dat ze er wel in zal slagen om wat in te binden... ik bedoel, als wij hier ooit gasten zouden ont- vangen,' zei Martha.

Ik had nooit kunnen raden dat ze Sigrid Verdronken al had uitgenodigd om ons diezelfde avond op een heel bijzonder bezoek te vergasten.

Hoofdstuk 11

Ik had het grootste gedeelte van de dag werkend aan mijn bureau in mijn kamer doorgebracht, terwijl Bérénice op het bed zat en schilderde. Om kwart voor acht 's avonds hoorde ik plots een harde klap in de keuken. Mijn hart sloeg een tel over toen ik bemerkte dat Bérénice verdwenen was. Ik vloog de trap af. De klap was het soort luide dreun geweest van brekend porselein dat naar iemands hoofd werd geslingend, maar in plaats daarvan tegen een muur aan klettert.

'Wat is er gebeurd?'

Bomma beduidde met een paar kleine knikjes dat Bérénice met een kom soep had gegooid en dat Martha haar doelwit was geweest. Martha had blijkbaar het terrein van de kookkunst betreden. Ze had zich op tijd gebukt om de kom te ontwijken, maar niet op tijd om de soep te ontwijken. Gelukkig droeg ze 's zondags nooit haar onberispelijke mantelpakjes. Ze keek naar de vlekken op haar trui, de trui die ze gewoonlijk droeg om te gaan joggen, waar op de borst de woorden 'UPPER CLASS GIRL FASHION' stonden gedrukt. Door de soepvlekken stond er nu 'UPPER ASS GIRL F'.

'Zit het in mijn haar? Zit het in mijn haar?' vroeg Martha aan Bomma, in een poging om de aandacht van de invitatie op haar borst af te leiden. Bomma, die haar Engels niet begreep, boog voorover om de scherven op te rapen.

'Het zit in mijn haar!' concludeerde Martha, in de afwezigheid van een tweede opinie het ergste vrezend. 'Sjaan-Klote, I'm so sorry! Ik wilde haar alleen maar wat soep voeren, maar plots...'

Bérénice was onder de tafel gedoken. Ze spiedde naar Martha en raapte een van de grootste scherven op.

'Martha, nee, niet met je armen zwaaien!' improviseerde ik. 'Zij heeft slechts kortgeleden geleerd om soep te eten. Het ding is slechts dat ze de voorkeur geeft aan een rietje boven een lepel!'

Ik knielde neer en reikte naar Bérénices hand.

'Harv... ik bedoel Martha, het is niet erg, wees niet bang, kom hier, kom maar bij mij... ja, Bérénice, geef dat maar aan mij.'

Bérénice nam mijn hand en kwam onder de tafel vandaan. Ze staarde Martha stokstijf aan, haar ogen bliksemden met... woede, geloof ik. Het was een heel vreemd gezicht. Ik had Bérénice vele malen bang gezien, maar nog nooit boos. Ik had zelfs niet vermoed dat die emotie deel kon zijn van haar arsenaal van gevoelssferen. Maar ik had beter moeten weten. Bérénice zal mij altijd blijven verbazen.

'Sjaan-Klote, kunnen wij alsjeblieft een little talk hebben?'

Bérénice was de littekens op haar polsen weer aan het wrijven en ik wilde haar meenemen naar mijn kamer zodat ze kon schilderen, want ik wist uit ervaring dat schilderen haar kalmeerde.

'Natuurlijk, maar kom je daarna meteen bij mij?' vroeg Martha. 'Ik moet je iets heel belangrijks vertellen.'

Toen ik weer beneden kwam, dreef Martha mij in een hoek, streek een rode krul uit haar ogen, en zei enthousiast: 'Ik wil dat je je allerbeste kostuum aantrekt, Sjaan-Klote!'

'Ik heb maar één kostuum.'

Dat sloeg haar even uit het lood, maar niet voor lang. Haar ogen glinsterden meisjesachtig van de geanticipeerde opwinding:

'Ik heb een verrassing voor je, Sjaan-Klote. Oh, je zult er echt van genieten. Weet je, ik ben er al een hele tijd over aan het nadenken wat ik voor je kan doen om je te bedanken voor je gastvrijheid, en toen kreeg ik een inval. We hebben allebei zo hard gewerkt de laatste tijd, en we hebben niet echt een sociaal leven gehad. Maar mensen zijn geen machines, we hebben af en toe ook *fun* nodig! Stimulering. Socializen. Vreemde mensen ontmoeten is verruimend voor de geest, Sjaan-Klote!'

'Oh, dat is een kwestie van opinie,' mompelde ik.

Martha lachte en schudde haar hoofd.

'Ik wed dat je er echt plezier in krijgt als je er wat in komt! Andere mensen ontmoeten is toch iets wat alle normale mensen graag doen? Nu, wie zouden we kunnen uitnodigen? Ik had gedacht dat, omdat iedereen in de straat zo aardig tegen mij is geweest, en omdat het allemaal gewoon zulke door en door vriendelijke mensen zijn, we een begin kunnen maken door alle buren eens uit te nodigen. Ik wil graag iets voor hen terugdoen, en het zal ook een goede manier zijn om jou weer met de normale wereld te laten kennismaken!'

Ik deed mijn best om niet flauw te vallen.

'Niet de buren,' hijgde ik, naar adem happend. 'Please, Martha, wat je ook doet, don't invite the neighbours!'

'Je hoeft me nergens voor te bedanken, Sjaan-Klote. Ik vind het helemaal niet erg om alles te organiseren, het is niet zoveel werk en ik doe dat soort dingen graag, het is echt geen enkele moeite.'

Ik zocht evenwicht tegen de ijskast.

'Alsjeblieft Martha, inviteer alsjeblieft Sigrid Verdronken niet.'

'Maar dat heb ik al gedaan,' antwoordde Martha, een beetje verbaasd. 'Ik hem heb uit jouw naam gevraagd. Wat een lieve oude man. Hij leek heel blij met de uitnodiging, vooral toen ik hem vertelde dat je buren van de andere kant, de Abdullahs, ook zouden komen. Ik wist zeker dat je het ook een goed idee zou vinden. Nee, laat die whiskeyfles met rust, Sjaan-Klote. Het is nog geen acht uur. Ze komen pas over tien minuten.'

Ik negeerde haar advies, schonk mijzelf een glas in, dronk het leeg, schonk er nog een in, ging naast mijn stoel zitten, dronk het tweede glas leeg terwijl ik nog steeds op de grond zat, en stond toen op voor een derde glas.

'Sjaan-Klote, er is echt geen reden om zo zenuwachtig te zijn! Ik weet dat je soms wat verlegen kunt zijn, maar maak je geen zorgen, ik zal je wel helpen als het gesprek spaak loopt, ook al ben ik er zeker van dat dat niet zal gebeuren; de mensen zijn hier allemaal zo aardig en ik heb zo het gevoel dat iedereen elkaar al redelijk goed kent. En ga je nu gauw verkleden, want ze kunnen hier allemaal elk moment zijn!'

Op dat ogenblik ging de keukendeur open. Lamme, Jefke en Elvira kwamen de keuken binnen en ik was verrast om hen te zien want ik had gedacht dat zij weer naar hun boerderij waren gegaan. Lamme rolde een vat Mort Subite over de keukenvloer en droeg een grote zak met gedroogde worsten op zijn rug.

'Goed volk!' Jefke zette een krat van zijn favoriete bier, Duvel, neer, en wuifde een vrolijke groet met zijn drievingerige hand. 'De avond is nog jong en hij die geboren is om te verdrinken zal niet gehangen worden! Oh, Harvard Martha, ziet eens wat er op uw pull geschreven staat...'

'U...up...her...a...ass...g...girl...f...fuh...,' stotterde Lamme.

Jefke bulderde van het lachen en hurkte neer om Lamme te helpen het biervat te openen.

'Ja, ik nodigde hen ook uit omdat ik op zoek was naar manieren om ervoor te zorgen dat Bérénice ook een leuke avond zou hebben,' legde Martha uit. 'Ze kan met hen spelen en zich met hen amuseren, net als gisteren. Je linkerbuurman, mister Ver-Drown-King, drong er ook echt op aan dat ze zouden komen. Ik heb hem een paar dingetjes over je vrienden verteld, en hij zei dat hij er erg naar uitkeek om ze te ontmoeten, vooral El-vai-rah.'

'Sigrid V...V...Verdronken? Je had niet gezegd dat hij o...o... ook zou komen?' stotterde Lamme die er zelfs even zijn biervat door vergat.

Elvira werd lijkbleek.

'Hij schijnt te denken dat je buitenlandse roots hebt, klopt dat?' vroeg Martha haar. 'Hij was er in ieder geval erg opgewonden over. Hij brengt zelfs een vriend mee, waarschijnlijk nog iemand die geïnteresseerd is in vreemde culturen. Dat zal een mooie gelegenheid zijn om ons wat meer over jezelf te vertellen, ik ben ook erg nieuwsgierig naar je verhalen. Sjaan-Klote, haast je alsjeblieft en ga je snel omkleden. Je zult geen moeite hebben om te kiezen, want je hebt maar één kostuum. Maak je geen zorgen, volgende week neem ik je wel mee om te gaan shoppen! Waarom geef je die fles niet aan mij? Het heeft geen pas om ons te verdrinken in alcohol voor het feest zelfs maar begonnen is.'

'Verdrinken zou anders toepasselijk zijn,' vertelde ik haar. 'Dat is de betekenis van "Verdronken".'

Jefke beet op zijn nagel. Voor alles een eerste keer.

Martha schudde haar prachtige, rode lokken, een en al verbazing.

'Dat is toch niets meer dan een naam, Sjaan-Klote, dat hoeft toch niets te betekenen? Waarom zou je bang willen zijn voor die lieve, oude man?'

Wij sprongen allen op toen er luid op de deur werd geklopt. Zelfs Bérénice, die naar beneden was gekomen om te zien waar al het lawaai vandaan kwam, vergat om terug te deinzen voor Martha toen die naast haar ging zitten.

Hoofdstuk 12

'Bonsoir! Bonsoir à tous et à toutes!'

Meneer Abdullah, gekleed in een van zijn allerfijnste gewaden en gevolgd door zijn vele vrouwen, betrad de keuken met een grote glimlach om zijn lippen. Hij keek vol respect naar al de potten en pannen die Martha op een laag vuurtje op het fornuis warmhield, maakte een buiging voor Bomma en Elvira, kuste Bérénices vingertoppen en schudde Jefke en Lamme de hand. Daarna kuste hij mij op de wang en vroeg:

'Wat is er met u aan de hand, beste man? Ge ziet er zo gespannen uit. Welke reden tot bezorgheid zoudt ge kunnen hebben als er zulke voortreffelijke vrouwen in uw keuken vertoeven?'

Hij richtte zich tot Martha.

'Zulke voortreffelijke vrouwen, die zulke voortreffelijke gerechten...' – hij hief het deksel van een van de potten op, ademde demonstratief in, bedekte toen zijn mond met zijn hand en hoestte een beetje, och, het gaat om de goede gedachte veronderstel ik, hoorde ik hem in zichzelf mompelen – '... zulke voortreffelijke gerechten, die wij vanavond kunnen nuttigen terwijl wij van elkaars gezelschap genieten, en, en, u heeft toch niet vergeten om een snuifje peper toe te voegen, hoop ik? Niet veel, slechts een snufje, wacht, als u mij even toestaat... ja, ik zie, het is gelijk ik dacht. Wacht, ik zal u wel even helpen, als u mij die lepel kunt doorgeven, dan zal ik aanstonds aantonen hoe...'

'Het is nog niet helemaal klaar,' zei Martha, die zijn interesse in haar pannen als gulzigheid had geïnterpreteerd. 'We wachten nog op enkele gasten.'

'Ah, hoe meer zielen, hoe meer vreugd!' antwoordde meneer Abdullah in zijn bloemrijke Frans (hij verstond Engels maar sprak het niet). 'Gastvrijheid is het allergrootste geschenk, en een huis gevuld met gasten te hebben is de allergrootste eer. En wie is de geëerde individu die zich zo dadelijk bij ons zal voegen, beste vrouw? Een van uw ongetwijfeld talrijke aanbidders, neem ik aan?'

'Sigrid Verdronken van hiernaast,' antwoordde Bomma in Martha's plaats.

Meneer Abdullah liet het volledige pepervat in Martha's kookpot vallen.

'De maat is vol,' zei hij. 'Aisha, mijn zwaard. Onmiddellijk.'

Hij bedoelde het tweehonderd jaar oude kromzwaard dat in zijn familie is geweest sinds een van zijn voorvaderen iets redelijk onaangenaams doch matig heroïsch had gedaan tegen de voorvader van een andere familie.

'Snel, Aisha, haast je,' drong meneer Abdullah aan. 'Het ligt op het koffietafeltje in de tweede slaapkamer, vlak naast mijn Märklin-miniatuurtreintjes, en als je het daar niet vindt waarschijnlijk ergens onder de stok van die ellendige papegaai die zijn snavel maar niet houdt. Vlug!'

'Wat gebeurt er? Wat zegt hij?'

'Hoogedelgeboren vrouwe,' zei meneer Abdullah tegen Martha. 'Gastvrijheid is het grootste geschenk, maar soms is het voor een man zowel noodzakelijk als onontkoombaar om een uitzondering te maken, zelfs op de principes die hij op nederige wijze als zijn kostbaarste bezittingen beschouwt!'

'Sjaan-Klote, kun je alsjeblieft voor ons tolken? Waarom is hij zo overstuur? Vindt hij mijn moules-o-sjoo-coo-lat niet lekker? Je kruidenier verzekerde mij dat het een typisch Belgisch recept was. Nog een geluk dat alle witte wijn was uitverkocht, want anders was ik er nooit achter gekomen.'

Op dat ogenblik liet de kraan van Lammes biervat plots los. Bier sproeide door de keuken en doopte ons allen.

'Wij zijn voer voor de vissen,' snotterde ik onder de bierregen, Bérénice aan mijn borst drukkend. 'Ons laatste uur heeft geslagen. Vrouwen en kinderen eerst! Ren weg nu het nog kan! Elvira zegt dat hij ondergrondse connecties met de rijkswacht heeft. Wij gaan er allemaal aan!'

'Rijkswacht?' kreet meneer Abdullah. 'Aisha, mijn zwaard! Ik zal dit huis tot de laatste man verdedigen!'

'Sjaan-Klote, wat doe je onder de tafel?'

'Ik heb mijn zakdoek laten vallen.'

Spijtig genoeg bond Bérénice, terwijl ik ernaar zocht, mijn schoenveters vast aan de tafelpoot die het dichtst bij Elvira's voeten stond. Ik vergat de zakdoek weer en probeerde mijzelf eerst uit de knoop te halen. Ik vocht met mijn veters, met mijn neus bijna tegen Elvira's benen aangedrukt, wat mij onder normale omstandigheden van de sokken zou hebben geslagen, maar niet nu omdat ik al zo veel andere dingen had om doodsbang voor te zijn. Gelukkig was Bérénice ondertussen op Elvira's schoot gekropen – ongetwijfeld de veiligste plaats in het huis.

'Sjaan-Klote, what are you doing underneath that table?'

'I'm a little busy,' zei ik, want Bérénices knopen werden met de dag gesofisticeerder.

'Sjaan-Klote, kun je alsjeblieft hier komen want ik weet niet wat ik moet doen, en om je de waarheid te vertellen: een ander doel van deze dinner party was om de toestand in dit huis wat te eh... normaliseren.'

Als Bérénice een waterdicht excuus voor afwijkend gedrag had (gediagnosticeerde krankzinnigheid), dan gold dit blijkbaar jammer genoeg niet voor mij.

'Ik beloof dat ik mij vanaf morgen normaal zal proberen te gedragen,' riep ik naar boven. Het is belangrijk om altijd optimistisch te blijven.

'Is hij dronken?' vreesde Martha.

Boven mijn hoofd werd de stemming er niet gemakkelijker op.

'Barricadeer de deur!'

'Aisha! Mijn zwaard!'

'Het regent. Vraag het aan Fatima.'

'Nee, Bashirah, gaat gij maar. Ik heb vanavond de kinderen al in bad gedaan.'

'Oh, laat hem het zelf gaan halen.'

'Hou alsjeblieft op met je onder de tafel te verstoppen, Sjaan-Klote. Ik ben echt niet zo'n slechte kok. Ik heb alles helemaal zelf gemaakt, zelfs de chocoladesoep en het dessert, en jouw Granny heeft mij geholpen.'

'Kan ik ook een whiskey krijgen?'

'Weet je zeker dat je niet liever de voorkeur zou geven aan een heerlijk glaasje limonade, mijn klein teer rozenknopje?'

Ik kon aan de bewegingen van Elvira's voeten zien dat ze vooroverboog om Bashirah een glas in te schenken.

'Sjaan-Klote, kun je mij alsjeblieft helpen met vertalen? Waarom is iedereen plots zo zenuwachtig? Wat heb ik verkeerd gedaan? Mijn eten wordt koud maar we kunnen nog niet beginnen want mister Ver-drown-king is er nog niet. Ik ga hem halen.'

'Nee!'

'Hou haar tegen!'

'Martha, b... blijf hier,' riep ik onder de tafel vandaan.

'Auw!'

'Merde!'

'Ze kan nog rap zijn, die Amerikaanse.'

'Wat is ze gaan doen?'

'Oh, nee! Arme ziel! Ze rent naar zijn huis toe!'

'Waar is ze nu gebleven?'

'Ik kan haar al niet meer zien. 't Is veel te donker buiten.'

'Bashirah, engeltje van me, wil je niet eens van dit zeer zoete en voortreffelijke fruitsap proeven, lieftallig ongeslepen diamantje van me?'

Ik hoorde een luide klap, de deur ging open en Martha's hoge hakken wandelden weer naar binnen.

'Ik denk dat hij helemaal niet thuis is.' Martha klonk ontgoocheld. 'Alle lichten zijn uit. Hoe vreemd. Hij had nochtans beloofd hier te zullen zijn.'

Ik slaagde er eindelijk in om mijn laatste schoenveter los te knopen en kwam onder de tafel vandaan, Martha ten onrechte gelovend en denkende dat de kust veilig was.

Hoofdstuk 13

Ik zal mij zondag 20 november 2005 altijd herinneren als de dag waarop wij het Laatste Avondmaal aten.

Om vijf minuten voor twaalf begon Martha het eten weg te gooien. Niemand had ook maar iets gegeten, zelfs niet van Bomma's gerechten, en we dachten allemaal dat Sigrid Verdronken uiteindelijk toch niet zou komen opdagen. We waren niettegenstaande alles nog steeds zeer gespannen. Niemand had het aangedurfd om naar buiten te gaan. Zelfs Lamme had zijn eetlust verloren. De meesten onder ons waren wel zeer dorstig.

'Eet dan tenminste wat van mijn dessert,' zei Martha hoopvol. 'Dit zijn brownies! Eigenlijk een Amerikaans gerecht, maar ik heb het speciaal voor jullie klaargemaakt en jullie Belgen zullen er allemaal gek op zijn, want ik heb er goed op gelet dat ik er genoeg chocolade in zou doen.'

Ze zette een schaal met zeer donkere, platte cake op de tafel en begon die in stukken te snijden. Ze proefde.

'Hm... oh verdorie, ik ben vergeten om... wat stond er ook al weer in dat kookboek... nee, nee, er stond toch wel degelijk... hm... ja, ik denk dat hij gelukt is.'

Ik had veel goed te maken en nam dus de eerste hap van Martha's cake. Ik had niet verwacht dat een professionele carrièrevrouw als zijzelf mogelijkerwijze ook een goede kok zou zijn, maar het was echt niet zo heel slecht. Doch vrij chocoladeachtig, en ik ben toevallig allergisch voor chocolade, maar dit leek niet het juiste moment om erop in te gaan. De anderen keken mij afwachtend aan; ze wachtten op mijn oordeel. Ik wist dat er iets gedaan moest worden, en snel ook.

'Kom hier, Hercules,' riep ik in de richting van mijn oude

hond die in zijn mand lag te slapen. Omdat hij doof was moest ik natuurlijk ook naar hem wuiven. Eindelijk hees hij zichzelf houterig overeind en zwalkte op mij af. Ik zette mijn bordje op de vloer neer en gebaarde naar Hercules.

'Het is een oud Europees gebruik,' vertelde ik Martha. 'Als wij een bijzonder verfijnd gerecht krijgen opgediend, is het gebruikelijk om eerst wat aan onze hond te voeren. Bij wijze van uitzonderlijk eerbetoon.'

'Na jaren in dit land te hebben gewoond, word ik nog steeds dagelijks gechoqueerd door de cultuur van de inboorlingen,' vertrouwde meneer Abdullah Martha toe.

Hercules benaderde het bordje weifelend. Hij snuffelde. Hij snuffelde nog eens. Hij keek mij vragend aan. Ik zond ondertussen hartstochtelijke schietgebedjes in de richting van alle viervoetige goden. Hercules nam een klein hapje. Hij slikte door.

Het volgende moment begon hij luid te janken. Hij sprong wild op – op een manier die ik sinds zijn puppydagen niet meer van hem gewend was – en koerste oorverdovend jankend door de keuken. Hij viel onder *Boerenbruiloft* neer. Hij sprong weer op en stootte het schilderij van de muur, het kletterde op de grond en brak. Een lange barst scheidde de boeren nu van het rijke banket dat werd binnengedragen. De lijst was nog heel.

'Wat is er met hem aan de hand?' vroeg Martha. 'Heeft hij epilepsie?'

Hercules spurtte naar de keukendeur en sprong tegen het glas aan. Hij en het glas vielen kletterend neer. Hercules sprong weer overeind en rende nog steeds luid jankend naar buiten. Hij vloog naar de heg die mijn tuin van de Abdullahs scheidde en kwam er onder klem te zitten. Zijn gejank ging door merg en been. Elvira stond op en rende naar buiten om Hercules te bevrijden.

Op dit ogenblik zagen we een man achter een boom vandaan springen.

Eerst dacht ik dat het Sigrid Verdronken was maar nee, het was iemand die ik nog nooit eerder had gezien. Hij was ongeveer van mijn leeftijd. Hij droeg een grote zwarte snor en rijkswachtlaarzen – die zou ik overal herkennen. Hij was helemaal kaal en had een getatoeëerd hakenkruis op zijn schouder. Ik had nog nooit een skinhead van mijn eigen leeftijd gezien.

De man verraste Elvira van van achteren en sloeg haar met een krachtige vuistslag tegen de vlakte. Hij sprong wild dansend en trappend op haar.

Ik greep Bérénice en klemde haar in mijn armen. Ik moet eerlijk zijn en bekennen dat ik voor een moment al de anderen vergat en mij inbeeldde dat Bérénice en ik alleen waren om toe te zien hoe Elvira in elkaar werd geslagen zonder dat wij er veel aan konden doen want, zoals ik al zei, heb ik nooit veel talent voor vechten gehad. Ik keek in paniek rond mij. Gelukkig rende Lamme al naar buiten om Elvira te helpen. Jefke greep *Boerenbruiloft* en hinkte achter hem aan.

We hoorden Elvira's stem. Ze riep Lammes naam en een andere naam die ik niet kon thuisbrengen. Haar stem was dun en hoog, bijna alsof ze zong. Het was een van de mooiste geluiden die ik ooit had gehoord, doch misschien ook een van de meest tragische. Ik voelde Bérénice trillen tegen mijn borstkas.

'Call the police!' riep Martha, zich angstig vastgrijpend aan meneer Abdullahs gewaad.

'That *is* the police!' riep ik terug, en wees naar de grote, zwartgesnorde man met zijn kale hoofd.

Lamme probeerde hem te grijpen, Jefke mikte met *Boerenbruiloft* naar hem, maar de kale man was vlug als water en haalde woest uit naar hen beiden. Hij trapte Jefke tegen zijn slechte been. Naast mij was meneer Abdullah zich aan het uitkleden. Wacht eens. Uitkleden?

Meneer Abdullah stapte uit zijn lange gewaad en holde halfnaakt over het gras naar het gevecht toe. Met een grote armbeweging gooide hij zijn lange mantel over de kale man heen. Jefke maakte van de gelegenheid gebruik om *Boerenbruiloft* op het hoofd van de kale man te dreunen. Het gebroken schilderij omringde hem nu als een reddingsboei, en klemde zijn gevaarlijke armen stevig tegen zijn lichaam aan.

Aan mijn andere zijde balanceerde Martha op één been, trok een van haar riskante hoge hakken uit en gooide die naar de man. Ze raakte hem tegen het hoofd, wat hem voor enkele seconden buiten westen sloeg.

Lamme droeg Elvira in zijn ene arm, sleurde Jefke mee met zijn andere, en rende met hen naar het huis terug. De enige die geen tekenen vertoonde om binnen te willen komen was meneer Abdullah.

'Onopgevoede holbewoner! Klophengst zonder rijbewijs! Ongeletterde mossel! Hyena!' riep hij naar de man die zichzelf weer overeind hees.

'Haal hem terug naar binnen,' smeekte ik.

'Verkoper van tweedehandsrozijnen! Vampier!'

Lamme rende weer naar buiten om te trachten meneer Abdullah naar binnen te slepen.

'Vraatzuchtige gazelle! Friet-eter!'

Hercules bevrijdde zichzelf onder de haag vandaan. Hij hield een enorm bot in zijn muil, hij moest het opgegraven hebben terwijl de mannen aan het vechten waren. Hij rende weg met zijn gigantische bot en we hebben hem nooit meer teruggezien.

In het huis waren er ondertussen allerlei zeer vreemde dingen aan het gebeuren. Onmiddellijk nadat Lamme Elvira op een keukenstoel had neergezet, duwde Jefke haar er weer af, op de vloer, en liet zichzelf boven op haar vallen. Ze schreeuwde nogmaals.

'Wat doe je?' jankte ik.

De mooie (en verrassend sterke) Bashirah greep mij bij de arm en gebood mij me stil te houden. Bérénice maakte zich uit mijn omhelzing los.

Jefke gebaarde naar Bomma en Aisha. Ze doorzochten snel mijn keukenkasten. Toen ze mijn allerlaatste whiskeyfles vonden (in de laatste weken had ik wat normaal mijn jaarlijkse ratsoen is opgemaakt), slaakten ze een gezamelijke vreugdekreet en gaven de fles snel door aan Jefke die nog steeds boven op Elvira lag. Bérénice hurkte neer en keek gefascineerd toe.

Elvira huilde en vloekte: 'Laat mij los, gij vuile gebochelde!'

Jefke gebruikte zijn slechte (en blijkbaar gedeeltelijk houten) been om haar tegen de vloer vast te pinnen. Lamme opende mijn whiskeyfles. Jefke kneep in Elvira's neus om haar te dwingen haar mond te openen en goot een ferme stroom whiskey naar binnen. Hij hield haar neus dichtgeknepen en wreef over haar keel, verplichtte haar te slikken. Dat het zo eenvoudig kon zijn om iemand te verplichten iets door te slikken! Als ik dat ooit bij Bérénice had durven doen, zou iedereen mij van kindermisbruik beschuldigd hebben. Mensen als Jefke schijnen echt te weten hoe ze de regels ongestraft kunnen overtreden.

Elvira vocht terug met slechts één hand. Ze hoestte wat bloed op.

'Oh my God, gaat ze dood?' panikeerde Martha.

'Nee,' zei Jefke, 'Elvira sterft nooit en zeker niet vandaag.'

Toen begreep ik wat zij trachtten te doen.

Jefke zette de knie van zijn goede been tussen Elvira's schouderbladen en greep de arm die niet bewoog stevig vast. Lamme zette zich schrap en greep Jefke vast om hem de kracht te geven die hij op het cruciale moment nodig zou hebben. Ik zag hoe Jefke zich concentreerde. Toen trokken beide mannen gelijktijdig naar achteren, en rukten Elvira's schouder in zijn normale hoek terug. Ze slaakte een hoge gil. De kale man moet haar schouder uit de kom hebben getrokken.

Elvira's luide gil overtuigde meneer Abdullah om eindelijk van mijn tuinhek neer te dalen, waar hij boze vloeken naar de kale man had staan schreeuwen, die gelukkig al lang aan de horizon was verdwenen. Meneer Abdullah kwam weer binnen, deed de kapotte keukendeur achter zich dicht en keek of er een manier was om die nog af te kunnen sluiten.

'Doe geen moeite,' zei Fatima die de moeder is van zijn oudste zoon. 'Als iemand echt wil binnendringen zal een klein obstakel als die arme deur hem niet tegenhouden.'

Meneer Abdullah knikte een beetje bedremmeld.

Elvira zat neer op de oude bank in de keuken, haar wangen

waren nog steeds nat, maar ze huilde niet langer. Jefke bood aan om een sigaret voor haar op te steken, maar ze prutste koppig zelf met een lucifer die ze ongemakkelijk in haar linkerhand hield. Haar hand beefde een beetje, net zoals de rest van haar. Jefke bleef op de vloer naast haar zitten, terwijl de rest van ons zich weer rond de keukentafel schaarde. De grote Aisha omhelsde Martha moederlijk en drong erop aan dat ze een beetje water dronk. Bomma schonk wijn in voor de anderen, om onze zenuwen wat te kalmeren. Dit was geen avond voor klein bier. Ik trok Bérénice op mijn schoot, niet in staat om mijzelf voor te stellen wat ik zou doen als haar zoiets zou overkomen – als zij de volgende was.

Hoofdstuk 14

Meneer Abdullah verliet ons om zijn vrouwen naar huis te escorteren. Ik hoopte dat wij de rest van de avond zonder verdere ongelukken konden overleven. Dat was niet het geval.

'Ik kan het niet langer verzwijgen...' zei Martha plots. Een stroompje zweet sijpelde langs haar nek naar beneden. 'Er is iets dat ik you guys niet verteld heb.'

'?'

'?'

'?'

'?'

'?'

'Waar de fuck heb je het over?' vroeg Jefke, de enige van ons die nog nooit een voet in een collegezaal had gezet en die de kunst van de subtiel onbegrijpende gelaatsuitdrukking niet machtig was.

'Wel, misschien betekent het niets. Maar er is iets dat ik gezien heb... toen ik naar mister Ver-drown-kings huis liep om hem te gaan halen.'

'Wat zag je dan?' vroeg ik behoedzaam.

'Wel, het was heel vreemd. En het was ook zo donker. Misschien heb ik het niet goed gezien.'

'Vertel het ons toch maar,' zei Elvira.

'Wel, in jouw voortuin, Sjaan-Klote... zag ik een man... met twee kleine hoorntjes op zijn hoofd.'

'Wat?' riep ik uit op hetzelfde moment dat Elvira zei: 'Niet nog een keer!'

'Fucking hell,' zei Jefke, wiens Engels wel al met rasse schreden vooruitging.

'Maar je bent er niet zeker van dat je het goed gezien hebt, wel?' vroeg ik Martha.

'Oh, over dat gedeelte ben ik zeker. Het is het andere gedeelte waar ik niet zeker over ben.'

'Welk gedeelte?'

'Wel, het was echt heel vreemd. Maar de man met de hoorntjes op zijn hoofd... hij leek als twee druppels water op je buurman. Ik bedoel u niet,' zei Martha verontschuldigend tegen meneer Abdullah die ondertussen terug was gekomen om ons ongegrond optimistisch een goedenacht te wensen. 'Ik bedoel mister Ver-drown-king.'

'Wat was hij aan het d...d...doen in de professors v...voortuin?' vroeg Lamme.

'Hij was aan het eh... dansen,' zei Martha.

'Serieus? Op wat voor muziek?' vroeg Jefke ademloos.

'Oh, hij was niet op muziek van een radio of een cd of zo aan het dansen... hij was in zichzelf aan het eh... zingen.'

'Wat zong hij dan?'

'Dat kon ik niet verstaan.'

'In welke taal?'

'Weet ik niet. Ik kon de woorden niet begrijpen.'

'In dat geval vermoedelijk een Westvlaams dialect,' suggereerde ik.

Jefke moest luid lachen.

'Het is allemaal mijn fout,' wanhoopte Martha, met de handen in het haar.

'Nee,' zei Elvira. Ze twijfelde, moest iets overwinnen. Toen legde ze een beschermende linkerarm op Martha's schouder. Martha keek dankbaar naar haar op.

Bérénice geeuwde. Zij was de enige die het allemaal had zien aankomen.

'We vallen allemaal om van de slaap,' zei Jefke. 'Tegen de tijd dat mijn kop het kussen raakt, slaapt mijn gat al. Laat ons gewoon naar bed gaan. Tenzij er iemand goesting heeft om zich als cherubijn te verkleden en hem in de tuin op te gaan wachten.'

Niemand had er zin in.

Wij trokken ons allemaal op onze kamer terug. Bérénice ontspande zich in de veilige eenzaamheid van de mijne, en viel in slaap. Ik ging achter mijn bureau zitten, keek naar het slapende kind, en besefte hoe belangrijk het was om mijn faculteiten goed bij elkaar te houden en een klein onderzoek naar de achterliggende redenen van de gebeurtenissen in te stellen, zodat ik erachter kon komen hoe wij die in de toekomst konden vermijden en haar veiligheid te garanderen.

Wat een pech dat Martha de duivel had gezien. Als Elvira de duivel had gezien, dan zou ik gedacht hebben, wel, ze had een glas te veel op en een rijke fantasie. Dat dit nu juist Martha moest overkomen. Wat een zonde dat zij niet dronk. Integendeel, ze had juist een uiterst fijngevoelige opmerkingsgave en backups van alles wat ze deed. Tijdens onze samenwerking aan de faculteit was ik er zelfs achter gekomen dat ze backups van backups had. Ik had geen computer.

Ik trachtte dus om niet te panikeren en deed een poging om het probleem op rationele wijze te benaderen door een kleine lijst aan te leggen.

1ᵉ hypothese:
Martha heeft vanavond bij uitzondering toch een alcoholische drank genuttigd en omdat ze hier niet aan gewend is, heeft die enkele hallucinaties teweeggebracht.

2ᵉ hypothese:
Martha heeft echt iemand gezien, Sigrid Verdronken of iemand anders die op hem lijkt, en die het beiden blijkbaar nodig vonden – vanwege redenen die ons vooralsnog onbekend zijn – om zich dansend en zingend door mijn voortuin te begeven, en zich met twee kleine hoorntjes op het hoofd te tooien.

3ᵉ hypothese:
Martha heeft helemaal niets gezien, maar vanwege een andere reden die ik niet ken, vertelde ze ons dat ze dat wel gedaan heeft.

4ᵉ hypothese:
Martha heeft inderdaad de duivel in mijn voortuin zien dansen.

Omdat ik mijzelf een realist en een atheïst beschouwde, schrapte ik de eerste en de laatste optie. Nu restten mij Martha en Sigrid Verdronken als de twee onbekende factoren. Ik had twee vergelijkingen. In de wiskundige wereld zou een beetje gepuzzel mij recht naar de oplossing hebben geleid. Was alles maar zo simpel als algebra. Toen ik mijn slaapkamerdeur zachtjes een beetje openduwde, zag ik dat Jefke en Elvira ook nog wakker waren. Hun deur stond op een kier en het lampje op hun nachttafeltje was aan. Bérénice sliep vast. Ik sloop op mijn tenen door de gang.

'Hebde Sigrid Verdronken goed gekend, toen?' hoorde ik Jefke aan Elvira vragen.

'Kan ik me niet meer herinneren,' zei ze.

Wanneer was toen, vroeg ik mij af. Wij hadden nog maar zopas Elvira's vijfentwintigste verjaardag gevierd. Hoeveel geheime verledens kan een mens in zo'n kort zuchtje tijd opbouwen? Toen ik vijfentwintig was, wist ik nog niet eens alle details over de bloemetjes en de... wel, hoe dan ook, ik bedoel maar, het is werkelijk zeer jong.

Ze zaten naast elkaar, op de rand van mijn oude bed. Elvira leunde met haar ellebogen op haar knieën en bestudeerde *Het schip der dwazen* en *De blinden leiden de blinden* die aan de tegenoverliggende muur hingen. Jefke was zijn schoenen aan het uittrekken. Er zat geen voet aan zijn linkerbeen, slechts een houten prothese, deze keer kon ik het duidelijk zien.

Elvira wreef over haar polsen. Eén moment, en ze herinnerde mij aan iemand, maar ik wist niet aan wie.

Ze staken sigaretten op en ik besefte dat ik daar al een hele tijd had gestaan. Toen ik bewoog, kraakte de houten vloer onder mij en merkten ze mijn aanwezigheid op. Ze gebaarden dat ik binnen moest komen.

Ik verloor het moment niet echt, maar toen ik de kamer binnenstapte, stapte ik ook het moment binnen, en werd het moeilijker om te onderscheiden wat er zo uitzonderlijk aan was geweest. Jefke rookte mijn merk, Belga, en Elvira nam een sigaret uit de farde voor mij. Ze stak hem tussen haar eigen lippen om hem aan te steken voor ze hem aan mij doorgaf, met de zelfde vanzelfsprekendheid waarmee ze ook altijd onze glazen inschonk, de vanzelfsprekendheid die altijd mijn hart verwarmde.

Elvira zei tegen mij dat als Martha echt Sigrid Verdronken had gezien, dat hij zich deze keer dan wel overtroffen had.

'Het is de duivel zijn gewoonte niet om te dansen, dat is een uitvinding van de middeleeuwen,' zei ze. 'Vandaag de dag zit de duivel in een chic kantoor en schrijft een speech voor iemand anders.'

Ze keek naar Jefke voor toestemming. Hij antwoordde door zijn tong uit te steken en te lachen.

'Wel, hoe dan ook, waar de duivel vandaag de dag ook mee bezig is,' matigde ze haar antwoord, 'hij is in ieder geval niet de Brabançonne aan het zingen.'

Ik moest Elvira nageven dat het moeilijk was om je in te beelden hoe Sigrid Verdronken ons een serenade van het volkslied zou brengen. Een man van principes zoals hij, hij zou zelfs de eerste lijn van het refrein, 'Voor vorst, voor vrijheid en voor recht,' niet overleven. Ik deed ook een poging om mij in te beelden hoe hij het onofficiële volkslied zou zingen, maar had alweer moeite met het refrein van 'Ik hou van u, je t'aime tu sais, geef me een kus, en vlug, donne moi une bise, et vite, voor de laatste keer' – de snelle overschakelingen tussen het Vlaams en het Frans zouden hem zeker zwaar op de maag liggen. Persoonlijk vind ik het altijd handiger om een zekere graad van dronkenschap te bereiken alvorens mij er aan over te geven en ik zag Sigrid Verdronken niet echt als het soort man die de traditie zou willen respecteren om zich eerst zat te drinken en daarna hand in hand met zijn buren rond te dansen om luidkeels alle landstalen ten gehore te geven. Niet op dat refrein, tenminste.

Elvira sloot haar ogen, en wreef haar polsen.

'Er lopen op de wereld gevaarlijker duivels dan onzen Sigrid rond,' zei ze.

Lamme heeft mij eens verteld dat Elvira haar diploma nooit

heeft gehaald. Ik kan niet zeggen dat het mij verbaast. Ze is werkelijk de nachtmerrie van alle examinatoren, om steeds antwoorden te geven op vragen die men niet durfde te stellen. Ik trok mij snel op mijn kamer terug, teneinde mij in een meer private omgeving over te geven aan een panische toeval.

De kale man met zijn zwarte snor en zijn rijkswachtlaarzen die Elvira had aangevallen, hij had zo'n treffende gelijkenis vertoond met die mannen die ik in de tachtiger jaren had ontmoet, de mannen die al die militante overvallen organiseerden.

Hoofdstuk 15

Mijn moeder stierf in 1983. De laatste zin die ze uitsprak alvorens de ogen te sluiten was: 'Was uw sokken altijd op veertig graden, zorg ervoor dat uw broer nooit trouwt want daar komt miserie van, vergeet niet dat de sleutel van de keukendeur onder de vaas ligt, en spaar uw geld op zodat ge een auto kunt kopen en al uw boodschappen kunt gaan doen in een van die supermarkten waar tante Clémentine het altijd over heeft, ze zeggen dat het zeer praktisch is en dat ge alles wat ge nodig hebt in één winkel bijeen kunt vinden.'

Ik maakte een avontuurlijk begin met de supermarkt, want een militante groep overviel haar juist toen ik er het eerste bezoek aan bracht. Ik was in mijn eigen, nieuwgekochte derdehandsauto gekomen, die ik gemakkelijk dichtbij had geparkeerd, naast een witte Golf met zwart gemaakte ramen, die ook nogal gehaast scheen te zijn. Ik wist niet zeker waar de ingang naar de supermarkt was, omdat er zoveel grote glazen deuren waren. Ik hoopte er dus maar het beste van en koos lukraak een van de deuren uit. Jammer genoeg werd mijn weg versperd door een man met een zwarte bivakmuts over zijn blonde haar en zijn gebruinde gelaat, zijn voeten in zware lederen laarzen gestoken, en een machinegeweer in zijn handen. Eigenlijk kwam ik er pas later achter dat deze man blond haar en een door de zon gebruind gelaat had, maar omdat ik mij hem altijd op die manier herinnerd heb, zal ik hem van het begin af zo beschrijven.

De blonde man keek mij aan, en ik staarde nogal verbaasd terug. Ik had natuurlijk voorzien dat naar een echte supermarkt gaan wel iets ingewikkelder zou zijn dan gewoon naar de kruidenier op de hoek lopen. Maar ik had er niet op gerekend dat het zó avontuurlijk zou zijn. Ik vroeg mij af of het normaal was dat een mens zich werkelijk in deze gebouwen naar binnen moest zien te vechten? Het is buitengewoon hoeveel er in slechts één seconde kan gebeuren. In de ene seconde waarin al deze gedachten door mijn hoofd schoten, nam de man mij op en besloot, weinig verrassend, onmiddellijk dat ik van alle schepselen Gods tot een der minst significante behoorde. Ik was het volledig met hem en zijn machinegeweer eens.

Hij schoot niet, ofschoon hij mij gemakkelijk had kunnen raken, want ik bewoog niet. Hij duwde me niet eens aan de kant. Onze seconde was over. Hij zwaaide de glazen deur open en liep de supermarkt in. Een hele troep gelijksoortig uitgeruste mannen rende in een ordelijke rij achter hem aan, als kleine gansjes achter moeder gans, en mij volkomen negerend omdat ik hen hun eerste zwemles niet had gegeven. Dat was mijn eerste contact met de Bende van Nijvel. Ik veronderstel dat de Bende van Nijvel uniek in haar soort moet zijn want ik heb gehoord dat in andere landen de crème de la crème van de misdadigers – of ze nu door de overheid of door andere belangengroepen worden gefinancierd – zich specialiseren in het stelen van goudstaven uit hermetisch afgesloten brandkasten of diamanten halskettingen van door lijfwachten bewaakte echtgenotes van multimiljardairs in met loopgraven omgeven villa's. Bij ons financiert het allergevaarlijkste soort van criminelen hun activiteiten met het stelen van kleingeld in supermarkten. Ik veronderstel dat mijn vader gelijk had toen hij zei: "Garnaal is ook vis als er niets anders is, en de Belgen hebben honger." En waarheen spoedt zich de Belg die niet in het bezit is van een visnet? Naar de Delhaize. Meedogenloos.

Dat gold ook voor mij. Het had mij een maand gekost om mijzelf op dit avontuur voor te bereiden, om de auto te kopen, om mijzelf de moed in te praten die ik zeker nodig zou hebben om mezelf zonder ongelukken door dit vrouwelijke kooppaleis te kunnen begeven. Nu was ik hier, en ik was hier om eten in te slaan en soms moet een man gewoon doen wat hij doen moet, vooral als hij niet onmiddellijk iets beters kan bedenken. Ik had al heel wat problemen ondervonden met het opvolgen van mijn moeders andere adviezen en was vastbesloten om deze in ieder geval tot op de letter uit te voeren. Dus volgde ik de gewapende mannen de supermarkt in en hurkte neer bij de wortels. Vandaar kon ik alles zien wat er gebeurde. Een caissière schreeuwde, de meeste mensen hielden hun handen omhoog, enkele andere lagen neer op de vloer en de gewapende mannen renden door de supermarkt. Het waren zeker geen Belgische soldaten, want alles ging te vlot, te efficiënt, te goed georganiseerd. Toen sprong de lange, blonde man, de leider, op de berg wortels waarnaast ik zat, ik zag zijn laarzen van dichtbij, en ik wist wie hij was. Hij was een rijkswachter! Of hij droeg in ieder geval rijkswachtlaarzen. Alle andere mannen ook.

Er was echter iets aan de lange, blonde man dat hem toch een tikkeltje deed verschillen van de gemiddelde rijkswachter zoals ik ze tijdens mijn militaire dienst had leren kennen. Deze man verplaatste zich met snelle atletische bewegingen en een zelfverzekerde geconcentreerde blik in zijn ogen. In plaats van een luide stem te gebruiken, wees hij simpelweg met zijn geweer, in plaats van te dreigen, dwong hij gehoorzaamheid af met een snelle wenk. Deze man had geen gewone militaire opleiding gehad. Deze man had een echt goede buitenlandse militaire opleiding gehad. Als voorbeeld, als ik op een schaal van één tot tien mijn eigen mannelijkheid een gulle niet-negatieve nul zou geven (met dank aan meneer Abdullahs voorvaderen om het nummer te hebben uitgevonden), dan zou deze man gemakkelijk een dertien gehaald hebben. Het is geen geluksgetal. Maar het is wel een hoog getal.

Niettemin had ik wortels op mijn boodschappenlijst staan, dus greep ik er een paar. Wat er hierna ook gebeurde, als er een militaire coup zou plaatsvinden zouden wij wellicht nog vele ontberingen moeten ondergaan, maar ik zou in ieder geval geen wortels tekort hebben.

Ik probeerde om de juiste wortels uit te zoeken, de wortels

die de hoge berg niet ineen zouden doen storten. Ik heb er een hekel aan om in het middelpunt van de belangstelling te staan en bovendien balanceerde de lange, blonde man met zijn machinegeweer nog steeds boven op de berg wortels.

Hoe lager je een piramide aanvalt, hoe meer kans dat hij ineenzakt. Dat is eerstejaarsfysica. Ik ritselde een worteltje van hoog boven op de berg, van tussen de zwarte laarzen van de blonde man. Dat was een zeer veilige wortel.

Hij merkte het en keek naar beneden naar de armzalige worm die tussen zijn benen had durven tasten. Toen hij zag dat ik het maar was, gaf hij mij een knipoog, krabde even aan zijn voorhoofd (zo ontwaarde ik een plukje blond haar en een stukje gebruinde huid onder zijn bivakmuts) en concentreerde zich weer op zijn werk.

Dit versterkte mijn vermoeden dat de mannen rijkswachters waren maar de leider niet. Dit was een man die zijn werk serieus nam zonder zichzelf serieus te nemen. En normale rijkswachters zijn precies omgekeerd. Bij de kassa's richtte een andere bivakmuts op iemand die niet stil genoeg had gelegen, maar raakte in plaats daarvan een klein wijnvaatje. Dat leek er meer op.

Die avond luisterde ik naar het nieuws om te zien of ze iets zouden zeggen over de gestolen wortels. Dat was niet het geval. Blijkbaar had iemand anders in de verwarring van het gevecht wel een paar kilo foie gras achterovergedrukt. Bij die toonbank was ik nooit geraakt. Hij zal het zich achteraf wel beklaagd hebben, want ze waren van het merk Vanden Boeynants en die liggen in normale tijden al zwaar genoeg op de maag.

Ik herinner mij de tachtiger jaren inderdaad als een verwarrend tijdperk. Ik vond het gewoon nogal een uitdaging om alle verschillende militante groepen die ons aanvielen uit elkaar te houden; het waren er werkelijk te veel. Het is niet alsof wij in België plaats overhebben, en het tegelijkertijd moeten herbergen van al deze extra belangengroepen zette toch een bijzondere druk op sowieso al overbelast logistiek netwerk. Ik weet niet hoe andere mensen het overleefden, maar ik kon werkelijk mijn voordeur niet uitwandelen zonder in de armen van een gewapende man te lopen, over een handgranaat te struikelen, of mijn nek te breken over een wegversperring.

Nadat ik erachter kwam dat ze bij de Bende van Nijvel extreem rechts waren en het vooral op supermarkten voorzien hadden, maakte ik er een punt van om ver uit de buurt van supermarkten te blijven en het was jammer dat er plotseling overal zoveel nieuwe werden gebouwd. Nadat ik van de kruidenier op de hoek hoorde dat CCC voor *Cellulle Combattante Communiste* stond en dat deze bende extreem links was en dat zij hun dynamietstaven voornamelijk gebruikten om NAVO-pijpleidingen, de Bank of America en de ingenieurs van Evere op te blazen, nam ik mijzelf voor om de nieuwe autobaan naar Luik te allen tijde te vermijden, de bezoeken aan tante Clémentine in Antwerpen voor onbepaalde termijn op te schorten, en om niet langer via de Leuvensesteenweg naar mijn werk te rijden. En toen iemand mij in de verkeersopstopping bij het kruispunt naar de Tervuursesteenweg vertelde dat de Haemersbende de voorkeur gaf aan overvallen op geldtransporten, wenste ik dat hij het mij niet had verteld, want ik vind dat geldtransportcamionetten zo gemakkelijk te verwarren zijn met rijkswachtcombi's en daar waren er ook al zo veel van. Om nog maar te zwijgen over witte Golven, die sportief heen en weer werden geleend tussen dienstdoende rijkswachters en Nijvelbendeleden, wat de situatie er allesbehalve overzichtelijker op maakte.

Ik veronderstel dat het overheidsinitiatief om plots zoveel nieuwe wegwijzers in zoveel verschillende talen op te richten een vrij gesofisticeerde manier om terug te vechten inhield, vermoedelijk hopend dat het de misdadigers in hun vluchtauto's zou verwarren, maar ik denk niet dat het erg veel hielp en het hielp mij zeker niet om mijn weg naar huis terug te vinden. Gelukkig markeerde die periode ook het begin van al die legendarische files op de ring; elke vertraging die mij meer tijd kon gunnen om verschillende interpretaties van de afslagen tegen elkaar op te wegen was meer dan welgekomen.

De kruidenier en ik waren niet de enigen die vermoedden dat de rijkswacht achter de Bende van Nijvel zat en dat zij meer deelden dan een gezamelijke interesse voor autosport. Zoals de oude koning vreesden wij dat er snel een militaire staatsgreep door het extreem rechts zou volgen, geleid door die fractie rijkswachters die tijdens de oorlog gemakkelijk Duits hadden geleerd en de kluts kwijtraakten toen hij weer over was. Ik veronderstel dat zij nieuwe werkzekerheid probeerden te verkrijgen door het land te destabiliseren. Door supermarkten aan te vallen. Zoals mijn vader zei, geloof verzet bergen, en honger Belgen. De gemakkelijkste manier om ons op de knieën te dwingen is om te dreigen onze voedselvoorraad in te perken.

Persoonlijk sloeg de schrik mij echter pas echt op het lijf toen de Haemersbende terugsloeg en het decennium passend afsloot door voormalig eerste minister Paul Vanden Boeynants te ontvoeren. Sinds zijn koteletten mij eens een voedselvergiftiging hebben bezorgd, heb ik zijn politieke beloftes altijd met een dosis argwaan aangehoord, en het is ook waar dat hij in al die orgieën en fraudeschandalen betrokken was, maar toen de Haemersbende hem uitkleedde en naakt aan de muur van een Franse villa ketende om hem manieren te leren, liep mijn hart vol met medelijden. Geen enkele man verdient het om aan zulke wrede beproevingen te worden blootgesteld. Hij schijnt het avontuur echter wonderbaarlijk goed te hebben overleefd; ik veronderstel dat de gangsters geen rekening hadden gehouden met zijn voorgeschiedenis. Iemand die ooit varkens heeft geslacht, is daarna wellicht immuun voor zelfs de allerergste vleselijke zonden. Toch was ik het voor één keer eens met de rijkswacht toen zij besloten zijn advocaat naar Genève te vergezellen om achter de rug van de Zwitserse politie om zijn losgeld te betalen. En ik begreep ook heel goed waarom het Belgische gerecht eerst moest beloven de herkomst van dat losgeld nooit of te nimmer te zullen traceren; in dergelijke noodsituaties kan een mens het zich niet permitteren om vertragingen op te lopen.

Ja, dat waren nog eens tijden, toen de politiekers nog echt

konden liegen en er ook nog echt mee konden wegkomen. Vermoedelijk omdat zij alle landstalen toen nog tot in de puntjes meester waren. Tegenwoordig is dat toch anders, en dan is een klein foutje natuurlijk snel gemaakt.

Maar ik was destijds toch opgelucht toen de communisten eindelijk door hun dynamietvoorraad begonnen heen te raken, toen bij de Bende van Nijvel de supermarkten opraakten, en bij de Haemersbende de vrijheid – hoe vreemd om te bedenken dat zij de enigen waren die gesnapt werden. Het is natuurlijk waar dat wij als natie een lange traditie van spectaculaire gevangenisontsnappingen kennen, maar toen drie leden van de Haemersbende ontsnapten mèt de gevangenisdirecteur, en een cipier voor de zekerheid als een levend schild over de voorruit van hun ontsnappings-BMW gedrapeerd, was ik toch diep onder de indruk. BMW's hebben zeer oncomfortabele voorruiten. Origineel was ook dat zij deze keer de bendeleider lieten zitten waar hij zat – met al die ontsnappingen die wij hier door de jaren al meegemaakt hebben, wordt het nieuws op de nationale – en in die tijd nog de enige – zender er niet minder eentonig op, en elke variatie is welgekomen. Zelf was ik al een tijdje geleden gestopt met naar het nieuws te kijken. De rechter besloot waarschijnlijk tot een rechtszaak, enkel en alleen uit medelijden met de ongetwijfeld ook zeer verveelde journalisten.

Maar toen uitkwam dat de leider van de Haemersbende een lange, blonde man met een gebruind gezicht was, was ik niet meer van mijn televisietoestel weg te slaan. Ik vroeg mij af of het dezelfde man was tussen wiens benen ik tien jaar geleden een wortel had gestolen. Telkens als zijn foto op het scherm verscheen, bestudeerde ik hem aandachtig, maar natuurlijk was het onmogelijk om zeker te zijn. Wie hij ook was, het is jammer dat hij de kans niet kreeg om de namen te noemen van de politici die hem hadden ingehuurd. Ik was geschokt toen ik hoorde dat hij dood in zijn cel werd aangetroffen, onhandig gewurgd met een stuk stroomdraad van zijn radio dat aan een één meter hoge radiator was vastgeknoopt, vóór zijn rechtzaak zelfs maar over was. Op het nieuws noemden ze het natuurlijk zelfmoord, maar ik vond dat moeilijk te geloven. Dit was een man die doorheen de loop der jaren zoveel geld had gestolen dat het zelfs de belastinginspecteurs angst inboezemde, om van de militaire precisie en gewetenloosheid van zijn overvallen nog maar te zwijgen. Onafgezien van de vraag of hij de man was die ooit naar mij knipoogde toen ik een wortel stal, kon ik niet geloven dat zo iemand ooit zelfmoord zou willen plegen. En zeker niet zo onprofessioneel. Toen Sigrid Verdronken mij jaren later vertelde dat het de rijkswacht was geweest die hem had omgebracht, was ik eigenlijk niet zo verrast. Kleine dieven zal men knopen, de grote laat men lopen, en in dit geval hadden de grote dieven de kleine blijkbaar zelf even opgehangen voor ze de voeten namen. Ik had me wel altijd afgevraagd hoe Sigrid Verdronken daar achter was gekomen. Nu wist ik het. Hij moest, zoals Elvira scheen te denken, zelf connecties met hen hebben. De kale man die haar had aangevallen, was een rijkswachter geweest, waarschijnlijk de vriend waar hij Martha over had verteld. Maakten zij ook deel uit van een bende? Een nieuwe extreem rechtse bende gegroeid uit oude rijkswachtconnecties? Als zij weer een militaire coup voorbereidden, gaf ik er toch de voorkeur aan dat ze als doelwit het parlement boven mijn voortuin zouden verkiezen. En hoe was Elvira in 's hemelsnaam in deze zaak verwikkeld geraakt? Waarom had de kale man haar aangevallen in plaats van een van ons, was dat toeval geweest omdat zij als eerste naar buiten was gerend of was er een andere reden? Waarom was Sigrid Verdronken trouwens zo geïnteresseerd in ons? Welk verschil maakte het voor hem, hoe meneer Abdullah zijn vrouwen behandelde of hoe ik Bérénice opvoedde?

Al deze overpeinzingen hielden mij tot diep in de nacht wakker. Ik vond troost in het donker en verrichtte wat schrijfwerk. Ik deed mijn best om zo weinig mogelijk geluid te maken en durfde mijn pen slechts met een klein kaarsje te verlichten. Niet dat ik bang was om Bérénice wakker te maken, want ze sliep vast en was gewend aan mijn occasionele nachtelijke schrijfbehoeftes, maar ik wist dat Martha een lichte slaapster was en voelde mij te uitgeput om de uitdaging van een little talk aan te gaan.

Bérénice ademde zacht in haar slaap, haar hoofd rustte kalm op het kussen, haar kleine handje was naar de hemel geopend, en ik dacht, zie toch hoe ze daar ligt! Vredig in slaap, misschien van iets plezants aan het dromen, niet langer bang van nachtmerries zoals vroeger, omdat ze instinctief weet dat ze morgen in dit huis zal ontwaken en niet in het instituut, we zullen samen ontbijten, ik zal water koken voor haar bad, ze zal haar verfkwast weer opnemen om misschien nog meer van die vreemde skeletachtige wezentjes die ze in Brueghels prenten ziet te schilderen, ze zal met haar rietje prutsen als ze haar thee heeft opgedronken, ze zal me vragen om een appel voor haar te schillen... hoe schoon is het leven!

Ik voelde mij plotseling euforisch overgelukkig, ondanks alles wat deze laatste avond ons had gebracht. Wat er in het verleden ook was gebeurd, en wat voor verrassingen de toekomst ook nog voor ons in petto had, ik was ervan overtuigd dat we een manier zouden vinden om alles uiteindelijk goed te laten aflopen. Bérénice was het allerbelangrijkste. Wat ik er ook voor zou moeten doen, het was mijn taak om haar veiligheid en geluk te garanderen.

Ik herinnerde me de allereerste keer dat ik Bérénice had horen lachen. We waren die dag in het park geweest, en ze had een spelletje met mijn portefeuille bedacht. Ze hield hem voor mij uit, maar telkens als ik probeerde om hem te grijpen, trok ze op het laatste moment terug – het simpelste spel van allemaal. Ze had op het gras rondgedanst, van één been op het andere gesprongen, het was magisch geweest. En toen, plots, had ze gelachen! Ik had haar nog nooit eerder horen lachen. Ik had een brok in mijn keel gevoeld. Ik huil gewoonlijk niet zo snel, althans niet en public. Maar Bérénice was natuurlijk al lang geen publiek meer. Ze bedacht overigens al snel een iets destructiever spelletje, haalde een bankbriefje uit mijn portefueille en dreigde het in tweeën te scheuren. 'Stop daarmee, gij kleine vandaal!' had ik gezegd in een poging om te doen alsof ik werkelijk kwaad was, maar ze kende mij al veel te goed. Het was helemaal niet mijn bedoeling geweest om haar te berispen – het geluid van haar lach klonk daar veel te mooi voor. Al gauw fladderden de snippers bankbiljet om ons heen, en ik was nog steeds aan het huilen (zonder het te tonen natuurlijk), en zij was nog steeds aan het lachen, en ik zal die dag niet rap vergeten.

In het duister van mijn slaapkamer keek ik naar het slapende kind en voelde de plotselinge aandrang om mijn oude viool in mijn armen te sluiten en toe te geven aan een eigen, zelfbedachte Dance Macabre, een vrije imitatie van de oude vioolspeler en zijn dansende skeletten ten beste te geven, misschien zelfs enkele regels van ons onofficiële volkslied te zingen, en enkele geesten te omarmen op mijn weg naar de keukenkast waar ik zeker nog een whiskeyfles had staan.

Zo ver ben ik niet geraakt.

Ik sloop op mijn tenen door de gang – vanzelfsprekend zonder viool, die zou het hele huis hebben wakker gemaakt. Ik deed mijn uiterste best om vooral geen lawaai te maken toen ik langs Martha's slaapkamerdeur sloop. Maar toen ik mijn ouders' oude slaapkamer passeerde, hoorde ik mijn vader snurken. De deur stond nog steeds op een kier. Mijn moeder vroeg of ik een nachtmerrie had gehad.

'Mama, mag ik vannacht in uw bed slapen?' vroeg ik.

'Kom,' zei ze.

Ik stond op het punt de deur open te duwen om naar haar toe te gaan toen iemand mij op de schouder tikte.

'Are you alright, Sjaan-Klote? Waarom ben je nog steeds wakker?' vroeg Martha. 'Weet je hoe laat het is?'

Ik stopte mijn vingers in mijn oren – ik weet dat het kinderachtig was, maar ik wilde gewoon echt totaal niet weten hoe laat het was. Ik kan me wel voorstellen hoe het er uit moet hebben gezien, door Martha's ogen: een oude man die bij een slaapkamerdeur staat te gluren. Weet ge dan niet, Martha, dat op dit uur alle klokken stilstaan?

'Ik was op weg naar de badkamer,' loog ik. Ik hoopte dat ik niet te kortaf tegen haar was geweest en wandelde weg met een slecht geweten en goede voornemens om mij de volgende dag te verontschuldigen. Toen herinnerde ik me dat het morgen maandag was, dat ik mijn gezicht op de faculteit zou moeten laten zien, dat Elvira en Jefke in mijn ouders' oude slaapkamer sliepen, dat mijn ouders lange tijd geleden overleden waren, en dat ik misschien een weinig vermoeid was.

Maar ik was klaarwakker nadat ik mijn slaapkamer opnieuw was binnengegaan. Er zat iemand op de stoel achter mijn bureau!

Het was Martha. Mijn kaarsje was uitgegaan, en Martha zag er nogal spookachtig uit, zoals ze daar in het donker zat.

Ik hoopte vurig dat ze mijn lijstje met hypotheses over wat er eerder die avond was gebeurd niet had gelezen. De meeste mensen vinden het niet fijn om gereduceerd te worden tot variabelen in een vergelijking. En eerder die avond had ik Martha's naam neergeschreven in maar liefst vier vergelijkingen. Ze had vier heel goede redenen om boos op mij te zijn.

Maar Martha had een vijfde reden:

'Jij...' Ze moest ongelooflijk hard niezen. Misschien had ze al haar pillen al opgebruikt. 'Je zei dat het kleine meisje in dat andere bed sliep,' bracht ze uiteindelijk hortend uit, met een loopneus en verschrikte, waterige ogen. Haar angstige blik gleed van het lege veldbed in de hoek naar Bérénice, nog steeds diep in slaap, in mijn bed.

Ik kromp ineen.

Voor mijn geestesoog zag ik de volgende krantenkop:

BEJAARDE PROFESSOR BESCHULDIGD VAN KINDERMISBRUIK:

ERGSTE VERMOEDENS VAN AMERIKAANSE COLLEGA

BLIJKEN WAARHEID

Hoofdstuk 16

Toen ik de volgende morgen buitenkwam, stootte ik mijn hoofd tegen een enorm uithangbord. Het bord in mijn wiskundelokaal was er niets bij. Nu ben ik mezelf volledig bewust van het feit dat ik vaak verstrooid ben, maar ik was er toch wel heel zeker van dat dit bord hier gisteren niet gestaan had. In het midden van mijn voortuin!

Sigrid Verdronkens auto was nergens te bespeuren en ik haastte mij om meneer Abdullah te gaan halen. We keken beiden ongelovig naar het grote plakkaat. Het stond letterlijk met één been in meneer Abdullahs voortuin en met één been in de mijne.

'Het is waarlijk zeer groot, vind je niet?' zei ik.

'Ja, beste man,' zei meneer Abdullah. 'Zeer groot.'

Op het plakkaat was een kleine blonde jongen te zien, die naar de hemel wees. Zijn armbeweging leek op de armbewegingen die de bezetters in de Tweede Wereldoorlog maakten als zij elkaar begroetten. De woorden op het plakkaat waren:

EIGEN VOLK EERST

Ik herkende de slogan: het was een affiche van de verkiezingscampagne van het Vlaams Blok. Vreemd. Er waren nu toch geen verkiezingen? De politiekers weten tegenwoordig werkelijk niet van ophouden.

'Uitstekend,' zei meneer Abdullah. 'Ik heb er altijd al van gedroomd om hier enkele tomatenstruiken te planten, maar er was altijd te veel wind in mijn voortuin. Dit plakkaat is ideaal. Ik zou zelfs een kleine serre kunnen aanleggen!'

Hij begon voorspellingen te maken over de positie van de zon en over de gulle schaduwrijke hoek die het bord zou hebben in relatie tot zijn tomaten. Toen rende hij terug naar zijn huis om met de voorbereidingen te beginnen. Ik had nauwelijks tijd om erover te piekeren want ik had al zoveel andere zaken om mijn hoofd over te breken.

Morgen was het een religieuze feestdag. Alleen kon ik mij weer niet herinneren welke.

'Gelukkig bekommeren de godvrezende mensen in onze regionen zich tegenwoordig over het algemeen niet te veel over religie,' had ik Bérénice verteld, de gelegenheid aangrijpend om haar wat cultuur bij te brengen. 'Sinds de Spanjaarden ons verplichtten om te kiezen tussen godsdienstvrijheid en lagere belastingen, hebben wij ons spontaan bekeerd tot een waterige vorm van katholicisme, met als voornaamste troef de lange lijst van heiligendagen verspreid door het kerkelijk jaar heen, waarop wij verplicht zijn een dag verlof op te nemen om ons af te vragen welke obscure heilige er deze keer gevierd moet worden. Wacht maar tot je naar school gaat, je zult er snel genoeg achter komen.'

Ik denk niet dat Amerikanen gewend zijn aan zoveel verlof, want het was vrij moeilijk om aan Martha uit te leggen dat het morgen verboden was om te werken.

'Ben je daar wel zeker van, Sjaan-Klote?' bleef ze maar vragen. 'Ben je er helemaal zeker van dat het niet een gewone werkdag is? Het staat helemaal niet op mijn kalender! Waar heb je het in godsnaam over? De feestdag van een of andere obscure martelaar zeg je? Maar welke dan wel?'

'De Heilige Maagd,' antwoordde ik snel. Ik was er helemaal niet zeker van, maar in geval van twijfel ga ik altijd voor de Heilige Maagd – sinds ik gehoord heb dat zij het meest vergevingsgezind is voor de hopeloze gevallen. Ik had reeds specifieke plannen bedacht over hoe ik haar deze keer zou loven.

'Een fuif om een heiligendag te vieren? Bij Jefke en Elvira thuis? Op het platteland?' vroeg Martha, blijkbaar maar matig enthousiast over de voorgestelde verandering van locatie. Wij waren op weg naar huis na onze werkdag aan de faculteit. Martha zat naast mij in de auto. Ze was de hele dag vrij stil tegen mij geweest.

'Ik weet niet of ik in de stemming ben om te feesten. Ik kan die aanval op Elvira van gisterenavond maar niet uit mijn gedachten zetten. Moeten we niet naar de politie gaan om alles aan te geven?'

'Naar de politie gaan zal ons niet helpen,' mompelde ik.

'Wie weet... misschien helpt het wel, Sjaan-Klote. Het is altijd beter om aangifte te doen van een misdaad.'

Ze werd weer stil.

'Tenzij je iets te verbergen hebt...' fluisterde ze toen, en niesde pijnlijk.

Ik hield mijn adem in, mij de verrassing van gisterennacht herinnerend, toen ik Martha in mijn slaapkamer had ontdekt. Ze had het onderwerp de hele dag nog niet aangeroerd. Misschien omdat ze geplaagd werd door die verschrikkelijke verkoudheid.

'Ik voel me zo verantwoordelijk voor wat er gebeurd is. Misschien moet ik eens met Heff-ke en El-vai-rah praten. Als blijkt dat zij ook niet naar de politie durven gaan, dan zal ik het doen. Het is mijn plicht, als getuige.'

'Als je Jefke en Elvira wilt zien, moeten we vanavond zeker naar de fuif bij hen thuis gaan,' zei ik, dankbaar een andere reden te hebben gevonden om haar over te halen. Bérénice keek er al naar uit om te gaan, en de aangename chaos van de fuif zou het makkelijk maken om haar uit Martha's buurt te houden. Ik verlangde ernaar om toevlucht te zoeken in Jefke en Elvira's afgelegen boerderijtje in het midden van de heuvels, zelfs als het maar voor één nacht was, en ik geloofde (ten onrechte) dat wij daar allemaal volkomen veilig zouden zijn. Het was mij reeds gelukt om de Abdullahs te overtuigen om ook te komen, en ik beschouwde het als absoluut vitaal dat Martha ons zou vergezellen. Voor haar eigen goed om nog maar te zwijgen van het onze, zou iemand haar vroeg of laat enkele dingen moeten uitleggen over Sigrid Verdronkens politieke overtuigingen en ook over mij en Bérénice en mijn ouders' bed. Maar als ik zulke breekbare en gevoelige onderwerpen zelf zou durven aan te raken, zou mijn belachelijke persoonlijkheid het gesprek ongetwijfeld in een grote ramp doen ontaarden. Ik had de hulp nodig van iemand die ervaring had met onuitspreekbare onderwerpen. Ik had Elvira nodig, de paradox genaamd een vrouw die mij begreep.

Zodra Martha inzicht verwierf in de hele situatie, zou zij ongetwijfeld begrijpen waarom het veiliger was voor iedereen als ze snel een appartement vond. Wie weet, misschien zou ze zelfs in staat zijn om ons met onze burenproblemen te helpen voor ze verhuisde. Als het aankwam op de aanpak van hardvochtige manspersonen, scheen ze over speciale talenten te beschikken. Voorwaar, als de reacties van onze decaan ook maar enigszins een richtlijn konden zijn, was de kans groot dat Sigrid Verdronken spoedig twee keer zou nadenken alvorens hij een voet in onze voortuin zou durven zetten.

'Een fuif... ik weet niet, Sjaan-Klote. Ik heb zoveel werk te doen met al die studenten...'

'Iets waar ik je mee kan helpen?' vroeg ik dapper.

'Hatsjoe! Ik weet niet... ik heb zoveel vragen ontvangen van studenten, over een of ander practicum dat professor Hei-bermat hen gegeven moet hebben net voor hij vertrok, en dan vragen van andere studenten die dat practicum vorig jaar hadden, maar die er om een of andere reden nooit in zijn geslaagd om een voldoende voor het examen te halen. Feestdag of niet, de universiteitsgebouwen zullen open zijn en ze zullen zo verward zijn als ze naar mijn kantoor komen en mij niet kunnen vinden.'

Ik zei dat als haar studenten op de mijne leken, de kans groot was dat ze het helemaal niet erg zouden vinden. Maar ik moet iets verkeerd gezegd hebben, want Martha antwoordde niet. In Amerikaanse universiteiten doen ze dingen waarschijnlijk wel helemaal anders. Ik had eens gezien hoe Martha een klein briefje met een telefoonnummer aan haar deur hing en toen had ze mij verteld dat het ginds een standaardprocedure was om studenten je telefoonnummer te geven, zodat ze je altijd konden bereiken als ze vragen of klachten hadden. Ik hoopte maar dat zoiets hier nooit standaardprocedure zou worden.

Toen we weer thuiskwamen, raapte Martha de enveloppen op die deze ochtend voor haar in de post waren gekomen.

'Ik heb zelfs nog geen tijd gehad om mijn post te lezen. En ik lig met zoveel andere dingen achter...'

Ze zag er inderdaad zeer vermoeid uit, haar prachtige sneeuwwitte huid was grijs geworden.

'Wat voor soort fuif is het trouwens? Wat voor mensen zullen we daar ontmoeten?'

'Zeer normale,' loog ik.

'En Granny gaat ook mee?' Martha keek verbaasd naar Bomma die boven het aanrecht vrolijk neuriënd haar dansschoenen aan het poetsen was.

'En we zouden daar blijven slapen?'

Ik knikte enthousiast.

'En je neemt hatsjoe! Neemt Berenice mee?'

'Ja.'

Ze begon te twijfelen.

'Je neemt Berenice met je mee en je hatsjoe! Je wilt dat ik ook kom?'

Ik knikte opnieuw.

Het deed haar van gedacht veranderen.

Ze ging haar valies inpakken, sloeg toen een lange paarse sjaal om haar nek, hulde zich in een enorme winterjas en duwde haar post in de wijde zakken. Ze had nog steeds wallen onder haar ogen, maar haar humeur scheen plots aanzienlijk verbeterd.

'Dressed to kill!' zei ze glimlachend. 'En ik zweer, Sjaan-Klote, dat dat slechts een uitdrukking is.'

Ik hoopte het van harte.

'Misschien kan ik wat werk voor de studenten inhalen terwijl we daar zijn,' zei ze toen we allemaal in de auto klommen. Bomma en Bérénice klauterden op de achterbank. Ik knikte en startte de motor, blij om een manier te hebben gevonden om Sigrid Verdronken en het bord in de voortuin te ontvluchten. Ik dacht dat we aan de problemen in onze straat konden onstnappen, zelfs al was het maar voor een dag. Maar natuurlijk reisden de problemen gewoon met ons mee.

Onze rit naar Jefke en Elvira's boerderijtje was echter wel heel aangenaam. Zelfs voor wij de straat nog maar hadden verlaten, begon Bomma al een zeemansliedje genaamd *Mijn hutje bij de zee* te zingen – ze mag binnenshuis een stille vrouw geweest zijn, in de auto ontpopte Bomma zich altijd tot een enthousiaste zangeres. Inderdaad, spoedig was ze zich door haar omvangrijke repertoire van zeemansliedjes aan het heen werken. Mijn hart sprong op toen ik Bérénice zachtjes hoorde meeneuriën. Vandaag scheen ze plots veel minder bang van Martha. Hoe merkwaardig.

Martha was ook verrukt over de plotselinge muziek.

'Waar gaat deze over, Sjaan-Klote?' vroeg ze toen Bomma het tweede couplet van *Het droeve vissersbruidje* had ingezet.

'Het gaat over een meisje dat verliefd werd op een eenvoudige visserszoon die uit een arme vissersfamilie kwam,' begon ik te vertalen. 'Nog slechts twee zeereizen en dan zouden ze trouwen en zou hij aan de wal blijven om zijn brood te verdienen met werk in de haven, zodat hij met haar in een eigen klein huisje kon gaan wonen. Hij vertrok met tranen in zijn ogen en zij zei hem: 'Ik heb je zo lief, o vergeet mij toch niet.' Hij kwam veilig terug van de eerste reis. Toen hij op de tweede en allerlaatste reis vertrok, brachten de golven hem nogmaals haar woorden: 'Ik heb je zo lief, o vergeet mij toch niet.' Maar er kwam een storm en de visserszoon keerde niet terug. Een eenzaam meisje loopt nu op het strand. De golven dragen het lied van zijn stem die haar roept: 'Ik heb je zo lief, o vergeet mij toch niet.''

'Gosh,' zei Martha.

Bomma zong het zeemansliedje inderdaad met veel gevoel. Martha begon mee te neuriën en Bérénice leek er geen aanstoot aan te nemen. Eindelijk harmonie! Het zou van korte duur zijn.

'Hoe heet dit plaatsje?' vroeg Martha mij toen we door het

kleine dorpje reden waar Jefke en Elvira's boerderijtje geografisch toe behoorde.

'Het heeft twee namen,' zei ik. 'Forêt en Bosschen. We zijn nu heel dicht bij de omstreden taalgrens tussen het Vlaamse en Waalse gedeelte van het land.'

'Vertel eens, Heff-ke en El-vai-rah, zij spreken beiden de twee talen, niet?'

Ik knikte, denkend aan Jefkes Frans met zijn typische, ruwe, rustieke Vlaamse accent. Elvira's Frans was traag maar accentloos, ik vond eerder dat haar Vlaams af en toe een tikje exotisch klonk.

'Het is heel vriendelijk van hen om altijd zo'n moeite te doen om Engels te proberen te spreken als ze iets tegen mij zeggen,' zei Martha. 'Ik wou dat ik ook kon begrijpen wat ze zeggen als ze onder elkaar praten, ze lijken altijd zoveel plezier te hebben.'

Voor mijn geestesoog verschenen schrikbeelden van scenario's waarin ik werd gevraagd om Jefkes gevoel van humor voor haar te vertalen. Nooit letterlijk vertalen, hield ik mezelf voor. En zeker niet figuurlijk.

'Iemand van jullie die Duits spreekt?' vroeg Martha.

'Ik een klein beetje,' zei ik. 'Over de anderen ben ik niet zeker. Jefke misschien. Het dialect dat in zijn thuisprovincie wordt gesproken, vertoont grammaticaal nog enkele verrassende gelijkenissen met het Duits.'

'Mister Ver-drown-king vertelde mij dat hij de taal zeer goed machtig is.'

Het geneurie op de achterbank stierf weg. Ik concentreerde mij op het kronkelwegeltje dat naar Jefke en Elvira's veilige boerenhofje leidde.

Toen wij door hun poort reden, werden we verwelkomd door de vreemde troep honden die Jefke en Elvira's boerderij bevolkten. Bérénice klauterde uit de auto en rende naar de honden toe. Ze tilde een van de kleinere op in haar armen en lachte toen het haar gezicht likte.

Elvira kwam vanachter de stalletjes tevoorschijn. Ze droeg een emmer water en werd gevolgd door een ander klein hondje en door de vrij grote big die ik al eens op de achterbank van hun zwarte auto had zien plaatsnemen.

'Hou op, Don Quixote,' hoorden we haar tegen de big zeggen. 'Het is nog geen etenstijd.'

Ze lachte en wuifde toen ze ons zag. Bérénice slaakte een klein vreugdekreetje, rende op haar toe en sprong in haar armen. Twee koppige kleine meisjes wervelden een rondje op het erf, ongetwijfeld hun eigen soort herkennend en hartelijk lachend in wederzijdse verstandhouding. De koude deed hun wangen gloeien, hun voeten dansten tussen kleine spatjes modder die oplichtten in de late herfstzon.

We droegen onze koffers naar binnen en Bomma ging naar de keuken om koffie te zetten.

'Waarom draagt hij een ooglap?' Martha keek geïntrigeerd naar het kleine dikke witte hondje dat aan Elvira's enkel leek vast te plakken.

'Hij is blind,' zei ze.

Omdat de blinde hond een zwarte ooglap droeg over zijn ontbrekende linkeroog en een echte zwarte vlek rond zijn blinde rechteroog had, vertoonde hij een vreemde gelijkenis met Jefke en zijn eeuwige zonnebril.

'Daarom draag ik deze,' zei Elvira, en hief haar voet op. Kleine kattenbelletjes waren aan haar enkel vastgeknoopt. Het kleine hondje sprong op en blafte tegen het geluid van de rinkelende belletjes. Bérénice giechelde van plezier en Elvira maakte een van de belletjes los en gaf het aan haar. Bérénices fijne vingers genoten ervan om het kleine belletje te laten rinkelen. Zij en ik hadden het kleine hondje eerder gezien terwijl hij Elvira door het huis heen volgde en ik moest toegeven dat de belletjes een efficiënt systeem leken. Eén keer zag ik hem wel tegen een deur botsen – ze had te snel gelopen – maar toen nam ze hem vlug in haar armen en streelde zijn buik tot hij opgewonden begon te hijgen. Ik kon erin komen.

'Eh... ik heb iets kleins meegebracht,' zei ik, lichtjes opgelaten. Ik toonde Elvira de prent van *De blinden leiden de blinden* die ik haar als geschenk had willen aanbieden. Ik hoopte dat ze het niet ongepast zou vinden, het kleine hondje dat nog steeds rond haar enkel danste in acht genomen. Gelukkig glimlachte ze en zei:

'Ah, professor, dank u wel! Die zal goed passen bij *De dood van de maagd* die boven ons bed hangt. Vindt u het niet erg om vannacht in onze kamer te slapen? Het bed is groot genoeg voor jullie beiden.' Ze legde haar hand op Bérénices schouder.

Martha gaf toe aan een hevige hoestbui.

'Kan ik mij misschien ergens verfrissen?' vroeg ze met waterige ogen.

'Natuurlijk, we hebben hier alles,' zei Elvira, waar ze mee bedoelde dat er stromend water en elektriciteit was. Centrale verwarming en kabeltelevisie waren hier nog niet uitgevonden.

Martha verliet de kamer luid niezend en met haar hoofd in haar paarse sjaal verborgen, waardoor ze op haar weg de kamer uit tegen Jefke op botste, die juist naar beneden was gekomen. Hij moest luid lachen toen hij de prent van *De blinden leiden de blinden* zag. Gewapend met een verse pint verdween hij opnieuw in zijn zolderkamer. Ik wist niet wat hij daar precies uitspookte – ofschoon ik natuurlijk vermoedde dat het iets illegaals moest zijn. Iets lichtelijk illegaals, hoopte ik toen nog.

Bérénice wilde graag weer naar buiten om Jefke en Elvira's zes schapen in hun stalletjes te gaan bekijken. Ze amuseerde zich kostelijk met het meest luie schaap dat zich graag liet aaien. Omdat ze het zo leuk scheen te vinden om wat tijd buiten door te brengen, vroeg ik Elvira of er misschien enkele interessante opvoedkundig verantwoorde dingen waren die we haar konden laten zien. Elvira moest lang nadenken. Dat over het opvoedkundige had ik er opzettelijk bij gezegd, want van Jefke had ik gehoord dat er één heuvel verder een veld lag waarin, volgens de geruchten, een bekende Vlaamse politieker eens op intieme voet met een Franstalig schaap had gestaan, en voor dat soort gevoelige kwesties achtte ik Bérénice nog te jong.

'Ah, ik weet het! Ik zal jullie het kleine kapelleke laten zien, dat is wel tof.'

We staken het erf over en volgden Elvira naar het minuscule kapelletje dat te midden van de velden lag. Het was een klein bakstenen bouwwerkje met een schuin leien dakje en een één bij één meter getegeld vloertje binnen, juist groot genoeg om een beeld van de Heilige Maagd, een paar kaarsen en Elvira te herbergen die elke morgen binnenging om ze aan te steken. Ze wees naar de lintjes die aan de spijlen van de deur naar de kapel waren vastgemaakt.

'Het bijgeloof wil dat als een jonge ongetrouwde vrouw hier komt en haar haarlint aan de spijlen van de kapel vastknoopt, de Heilige Maagd haar gedurende de volgende nacht een droom zal schenken waarin ze haar toekomstige echtgenoot zal zien,' vertelde ze ons. 'Veel meisjes uit de omliggende dorpen wandelen helemaal door de velden naar hier om de kapel te bezoeken.'

'Hoe romantisch,' zei ik.

'Alhoewel ze er waarschijnlijk wel natte voeten van krijgen,' begreep ik, en trachtte om mijn schoen niet in het drassige veld te verliezen terwijl ik Bérénice hoog maar droog op mijn schouders hees. Gelukkig was zij nog te jong voor zulke riskante escapades. Ik kon haar kleine handje mijn haar voelen strelen.

Elvira telde de haarlinten.

'Twaalf. 't Is precies geen hoogseizoen. Er zijn altijd de meeste linten in hartje zomer en in putje winter. Ik heb me al dikwijls afgevraagd waarom.'

'Misschien denken de mensen het meest aan de liefde tijdens extreme omstandigheden,' fantaseerde ik voor ik uitgleed in de modder en bijna plat op mijn gezicht viel.

'Ik kan in ieder geval begrijpen waarom de herfst geen populair seizoen is,' voegde ik eraan toe.

Bérénice giechelde uitgelaten na de plotselinge beweging. Elvira moest ook lachen.

'Wel, ik heb het zelf nog nooit geprobeerd, dus ik kan u niet

vertellen of het echt werkt! Maar 't is toch wel een schoon verhaaltje.'

'Wellicht is het beter om het mysterie te bewaren,' suggereerde ik heldhaftig.

Of om de teleurstelling te vermijden, dacht ik lafhartig.

'El-vai-rah,' hoorde ik Martha fluisteren nadat wij de boerderij voor de tweede keer waren binnengegaan. 'Over de badkamer... is het hetzelfde systeem als in Sjaan-Klote's huis? Moeten
we weer water koken?'

Zich waarschijnlijk verantwoordelijk voelend voor de twijfelachtige sanitaire voorzieningen van ons vaderland, lachte Elvira
en zei dat zij het water wel voor haar zou koken.

Martha onderdrukte een hoestbui en staarde door het raam
naar de duisternis buiten.

'Oh, don't worry, ik red me wel. Het heeft eigenlijk wel iets
romantisch,' contempleerde ze, zich nog onbewust van de veel
wredere ontberingen die voor ons in het verschiet lagen. Minder
dan twee dagen later, gevangen tussen de betonnen muren van
een bunker, zou het idee van warm water een onvoorstelbare luxe
worden, en de hoop voor zelfs maar een klein glaasje koud water
een onmogelijke wensdroom.

Deel II: Martha

Hoofdstuk 1

Toen ik Martha in een diepe omhelzing met Jefke op de dansvloer zag, met een sigaret en een glas whiskey in haar hand,
en luid meezingend met *Wild Thing*, bedacht ik dat het een
veiliger plan zou zijn geweest om haar niet meegenomen te
hebben.

Martha scheen de tekst van *Wild Thing* uit het hoofd te kennen. Ik was vanzelfsprekend zelfs niet op de hoogte geweest van
de titel van het lied, maar ik had Elvira ernaar gevraagd toen
bleek dat deze melodie zo'n gewelddadige uitwerking op Martha
had. Jefkes gelaat vertoonde een demonische glimlach waarnaast
mijn eigen delicate trekken op die van een schoonheidskonin-
gin leken. Hij draaide duizelingwekkende rondjes op zijn houten
been en Martha wervelde over de dansvloer met hem, als was
ze een tiener die de preses van haar studentenvereniging poogt
te verleiden. Ze moet op voorhand lessen hebben gevolgd, of op
een andere manier ervaring verworven hebben, want ze bleek een
uitzonderlijk goede danseres.

Elvira scheen er niet over in te zitten. Zij en ik zaten naast
elkaar, nipten van onze kriek en keken met verbazing naar het
wilde dansoptreden terwijl ik probeerde te herstellen van de laat-

ste verrassing die Martha mij had gegeven. Ik moest echt eens leren om Bérénice te vertrouwen.

Ze had de hele avond blijk gegeven van een grote genegenheid voor mijn persoon, en was voor mij gesprongen telkens als Martha ook maar in mijn buurt kwam. Ze had haar angsten helemaal niet overwonnen. Ze kanaliseerde die slechts in de richting van een nieuw doel: om de meest hulpeloze van ons tweeën eerst te beschermen. Mij.

Ze had er zelfs op aangedrongen om het kleine kattenbelletje aan mijn enkel vast te binden, zodat ze mij de hele avond op de voet kon volgen. Ze had blijkbaar uiterst risico-averse voornemens gemaakt.

Elvira humde mee op het ritme van *Wild Thing*. Blijkbaar een lied dat populair is bij meer vrouwen.

'Ik zou nooit gedacht hebben dat Jefke kon dansen, maar hij schijnt er zelfs nog redelijk goed in te zijn,' zei ik tegen Elvira.

Ze knikte. 'Oh ja, hij kan... bijna alles.'

'Weet je waarom hij, ik bedoel, hoe het komt dat hij...'

'Hebben we nooit over gesproken,' zei ze. 'Toen ik hem voor het eerst zag, was hij al zo. Dit is hoe ik hem altijd gekend heb.'

Maar arme Martha. Sigrid Verdronkens daden hadden al een veel diepere impact op haar nagelaten dan ik eerst had vermoed. En door haar, ook op Bérénice.

Het was allemaal vrij onschuldig begonnen. Wij hadden ons in Jefke en Elvira's keuken bevonden, ingewrongen tussen hun kleurrijke vrienden. De bedelaar die altijd naar mij spuugt als ik hem op straat tegenkom, zat in een hoek en klonk opgewekte glazen met een dame met een Delvaux-handtas. Iemand moet hem een lift uit Brussel gegeven hebben. Vanavond was het gezelschap zo mogelijk zelfs gevarieerder dan gewoonlijk. Voorwaar, mensen die elkaar op straat gehaat zouden hebben, schenen hier goed met elkaar overweg te kunnen. Martha en Elvira leken ook vriendschap te sluiten. Zeer goed, had ik gedacht. Elvira zal er wel in slagen om onze pijnlijk delicate situatie aan haar uit te leggen. Wie weet, misschien bedenken zij samen zelfs wel een vermetel plan om ons te helpen. En als deze twee ontembare vrouwen hun rebelse krachten zouden verenigen, zou ik de eerste zijn om het volste vertrouwen te hebben in hun onoverwinnelijkheid.

Ze schenen het inderdaad vrij goed met elkaar te kunnen vinden, maar jammer genoeg liep de situatie al snel uit de hand. Ik had gehoord hoe Martha Elvira vertelde over haar toekomstige angsten aangaande het verbeteren van blijkbaar toch meer dan duizend examens in minder dan een dag tijd.

'Met een dobbelsteen,' zei Elvira.

'Een dobbelsteen?'

'Dat is hoe Habermat het mij geleerd heeft. Gooi de dobbelsteen voor elke examenkopie en geef aan alle nummers 5 en 6 een voldoende. Beste garantie voor een normale verdeling van de punten, en een slagingspercentage van 33 procent – precies gelijk aan de opgelegde richtlijn. De dobbelsteen zit zeker nog in zijn bureau. Tweede schuif van links.'

Martha maakte een verwilderde indruk.

'Wat jij zegt is dat de examenresultaten van de eerstejaars feitelijk... lukraak zijn?' vroeg ze uiteindelijk met bevende stem, zich misschien ook wel herinnerend hoe zij indertijd een onvoldoende voor het hare had gekregen.

'Welcome to Leuven,' zei Elvira en hield gelukkig verder haar mond.

De nieuwe informatie bracht een verandering teweeg in Martha's eerdere gezichtspunt aangaande alcoholische dranken.

'Voor mij ook een pint bier,' besloot ze kernachtig.

Het deed mij mezelf verslikken in mijn eigen pint. Lamme klopte me op de rug. Ik haastte mij naar Martha toe. Bérénice sprong tussen ons in terwijl ik naar haar riep:

'Werkelijk, het is nergens voor nodig om de culturele tolerantie te ver te drijven! Ik zal onmiddellijk een glaasje cola voor je gaan halen!' Ik had getracht een vertrouwelijke toon aan mijn woorden toe te voegen, voor zover de luide muziek het toeliet. Martha veegde haar voeten aan mijn vertrouwelijke toon en riep naar Jefke, de barman van de avond:

'I'll have a beer, please!'

Hij lachte en tapte er eentje voor haar, Mort Subite recht van het vat. Hij schepte de bovenste laag van het schuim er met zijn mes van af. Lamme gebruikte de gelegenheid om aan Martha uit te leggen: 'It releases the gas bubbles that come up when you tap, our beer is quite s...s...s... professor, wat is sterk ook weer in het Engels, strong, toch?'

'Ja,' zei ik zeer tegen mijn zin.

'Yes, our beer is quite s...s...strong and we have lots of pressure on our taps so there's lots of f...f...roth.'

'Alsjeblieft, wees toch voorzichtig en drink langzaam,' smeekte ik Martha die haar schuimende bierglas vasthield als was het een kostbare trofee. Ze leek haar eerdere bezwaren aangaande alcoholische dranken volledig vergeten te zijn. Ik hoopte maar dat die geen vreemde bijwerkingen met haar pillen zouden voortbrengen. Mijn bevriende Hanenkam met zijn kilo's gouden juwelen op zijn harige getatoeëerde borst botste tegen haar op, en er morste een beetje bier over de rand van Martha's glas, op haar schoenen. Ze wiebelde met haar tenen in haar sandaaltjes en giechelde toen het varken langskwam om ze af te likken.

'Vanavond zullen we weer als studenten zijn,' riep Martha tegen Elvira, 'en we zullen drinken wat we willen!'

Ja, maar niet te veel, zodat wij achteraf in een betekenisvol gesprek kunnen participeren, hoopte ik.

'Vrouwen zouden altijd moeten samenspannen!'

Een uitstekend idee.

'Zodat we zo wild kunnen zijn als we willen!'

Binnen bepaalde grenzen, liefst, indien mogelijk.

'Wilt ge dan niet met míj drinken, Martha?' vroeg Jefke met een grijns.

Zeg nee. Het enige juiste antwoord op die vraag is nee.

'Natuurlijk!' riep Martha uit.

'Weet ge hoe wij bier drinken in België?' vroeg Jefke haar.

Oh nee, dacht ik. En ik wist nog niet eens wat voor vreselijke bekentenissen de alcohol spoedig uit haar zou doen oprijzen.

'Eerst moeten wij de glazen tegen elkaar klinken. Het is belangrijk om de ander terzelfder tijd in de ogen te kijken, anders telt het niet.' Jefkes grijns deed mij vermoeden dat hij iets van plan was. 'Het gaat om een zeer, zeer oude traditie en die moeten wij respecteren.'

Jefke wees met een van zijn drie vingers naar Martha's glas.

'Het doel van het klinken der glazen is dat ge een beetje bier van mijn glas in het uwe morst. En van uw glas in 't mijne. Dat is een middeleeuwse traditie. Voor vertrouwen. Om zeker te weten dat niemand gif in onze dranken mengde. En wij moeten elkaar in de ogen kijken. Ja, kijk maar diep in mijn ogen. Dan moeten wij drinken. Ad fundum! Dat is Latijn. Het betekent: ledig het glas in één teug.'

Martha werd veel meer door deze uitleg geprikkeld dan goed voor haar was en keek geïntrigeerd toe hoe Jefkes duivelsklauw de rand van haar glas beroerde.

'Wij móeten elkaar in de ogen kijken,' herhaalde Jefke in zijn gevaarlijke Engels. 'For tradition!'

'For tradition!' stemde Martha enthousiast toe.

Op dat moment nam Jefke zijn eeuwige zonnebril af, voor eenieder ontblotend wat er onder verscholen zat. Of liever: wat er niet onder verscholen zat. De gelijkenissen tussen hem en de blinde hond gingen verder dan ik had durven vermoeden.

In het land der blinden is eenoog koning. Hij hoefde het niet eens hardop te zeggen. Ik dacht het in zijn plaats. Een lelijk litteken liep rond de plaats waar ooit een oog moet hebben gezeten. Het gat was niet eens fatsoenlijk dichtgenaaid, wat de onplezierige illusie veroorzaakte dat je zo zijn schedel kon binnenkijken.

Martha moest alle zeilen bijzetten om haar glas niet te laten vallen van de schok. Hij glimlachte breed naar haar met al zijn lelijke tanden, en iedereen begon luid te lachen. Wellicht een schelmenstreek waar hij nieuwkomers wel meer op trakteerde.

'Allé, tijd om te drinken nu,' herinnerde Jefke Martha. Hij hief zijn glas. En of het nu door de schok, door de angst of door de dorst kwam, Martha hief haar glas ook. Jefke dronk zijn glas leeg met het gemak van de routiné. Martha dronk het hare met de devote overgave der wanhopigen. Ze zette het leeg weer neer, slechts seconden nadat Jefke met een diepe knik zijn lege glas op de tafel had gebonkt.

'Very good,' prees hij haar. Toen wierp hij, sportief als altijd, een arm om de nek van de nieuw ingewijde, trok haar gezicht dicht naar zijn eigen vernielde gelaat toe, en voor Martha de kans kreeg om bij te komen van haar eerste ad fundum, plantte hij een grote kus op haar open mond. Het was moeilijk om uit te maken of de plotselinge blos op Martha's wangen aan de alcohol of aan de onverwachte liefdesbetuiging te wijten was.

Toen Jefke haar losliet, ontsnapte er een boer uit haar keel. Een vrij spectaculaire. Het hele vrolijke gezelschap lachte er luid om, en Jefke besloot: 'In de sjakosj!'

Hij was blijkbaar tot de slotsom gekomen dat Martha – na ongewild de eerste stappen op het heikele pad van de Vlaamse humor te hebben gezet – er wel mee door kon. De vraag was wel hoelang ze nog door kon – ze wankelde op haar benen. En toen Jefke in de richting van de woonkamer liep om de muziek te veranderen (Bomma scheen een verzoeknummer te hebben geopperd, Michael Jackson), probeerde Martha hem aan zijn been terug te trekken. Gelukkig had ze het been met een voet aan het uiteinde vast. Maar ze moest dronken zijn. Haar kaken waren roder dan haar haar.

'Oh, je kunt me nu niet in de steek laten! Het klikte juist zo goed! Je kunt niet zomaar vertrekken in het midden van een *date!*'

De enige dates waar Jefke al van gehoord had waren die op de kalender, maar ik had wat bijkomende kennis verworven uit een boek dat ik, op zuiver toevallige en accidentele wijze, van Martha had gestolen. Ik weet hoe het klinkt, maar ik was op die bewuste dag feitelijk gedwongen geweest om haar kantoor binnen te dringen, op zoek naar enkele cijfers die ik nodig had voor mijn voortgangsrapport. Toen had ik het boek ontdekt:

Falling in Love in Europe:
The Ultimate Guide for Attracting a European Man.

Ben jij het ingewikkelde datingspel ook spuugzat geworden? Heb jij je ook afgevraagd hoe je liefdesleven eruit zou zien als mannen niet steeds wegvluchtten op het moment dat je het woord 'trouwen' uitsprak? Dan is wellicht de tijd gekomen om je te laten verleiden door een Europese man.

Europa heeft iets voor elke vrouw. Het heeft zeker een goede man voor elke Amerikaanse meid die op zoek is naar liefde. Dus als jij ook vindt dat je wat echte romantiek in je leven wel verdiend hebt, en als je nieuwsgierig bent om wat prachtige cultuur te verkennen maar niet weet hoe eraan te beginnen, dan is dit boek voor jou bestemd. Europa is dolletjes. Bovendien is niets is zo ongecompliceerd als een Europese man, maar als je een Amerikaanse vrouw bent, moet je waarschijnlijk wel eerst enkele slechte gewoontes afleren die je hebt opgebouwd na een getraumatiseerd liefdesleven. In elke vrouw zit een Europese meid verstopt, die wacht om eruit te springen. Dit boek zal je helpen om haar te ontdekken. Het enige wat je moet doen is in contact treden met je echte vrouwelijke zelf.

Mijn wantrouwen werd in verdere mate gewekt toen Jefke zich naast Martha neerzette en een joint begon te rollen.

'Is dit ook traditioneel, Heff-ke?'

'Ja,' zei Jefke, 'nogal.'

'Home-made is always better,' stemde Martha in.

'Here, you try this,' zei Jefke, die hem aanstak en aan haar doorgaf.

Lamme schonk Martha meer bier in en sneed blokjes kaas voor haar.

Martha nam het allemaal dankbaar aan. Ik herinnerde mij regel nummer vier en vijf van Hoofdstuk 3, *Seven Simple Rules for Dating a European Man*, uit het zonderlinge boekwerk:

4. Weiger nooit drankjes of kleine snacks als die je worden aangeboden. De Europese cultuur hecht enorm veel waarde aan gastvrijheid. Je hoeft je geen zorgen te maken over calorieën want erg rijk zijn ze niet en ze serveren bijgevolg alleen maar piepkleine porties. Ga er dus gezellig bij zitten, ontspan je en sta jezelf toe om verwend te worden. Als iemand je voedsel aanbiedt, wil dat zeggen dat hij een band met jou probeert op te bouwen. Spreek je bewondering uit voor hun cultuur en hun gastvrijheid en zij zullen gek op je worden.

5. Eet traag. Het tijdconcept is opnieuw heel belangrijk. Europeanen zijn verschrikkelijk langzaam in alles wat zij ondernemen. Terwijl je voedsel deelt met je Europese man, kun je jezelf wel tot interessante gesprekken laten verleiden. Europeanen zijn gek op discussies, maar zijn vaak verlegen en slagen er om een of andere mysterieuze reden alleen maar in om lange gesprekken te voeren als ze neerzitten en tegelijkertijd voedsel voor hun neus hebben. Het is daarom het beste om belangrijke gesprekken op te sparen voor etenstijden.

'Oh, dankjewel. Hmm... Ow! Damn, this is good stuff! Veel beter dan wat wij vroeger... Heff-ke? Ga zitten. Eet wat kaas. Ik heb je iets heel belangrijks te vertellen en...'

Moed bij elkaar rapend om het moeilijke onderwerp aan te snijden, duikelde Martha een mysterieuze groene fles zonder etiket op uit haar handtas. Ze zette de fles in het midden van de tafel.

'Heb ik speciaal uit Argentinië laten overvliegen. It's so good! Ik was eigenlijk van plan om hem aan een collega van ons te geven, maar ik ben van mening veranderd. Hij is voor jullie!'

Jefke en Lamme loerden naar de exotische fles die oorspronkelijk voor een universiteitsprofessor was bestemd maar die nu, door een speling van het lot, op miraculeuze wijze op hun keukentafel was beland.

'Wat de boer niet kent zal hij niet vreten,' zei Jefke. 'Maar van drank maakt hij geen probleem.'

'Het is nogal sterk spul,' luidde Martha's waarschuwing.

Daar kon Jefke alleen maar om lachen.

'Ik zou zelfs nog verder willen gaan,' zei Lamme. 'We are used to s...s...something, professor, is dat hoe je zegt dat je wel iets gewend bent?'

'Ik hoop het,' zei ik.

'Ze zeggen dat zelfs de indianen er niet meer dan een lepel van durven drinken, omdat anders hun doden spontaan oprijzen uit hun graven om onheil af te roepen over de ongelovigen en hun wigwams met buffelmest te bekladden,' zei Martha nog.

Jefke had vele slechte eigenschappen maar bijgelovigheid was daar niet bij.

'Give me that bottle,' vatte hij de situatie samen.

Hij en Lamme schonken gulle glazen uit en ledigden ze in zelfverzekerde ad-fundum-gewoonte. Het volgende moment begonnen hun ogen te tranen, klapten ze dubbel, vielen ze kokhalzend van hun stoelen af, werden roder dan Martha, en smeekten hoestend en kermend om genade.

Martha was de enige die nog aan de tafel zat. Ze blies rook uit.

'Er zijn zelfs gevallen bekend van cowboymest, en dat is voor een indiaan natuurlijk het allerergste,' herinnerde ze zich ook nog. 'Maar als je het traag drinkt valt het toch wel mee, niet? Good stuff, en in ieder geval verfrissend. Is dat mijn beha? Nee. Dat is een blokje kaas. Vanavond speel ik geen kaart meer met jou, Heff-ke, want ik heb het gevoel dat ik weer ga verliezen. Dit is mijn glas, right? Maar waar heb ik mijn hand gelaten? Ik ben er zeker van dat ik hem hier een minuut geleden nog had. Heff-ke? Lenny? Verdorie, waar zijn mannen als je ze nodig hebt? Kan ik in de plaats net zo goed even een little talk voeren met Sjaan-Klote. Sjaan-Klote? Sjaan-Klote? Waar ben je? Ik heb je iets heel belangrijks te vertellen!'

Bérénice sprong weer tussen ons in, en keek naar mij op met een dringende blik in haar ogen. Nee, nee, zeiden ze.

'Heff-ke? Lenny? Wat doen jullie onder de tafel? Verdorie, wat hebben mannen toch met tafels tegenwoordig?'

Bérénice trok met al haar kracht aan mijn hand. Ik maakte de fatale vergissing haar advies in de wind te slaan. Naast mij had Jefke zich juist weer op zijn stoel gehesen. Hij was op zoek naar iets. Zijn been, denk ik.

Martha leunde met op en neer hijgende borstkas naar hem over. Haar verwarde haren vielen over haar ogen terwijl ze hem met overslaande stem iets over mij en Bérénice begon te vertellen. Ze had het over een 'gerucht'.

Mijn hart sloeg een tel over.

Jezus Christus, het was de bedoeling dat ze dit gesprek met Elvira voerde, en nuchter! Niet dronken en niet met Jefke, onze plaatselijke koning der vulgariteit. De enige persoon van wie ik zeker wist dat hij in staat was om de dingen nog erger te maken dan ik zelf kon. Alles liep weer volledig uit de hand.

Ik vloog op Martha af, pakte haar het bierglas af en ledigde het in één teug.

'Hey!' riep ze. 'Oh, Sjaan-Klote, jij bent het. Ga zitten, jij en ik moeten een little talk voeren. Oh, my God, mijn voeten bloeden! Mijn teennagels zijn bloedrood! Oh nee, ik zie het al. Ik heb ze vanmorgen gelakt. Hahaha! Maar nu serieus, Sjaan-Klote. Jouw buurman, mister Ver-Drown-king, heeft een vriend die vroeger bij een of ander speciaal militair politiekorps heeft gezeten, maar die nu in het politiebureau bij ons in de buurt werkt. Hij doet iets voor de kinderbescherming. Oh ja, ik weet het weer: hij gaat over de beslissingen om kinderen in instituten te laten opnemen. Hij is geïnteresseerd in Berenice. Hatsjoe! Dat zou ik je eigenlijk niet mogen vertellen. Gelukkig maar dat ik nooit alcohol drink. Oh nee, mijn tenen zijn aan het bloeden! Mijn voeten staan in brand! Wat was ik je ook al weer aan het vertellen? Oh, ja, het ging over... over... verdorie, het was iets heel belangrijks, een kwestie van leven of dood.'

Ik schonk whiskey in haar glas en gaf het haar terug. Meer alcohol, dacht ik. De brokken zijn al gemaakt. Misschien helpt dit haar om zich te herinneren waar ze de lijm verstopt heeft.

Maar wat ze zich herinnerde, had zelfs een Belgische magistraat niet meer aan mekaar kunnen lijmen.

Martha keek naar mij op, haar mooie ogen vulden zich met tranen.

'Oh, Sjaan-Klote, ik weet wat je gedaan hebt. Ik weet alles. Hatsjoe! Oh, Sjaan-Klote, hoe kón je?'

Ik viel bijna flauw.

Ze keek, overmand door verdriet, naar Bérénice die nog steeds wanhopig aan mijn hand stond te trekken.

De tranen rolden over Martha's wangen, en deze keer hadden ze niets met haar verkoudheid te maken.

Mijn benen vielen bijna onder me vandaan.

Elvira, help!

Ik vluchtte zo snel als mijn wankele benen mij dragen konden en worstelde mijzelf door de dansende menigte heen in een wanhopige poging haar te vinden, op mijn weg inbotsend tegen mijn groene Hanenkam en zijn op en neer slingerende gouden kettingen, beiden verdiept in de taak om Bomma te leren moonwalken. Toen ik Elvira voor het laatst had gezien, was ze bij meneer Abdullah en zijn vrouwen geweest. Ik haastte mij naar hen toe.

De lange Aisha dronk een glaasje wijn. Tussen de slokken door hield ze het glas hoog boven haar hoofd, veel te hoog voor meneer Abdullah die opsprong maar telkens faalde om het glas te grijpen dat hij wilde verwisselen voor een glas limonade. Fatima was in een diep gesprek verwikkeld met de grote vrouw met haar hoge lederen laarzen en had zojuist een glaasje jenever van haar aanvaard. Bashirah neusde in Jefkes platencollectie en stak een sigaret op. De arme meneer Abdullah keek in paniek om zich heen, niet wetend welk front eerst te verdedigen.

Toen Aisha naar de dansvloer wandelde, sprintte meneer Abdullah met zijn limonadeglas achter haar aan, onderwijl kleine sprongetjes makend maar nog steeds telkens falend om het wijnglas te bereiken. Elk op zijn eigen inadequate manier deden wij beiden ons best om onze vrouwen zich te doen gedragen.

Aisha lachte, hief haar wijnglas hoog in de lucht en duwde meneer Abdullah en zijn limonadeglas uit de weg. Ik zag zijn lippen de woorden vormen:

'Kan ik je wellicht een kopje thee brengen, lichtvoetig wild woestijnbloemetje van me?'

Ik wrong mij terug door de menigte. Au secours! Waar was Elvira?

Bérénice, nog steeds op haar persoonlijke missie, volgde mij op de voet. Ik bukte, beurde haar op en streelde haar haar. Gelukkig één vrouw die nog te jong was om al te veel problemen te veroorzaken. Toen ving ik Martha's blik op. Ik trok mijn hand vlug weer terug.

Een gerucht doet snel de ronde, had Sigrid Verdronken gezegd. In Martha's ogen kon ik lezen dat het de finish al gepasseerd was.

Als 'verdeel en heers' zijn tactiek was, had hij het niet beter kunnen doen.

Plots stopte de muziek, Bomma en mijn groene Hanenkam haperden beiden kinderlijk teleurgesteld in het midden van een grote kniebeweging en de mensen riepen: 'Slechten DJ!' Jefke grijnsde en kwam overeind om het probleem te verhelpen. Martha ledigde het halfvolle glas Duvel dat hij achterliet. Toen stond zij ook op, ietsje te bruusk, en moest op haar weg naar ons toe evenwicht zoeken tegen een oude grootvadersklok die al een tijdje geleden gestopt was met tikken.

'Ik heb een geheim op te biechten!' riep ze naar de stilte, tegen wie maar luisteren wilde. Iedereen, blijkbaar. De voltallige menigte in de kamer draaide zich naar haar toe, verlangend uitkijkend naar het spektakel van de dronken biechteling. Martha draaide zich op haar hielen om en wees naar mij:

'Jij!' zei ze. 'Ik weet wat jij bent!'

Hoofdstuk 2

Ik zal niet licht vergeten wat er tussen Martha en mij is gebeurd, zo vele jaren geleden, toen zij nog een jonge studente en ik nog een heel jonge professor was. De eerlijkheid gebiedt mij te erkennen dat ik haar op die catastrofale dag in '68 iets werkelijk onvergeeflijks heb aangedaan. De oude decaan slaagde erin om mijn misstap in de doofpot te stoppen. Maar ik herinner me nog goed dat ik toen dacht: hoe kan ik dit in godsnaam ooit nog goedmaken?

Welke slechte dingen Sigrid Verdronken Martha ook over mij had verteld, ik was mij de hele tijd pijnlijk bewust geweest van het feit dat ze een zeer, zeer goede reden had om hem te geloven.

Die fatale dag in mei '68 bevond ik mij in mijn kantoor op de faculteit, in het gezelschap van een onschuldige student. De student was van de vrouwelijke kunne en droeg een rok. Ik was de schuwe, wereldvreemde man die ik nog steeds ben, al even onhandig als nu, doch nog niet gezegend met de diepzinnigheid die nodig is om kritisch tegenover andere mensen te staan. Ik was er op volledig vanzelfsprekende wijze aan gewend dat het in duigen vallen der dingen (gesprekken, diverse elektronische apparaten) gewoonlijk mijn eigen fout was.

Het betreurenswaardige examen vond plaats tijdens het hoogtepunt van de studentenoproer. Parijs stond op haar kop, en drie uur noordwaarts volgden wij – onder het motto dat alles wat de Fransen kunnen, wij beter kunnen – haar voorbeeld. Onder mijn raam, op de kasseien, schreeuwden honderden studenten hun boze slogans, in hun strijd om hun smakelijke bieren en hun prachtige oude universiteitsstad terug te winnen op de Walen.

Ze vochten ook, vrees ik, voor meer algemene emancipatoire idealen.

De vrouwelijke student bloosde, en ik, zojuist benoemd professor Jean-Claude van Bouillon, ook.

Ik was achtentwintig jaar oud en ik was al lang een groteske karikatuur van mijn onhandige zelf geworden, of om de woorden van monsieur Lebrun te gebruiken: de levende nachtmerrie van kleermakers.

'Impossible! Vraiment impossible!' was wat monsieur Lebrun maar tegen mijn moeder bleef herhalen, toen hem twee maanden voor mijn officiële aanstelling de monsterlijke taak te beurt viel om mijn vaders trouwkostuum op mijn maat te maken. Hij zou later blijven volhouden dat de ervaring hem tien jaar ouder had gemaakt.

'En hij kan niet eens *stil* blijven STAAN!

Bovendien bleven mijn benen niettegenstaande alle goochelkunsten die hij kon bedenken nog steeds te lang voor de broek, en mijn lijf nog steeds te mager om het jasje te vullen.

'Dit is het beste wat ik ervan kan maken, madame. Het *àllerbeste!'*

Na mijzelf eindelijk op de plaats te hebben gemanoeuvreerd waar een man van mijn proporties het minst schade kon aanrichten (de academische wereld), had ik een zucht van verlichting geslaakt, en mijzelf een goddelijke seconde lang veilig geacht. De volgende seconde nam de faculteit het besluit om ook vrouwelijke studenten te aanvaarden, en nu zat de allereerste van hen tegenover mij, minder dan twee meter van mij verwijderd, en deed mijn hart in mijn keel kloppen – want dit gebeurde allemaal in de dagen van weleer, toen elke student nog steeds mondeling geëxamineerd moest worden, lang voor professor Habermat de eerstejaars van mij overnam en enkele revolutionaire wijzigingen in het puntensysteem doorvoerde.

De allereerste vrouwelijke student die ooit door onze faculteit zou worden geëxamineerd, mag op die bewuste dag in 1968 dan wel een deftige rok hebben aangehad. Maar dit maakte mij er niet minder zenuwachtig om. Dat mondelinge examen bestond vrij letterlijk uit een ontmoeting tussen twee maagden, de ene al onhandiger en onervarener dan de andere. Zij had dan misschien nog nooit een examen afgelegd, maar ik had nog nooit eerder een student geëxamineerd, laat staan een van de vrouwelijke kunne. Mijn vader placht te zeggen: 'A jeune cheval, vieux cavalier.' Hij bedoelde dit slechts op een puur praktische manier, en ik ben ervan overtuigd dat hij in dit verband geen enkele perverse gedachte koesterde. Hetgeen ik niet met zekerheid over mijn moeder kan zeggen, die het spreekwoord veelvuldig omkeerde, bewerend dat jonge ruiters baat vinden bij het berijden van een ouder paard. Wat feitelijk allemaal op hetzelfde neerkomt. Als ge twee mensen zijt die wensen om samen iets te doen dat zij nog nooit eerder deden, zorg er dan alsjeblieft voor dat tenminste een van u beiden weet waar hij mee bezig is. Toen ik het hulpeloze meisje op de stoel tegenover mij zag zitten, realiseerde ik mij dat het verstandiger zou zijn geweest om meer dan één kaarsje te branden in de kerk die ik had aangedaan alvorens deze morgen op mijn werk te verschijnen.

De vrouwelijke student huiverde en ik vrees dat het mijn schuld was. Ik had echt mijn uiterste best gedaan om haar vingers niet aan te raken toen ik haar het blaadje met de examenvragen overhandigde. Ik zweer het. Ik wilde echt tonen dat ik er de voorkeur aan gaf om de dingen tussen ons puur professioneel te houden. Maar ik denk niet dat ik er al te goed in slaagde, want ze werd lijkbleek. Alsof ze net de dood in de ogen had gezien. De moeilijkheidsgraad van de vragen of de schoonheid van mijn delicate gelaatstrekken? Ik stak een sigaret op, in een poging mijn zenuwen onder controle te krijgen, en bood haar er ook een aan. Ze weigerde, waarschijnlijk omdat haar handen toen al te veel beefden. Met de mijne was het al niet veel beter. Gelukkig besloot de derde lucifer om mee te werken. Ondertussen was mijn student van bleek bijna transparant geworden en begon ik bijna te vrezen dat ze voor mijn gezicht in rook op zou gaan. Ik ben niet bijgelovig. Ik ben een man van de weten-schap. Doch beter voorkomen dan genezen, dus haastte ik mij om het raam te sluiten, in een poging om het lawaai van de pro-testerende studenten onder mijn raam te dempen alvorens hun vloeken de kamer konden binnendringen om zich te vermengen met mijn reeds etherische student. De ervaring had mij geleerd dat het het veiligste was om de dingen die binnen deze muren geboren werden binnenshuis te houden. Eens bevrijd van de wereld binnen dit gebouw, konden ze van gedaante veranderen, wegvliegen, of onherkenbare vermommingen aannemen, hun eigen leven beginnen te leiden, en een godvrezend mens in zijn achterste komen bijten als hij even niet oplette. Het bewijs wan-delde reeds door de straten, spandoek in de hand, de Vlaamse vertaling van vive la république op de lippen: Leuven Vlaams. Wat was het ergste dat er kon gebeuren? Ik denk dat wij dat allen reeds wisten, alleen was niemand mans genoeg om het te durven erkennen.

Ik was inderdaad niet de enige geweest bij wie dit examen het zweet had doen uitbreken. Iedereen in de faculteit was ervan op de hoogte. De decaan had zich hoogstpersoonlijk naar mijn bureau begeven teneinde een gesprek met mij te hebben. Hij had niet goed geweten hoe het onderwerp aan te snijden. Want ver-geet niet, dit was 1968. Dit waren de tijden van de revolutie. Iedereen, man of vrouw, blank of zwart, Frans- of Nederlands-talig, moest plotseling gelijk behandeld worden. Want dat was wat de mensen vroegen, als ik het mij goed herinner. Wat ik mij in ieder geval meer dan heel goed herinner, is dat het hen vrij opgewonden scheen te maken.

Alles begint altijd met een vrouw. Jammer genoeg een trend die ook weerspiegeld werd in de alfabetische namenlijst van de studenten, dat jaar van mijn benoeming tot gewoon hoogleraar. Iedereen wist dat als wij de vrouwelijke student écht gelijk wens-ten te behandelen, wij genoopt zouden zijn iets te manipuleren. Geeft niet wat. Alles was beter dan haar haar eerste examen te laten afleggen bij het allerminst ervaren lid van de faculteit (mij).

De meesten onder ons spraken Frans. Wij waren zelf datgene waar die studenten buiten tegen aan het protesteren waren. En het zag er al naar uit dat de Vlamingen zouden winnen. Wij wisten allen dat onze benoemingen zo al genoeg gevaar liepen. Wij hadden amper behoefte aan nog een extra ramp. Hierdoor werden sommige collega's tot buitengewone creativiteit aangespoord in hun zoektocht naar oplossingen voor het vrouwelijke-studentprobleem. Een van mijn collega's, dat was professor Bloem geloof ik, stelde voor:

'Zou het niet het meest voor de hand liggend zijn om de náam van de vrouwelijke student gewoon te veranderen? Zodat wij haar achteraan op de alfabetische lijst kunnen schuiven?'

Professor Bloem is altijd een fervent voorstander geweest van emancipatie als theoretisch concept. Al had hij in 1968 wellicht nog niet door dat de praktische complicaties van deze fascinatie hem nog een leven lang zouden achtervolgen.

'Verander haar achternaam in iets dat met een Z begint,' suggereerde hij nu.

Niemand durfde te reageren. Wij hoopten vurig dat het lawaai in de straten luid genoeg was om Bloems suggesties te overstemmen voor de decaan ze kon horen.

'Gewoon voor de zekerheid. We zouden ook voor de T kunnen gaan. De T is een fatsoenlijke letter. Hoe dan ook, *we can work it out*,' zei Bloem, die de trotse bezitter was van een Beatlesplaat en daardoor de eerste onder ons die enkele rudimenten van de Engelse taal machtig was.

Wij bestudeerden allemaal de neuzen van onze schoenen. Maar Bloem was een man die zijn tijd ver vooruit was, en droeg reeds sandalen.

'Enkel en alleen uit emancipatieoverwegingen natuurlijk,' beëindigde hij zijn pleidooi.

Professor Sapristi, misschien reeds toekomstige rampen voorspellend, trok één wenkbrauw op.

Op dat moment sloot de decaan de vergadering en besloot dat het beter zou zijn om een persoonlijk gesprek met mij te hebben.

Een persoonlijk gesprek vol slechte raad, zou mijn meer kritische zelf nu zeggen, als ik er aan terugdenk.

De decaan ontmoette mij in mijn bureau en sloot zorgvuldig de deur. Twee uur, vijf koffies en eenentwintig sigaretten later had hij genoeg moed verzameld om het controversiële onderwerp te beroeren:

'Luister, Jean-Claude, wat die student betreft.'

'.'

('.' betekent dat ik aandachtig aan het luisteren was, en een klein knikje gaf om het te tonen. Ik wist uit ervaring dat een uitgesproken 'ja' of een grotere knik zijn gedachtestroom placht te onderbreken.)

'Wat is haar naam. Bert?'

'.'

'Baert?'

'.'

'Baekelandt?'

'.'

'Hoe dan ook. Wat die student betreft.'

'.'

'Alles bij elkaar genomen een fijn idee, zou ik zeggen, jongedames die besluiten om wiskunde te gaan studeren, vind je ook niet, Jean-Claude?'

'.'

'Jean-Claude?'

'?'

('?' betekent in universiteitsjargon een klein optrekken van één wenkbrauw, om aan te geven dat men aan het volgen is, ook al is men er niet geheel zeker van of de chef zojuist links of rechts is afgeslagen.)

'Ik zei, vind je ook niet, Jean-Claude?'

'Ja, wat u zegt.' (…is absoluut correct, daarom hoop ik ook om er snel achter te komen wat het was).

'Wel dan. We zullen ervoor moeten zorgen dat deze jongedame, wat is haar naam ook al weer?'

(Hij door een berg papieren bladerend, doend alsof hij op zoek was naar iets, ik doend alsof ik wist waar te zoeken om het hem te helpen vinden.)

'Zoals ik al zei, Jean-Claude, het gaat om niets meer dan een, eh, jongedame. Eén jongedame. Slechts één!'

'.'

'Luister, Jean-Claude, de kern van het verhaal. Ik weet dat de eerstejaarsexamens altijd zeer selectief zijn, en natuurlijk wil ik dat je deze jongedame precies als elke andere student zult behandelen.'

'.'

'Ja, ik kan zien dat je precies weet waar ik naartoe wil, Jean-Claude. Je bent uiteindelijk al lang genoeg bij ons en... zoals ik al zei. Precies als *elke* andere student.'

'.'

'Een goede raad, Jean-Claude. Probeer je gewoon in te beelden dat het een jongen is. Doe gewoon alsof je het verschil zelfs niet hebt opgemerkt. Luister goed, Jean-Claude, vergeet niet wat ik zei, *precies* als *elke* andere student. En de anderen zijn allemaal jongens. Dus.'

'.'

'Maar natuurlijk is zij niet écht een jongen, Jean-Claude. Laten we dat vooral niet vergeten.'

'.'

'Ze *kon* er een geweest zijn. Zulke zaken schijnen slechts van één enkel chromosoom af te hangen. Ik veronderstel dat onze collega's bij biologie ons daar meer over kunnen vertellen. Maar dit is geen biologie, Jean-Claude. Wij leiden economisten, statistici en wiskundigen op. Geen biologen. Luister goed, Jean-Claude, want ik heb het gevoel dat wij nu bij de essentie van de zaak komen. De essentie, Jean-Claude. Wiskundigen.'

'.'

'En jij geeft.'

'?'

'Let op, Jean-Claude, dit is belangrijk. Welk vak geef je?'

'Statistiek?' vroeg ik.

'Juist. *Eén* jongedame, Jean-Claude. Slechts *één*. Ze kan het maar *beter* goed doen. Jean-Claude?'

'?'

'Dit zijn er de tijden niet naar om over details te struikelen, Jean-Claude. Ik *hoop* dat zij het *goed* doet. Deze, wat is haar naam ook al weer? Eva? Elisa? Maria?'

'...'

'Hoe dan ook, Jean-Claude. Laten wij vooral het hoofd koel houden. *Ik* hou in ieder geval het hoofd koel!'

'!'

('!' betekent '????????' maar weten dat het niet het gepaste ogenblik is om er uiting aan te geven.)

Voor zover wij wisten had de jongedame wellicht nog niet eens een voet in het gebouw gezet. En zelfs nu dreef zij ons allemaal al tot waanzin. Maar, al was het gesprek verwarrend geweest, de onderliggende boodschap was duidelijk: ik kon er maar beter voor zorgen dat ik de ideale omgeving schiep om deze student een voldoende te laten halen. Wij wilden progressief zijn. Wij konden het ons niet permitteren om de allereerste vrouwelijke student die ons ooit was toebedeeld te buizen. De reputatie van onze oude en prestigieuze faculteit rustte volledig in mijn onbekwame handen.

Misschien denken alleen de dwazen dat niets ooit hopeloos is. Ik ruimde dus snel mijn bureau op, en zette een bloempot in mijn raamkozijn. Elk klein detail kon van belang zijn, als het haar zou kunnen helpen.

Ik had mijn korte leven tot dusver doorgebracht met het bestuderen van de wiskunde en de statistiek. Ik had mij gespecialiseerd, gespecialiseerd, en daarna had ik mij nog wat verder gespecialiseerd, tot ik een punt had bereikt waar ik vrij veel wist over multi-objectieve algoritmeparameter optimalisering met multivariante statistieken, en helemaal niets over al het andere wat er in de wereld bestond. Ik bekleedde een betrekking die mij toestond om het enige ding te doen dat ik kon doen, met andere woorden het bestuderen van multi-objectieve algoritmeparameter optimalisering met multivariante statistieken. Zonder deze betrekking zou ik hopeloos, reddeloos, verloren zijn.

Maar het was meer dan dat. Mijn nieuwe bureau, de comfortabele stoel, het zicht op de daken van de faculteit psychologie aan de overkant van de straat, dit was mijn wereld en hier wilde ik blijven. Ik kende dit gebouw, en het gebouw kende mij. De nauwe gangen waar je in alle stilte kon verstikken in een grote menigte studenten, tot zij zich van je identeit gewaarwerden en je zwijgzaam lieten passeren. De grote auditoria met hun krakende houten plankenvloeren. De zeshonderd paar voeten die op het hout stampten als je een fout maakte of een grap vertelde die ze begrepen. De klaslokalen met hun reusachtige borden en de verrassing om studenten die je vijf jaar lang niet had gezien, te zien opdagen in de allerlaatste les waarin je had beloofd enkele hints over het eindexamen prijs te geven. De manier waarop men jeugdpuistjes aansprak met meneer, enkel en alleen omwille van de kleine mogelijkheid dat sommigen zich op een dag konden ontpoppen tot een fatsoenlijk wetenschapper. Om nog maar te zwijgen over het hartverwarmend veilige onderscheid tussen het administratieve en het academische personeel.

'Naam?'

'Van Bouillon.'

'Sorry, er bestaat geen auditorium genaamd VH100.13. En uw naam was?'

'Professor van Bouillon.'

'De trap af en daarna naar links, het is zeer gemakkelijk te vinden. Sylvia, zou jij de professor naar VH100.13 kunnen begeleiden? Zeg maar tegen de minister van Onderwijs dat hij een keer terugbelt als het wat beter uitkomt. Mineraalwater, plat of bruisend, professor?'

Ik was hier aangekomen op de leeftijd van achttien en ik was langzaam opgeklommen in de hiërarchie, van student tot assistent tot doctor tot professor, en nu besefte ik dat dit mijn thuis was geworden en dat ik er werkelijk alles voor overhad om te mogen blijven.

Elvira heeft eens gezegd dat de clou van een goede Belgische universiteit eruit bestaat dat zij de professoren verafgoodt terwijl ze zich uit volle kracht inspant om alle studenten uit te roeien. De weinige studenten die overleven zijn halfgek geworden, te hard gekastijd om er een eigen mening op na te houden en te uitgeput om dat erg te vinden. Zij worden de nieuwe professoren. Ik blijf bij mijn standpunt dat ze lichtelijk overdrijft.

Ik was verliefd op alles in en aan dat oude, bakstenen gebouw, van zijn hoge plafonds tot zijn bevlekte vilten tapijt, zijn gebarsten muren en zijn afbladderende verf. Van zijn krankzinnige thermostaat die het 's zomers omtoverde in een Turks bad en 's winters in een verstikkende serre, tot zijn behekste secretaresse, die met een streek van haar magische pen studenten, professoren en volledige auditoria kon laten verschijnen of verdwijnen.

Het is niet mijn bedoeling om een al te wereldvreemde indruk te maken, want ik weet dat dit de stereotypen aangaande academici alleen maar zal versterken. We blijven uiteindelijk een minderheidsgroep. Maar in die dagen bestonden de enige vrouwen die ik kende uit mijn moeder, een stripteaseuse met wie mijn broer kortstondig was uitgegaan tijdens zijn Antwerpse tijd, een tante die non was geworden, en de kuisvrouwen in het College. Geen enkele van deze ervaringen had mij enige substantiële kennis verschaft over hoe om te gaan met de praktische situatie waarin een eerstejaarsstudent voor mij zat, die nerveus aan haar mouw frunnikte terwijl ze paniekerig naar de vragen in haar schoot loerde. Volgens het examenreglement was haar een halfuur toegestaan om de vragen door te lezen en een eerste schets van de oplossing neer te schrijven, die ze dan mondeling aan mij zou moeten toelichten. Maar tot nu toe had ze daar alleen maar gezeten en gestaard.

Ik wist dat ik iets moest doen om haar op haar gemak te stellen en minder nerveus te maken, want uit ervaring wist ik dat zenuwen het inzicht kunnen vertroebelen, en tijdens een examen is inzicht het allerbelangrijkste. Alleen kon ik maar niets bedenken. Het meisje bleef gewoon naar de vragen staren, en ik bleef naar het meisje staren. Want de jongedame zag er wel degelijk meer als een meisje dan als een vrouw uit. In mijn onervaren ogen tenminste. Ik vroeg haar of ze zich wel goed voelde. Ze begon opnieuw te blozen. Al snel was ze zo rood als een tomaat. God hierboven. Ik had haar zo mogelijk nog nerveuzer gemaakt. Ik was, eerlijk waar, vervuld van goede intenties ten aanzien van haar persoon, maar ik wist gewoon totaal niet hoe ze op een veilige manier in de praktijk te brengen.

Wij gingen beiden voort met in stilte te zweten. Ik wilde haar vragen om eens diep adem te halen, wees toch niet bang, het is vast niet zo moeilijk als je nu denkt, probeer je te ontspannen en misschien krijg je plotseling wel een inval over hoe de oplossing eruit zal zien. Wel, daar hoopte ik tenminste op. Ik nam maar aan dat ze goed gestudeerd had. Aangezien zij de allereerste vrouwelijke student was die zich ooit op onze faculteit had durven vertonen, had ze zich toch zeker wel voorgenomen te bewijzen een waardige vertegenwoordiger van haar geslacht te zijn? Ik bad dat ze tenminste intelligent genoeg zou zijn om ìets op te schrijven. Ik kon altijd een beetje met de punten foefelen. Maar dan had ik wel eerst iets nodig om mee te kunnen foefelen. Alsjeblieft, in de naam van de Heilige Rita, geef mij iets, om het even wat!

Buiten schreeuwden de protesterende studenten nog steeds hun woedende slogans. Ik kon het lawaai van een betoging dichterbij horen komen. De hitte in mijn bureau was verstikkend, maar toch durfde ik het raam niet te openen. Ik wilde de woede buiten houden. Ik wilde dit probleem in stilte, binnenshuis, en tussen ons tweeën oplossen.

Heilige Maagd Maria hierboven, misschien kon ze de vragen niet beantwoorden omdat ze dat werkelijk niet kòn. Misschien was er iets in het vrouwelijke brein dat het hen simpelweg onmogelijk maakte om dit soort wiskundige problemen te kunnen vatten. En dit was zware wiskunde, zelfs voor mannelijke studenten.

In die tijd hadden we in het eerste jaar slechts een slagingspercentage van twintig procent, en de examens waren opgesteld om dat percentage te behouden. De andere tachtig procent zou moeten toegeven dat ze een jaar hadden verspild, dat ze niet op de universiteit thuishoorden en dat zij voortaan moesten gaan waar het ook was dat ongeschoolden gingen, en waar ik, koste wat het kost, moest voorkomen dat dit meisje heenging. Het meisje haalt een onvoldoende => de faculteit wordt beschuldigd van seksisme => de decaan geeft mij er de schuld van => ik verlies mijn positie => mijn leven eindigt. (Zoals ik zeker ben mijn studenten meer dan eens op het hart te hebben gedrukt, het "=>" symbool kan slechts gebruikt worden om aan te duiden dat iets enkel één richting uit kan.)

Het lawaai van de betogers onder mijn raam maakte duidelijk dat als de decaan mij niet vermoorden zou, de vrijheidsstrijders op straat het wel zouden doen. En de student had nog steeds geen woord geschreven.

'Wilt u misschien een glaasje water?' vroeg ik, de wanhoop nabij.

Ze knikte en veegde met een klammig handje over haar zweterige voorhoofd. Dus spoedde ik mij de kamer uit en skateboardde op mijn nieuwe schoenen door de gang naar de toiletten. Daar aangekomen kreeg ik bijna een hartaanval. Ik besefte wat ik had gedaan. Ik had haar alleen gelaten! Allesbehalve volgens de regels. Maar... dit was een uitzonderlijke situatie. Om die te overleven waren er misschien ook wel uitzonderlijke maatregelen nodig. Dus ademde ik in. Ik ademde uit. Ik zei tegen mezelf dat de student er misschien wel behoefte aan had om enkele ogenblikken alleen te zijn. Misschien zou dit haar helpen om haar zenuwen enigszins de baas te worden, op een zelfs effectievere manier dan het glaasje water zou kunnen bewerkstelligen. Ze zag er betrouwbaar genoeg uit. Ze zou vast niet zo brutaal zijn om te durven spieken van de papieren met oplossingen die op mijn bureau lagen.

Ik schonk water in het glas. Wacht eens. Wat als ze *wel* durfde spieken? Dat zou nog niet zo'n slecht idee zijn. Niet slecht? Nee, absoluut fantastisch en volmaakt! Niemand zou het ooit hoeven weten en ik zou haar een goed cijfer kunnen geven om ons zo beiden uit deze wrede situatie te verlossen. Ik goot het glas weer leeg. Ik probeerde mij haar gezicht te herinneren. Was ze het soort meisje dat zou durven valsspelen als ze er de kans toe kreeg? Was ze werkelijk betrouwbaar, of, nog veel beter, had ik dat alleen maar gedacht voor mijn eigen gemoedsrust?

En trouwens, hebben dan niet alle mensen die in een extreme situatie zoals een examen terechtkomen, mannen zowel als vrouwen, genieën zowel als idioten, het vermogen om vals te spelen als zij er de kans toe krijgen?

Maar ik moest zekerheid hebben. Ik ging terug naar mijn bureau, met leeg glas. De student had zich niet verroerd.

'Ik ga zo een glaasje water voor u halen,' zei ik, 'maar onderweg moet ik nog even bij een collega langsgaan, dus het duurt misschien *iets langer* voor ik terug ben.' Ik bekroonde de 'iets langer' met een uitzonderlijke klemtoon die ik hier niet echt kan vatten door de woorden schuin te schrijven, want het betrof een persoonlijk meesterwerk van de kunst van de overdrijving. Of dat hoopte ik tenminste. In een poging een komische noot toe te voegen, zei ik:

'Maar zie dat u niet per ongeluk dat papier op mijn bureau gaat lezen, want alle oplossingen staan daarop!' De allerlaatste reddingsboei die ik uitgooide (hopend dat ik haar er niet mee buiten westen zou slaan), was een meelijwekkend glimlachje, alvorens de kamer weer te verlaten. Het was nu in Gods handen. Binnen de beperkingen van mijn situatie had ik de dingen niet duidelijker voor haar kunnen maken. Ik was mij er echter pijnlijk van bewust dat ze misschien wel dacht dat ik haar probeerde beet te nemen. Ik sloeg een kruisteken, liep terug naar de toiletten en zond een schietgebedje naar boven. Als ze het maar tijdig begreep. Dat wij konden samenzweren. Dat wij ons hier samen uit konden slaan. Ik wachtte net zolang als ik in de toiletten durfde te vertoeven zonder argwaan te wekken bij mogelijk nieuwsgierige collega's, daarna ademde ik diep in en wandelde terug.

Toen ik de kamer voor de tweede keer binnenkwam, had het mirakel plaatsgevonden. De student was beginnen te schrijven. De rode blos was volledig van haar gezicht verdwenen en ze onderbrak haar snelle krabbels over het papier voor geen seconde terwijl ik langsliep om weer achter mijn bureau plaats te nemen. Mijn etui kletterde op de vloer toen ik met mijn knieën tegen het bureau stootte, maar zelfs dat kon haar niet afleiden. Ze schreef met de snelheid van iemand die het licht heeft gezien. Ik zou de oorzaak van het licht nooit te weten komen, maar ik was heel blij dat ze het gezien had. Ik sloeg haar gretige schrijven genietend gade. Een gevoel van trots ontwaakte in mij. Ik herkende haar niet, want er waren zoveel studenten en het was onmogelijk om hen persoonlijk te kennen. Maar ze was nu in ieder geval goed bezig. Ik verloor mijzelf in dromerige beschouwingen aangaande de mogelijke oorzaken van haar succes:

1e hypothese:
Ik had haar en haar medestudenten een jaar lang onderwezen en nu plukten wij de vruchten van mijn briljante onderwijsmethode;

2e hypothese:
Ik had haar op een cruciaal moment in haar carrière een welgekomen glas water verschaft;

3e hypothese:
Ik had haar in een uur van grote nood van een kleine doch uiterst noodzakelijke hoeveelheid privacy voorzien;

4e hypothese:
Ik was er, door bijzondere scherpzinnigheid en uitzonderlijk vernuft van mijnentwege, in geslaagd om haar niet dodelijk te choqueren met mijn abnormale uiterlijk en gedrag, een hele prestatie indien geen mirakel in zijn eigen recht;

5^e hypothese:
Ik had haar helpen spieken op een manier waar niemand ooit achter zou komen!

Misschien was het een combinatie van al het voorgaande, ik zou het nooit zeker weten. Maar ik vond persoonlijk dat al die opties even fantastisch waren. Ik voelde mij alsof ik werkelijk een kleine rol had gespeeld in het leven van dit meisje. Ik zag toe op haar naarstige geschrijf, met een gevoel van bijna vaderlijke trots.

Maar toen vloog plotseling het raam open (had ik het niet goed gesloten?) en de woedende kreten van de betogers op straat baanden zich een weg naar binnen, vulden de kamer met verwarring. De student schrok op en brak haar potlood. Ik geloof dat ik een kleine gil slaakte.

Het gebroken potlood viel op de vloer. De student en ik waren twee katten en het scherpe uiteinde van het potlood was een kleine vermaledijde muis die zijn tong naar ons uitstak en wegrende, in de richting van de kast naast mijn bureau. Het wrede creatuur had het lef om zich onder de kast te verstoppen. De student liet zich snel op haar knieën vallen, kroop op handen en voeten over de vloer en reikte onder de kast.

Oh lieve moeder Maria, Heilige Maagd in de hemel, waar was ze mee bezig? De rok onthulde haar blote knieën, haar dijen, en...

'Alsjeblieft, sta op!' pleitte ik met uiterst dringende urgentie. Ik kon mij zeer goed het gezicht van mijn collega's inbeelden indien een van hen het zou bestaan om op mijn deur te kloppen precies op het moment waarop de eerste vrouwelijke student van onze faculteit halfnaakt onder mijn bureau lag, op handen en voeten over de vloer kruipend, uitdagende acrobatiek verrichtend in een poging om met haar hand iets te grijpen dat juist buiten haar bereik was.

Het geschreeuw van de vrijheidsstrijders op straat maakte het mij moeilijk om mijzelf verstaanbaar te maken. Het is mogelijk dat de student mij niet hoorde toen ik zei:

'Het is niet erg, u kunt zoveel schrijfgerief breken als u belieft! Maar sta alstublieft onmiddellijk op! Ik zal u een ander potlood geven, u kunt er zelfs twee krijgen, tien, twintig, zoveel als u nodig heeft! Ik heb er kistjes vol van, hier in deze kast.'

Om haar van mijn goede bedoelingen te overtuigen, opende ik de kast. Ongelukkigerwijze stond de student juist op datzelfde moment op. Ze stootte haar hoofd in onvervalste Charlie Chaplin-stijl tegen de deur van mijn kast. Een luide, onvrouwelijke klap galmde door mijn bureau. Als Charlie Chaplin zijn hoofd op die manier tegen mijn kastdeur had gestoten, zou het 'dead funny' geweest zijn, zoals men in Amerika placht te zeggen. Geloof mij als ik zeg dat ik uit ervaring spreek, want in al mijn vijfenzestig jaren heb ik mijn hoofd veelvuldig tegen een uiteenlopend assortiment aan deuren gestoten, de mensen meer dan eens laten lachen tot ze tranen in de ogen kregen, en menig buitenlander (indien aanwezig) lachte altijd even luid als andere toevallige toeschouwers. Wat bewijst dat humor inderdaad culturele verschillen kan overstijgen, ook al is dat niet de pointe van dit verhaal. De pointe is, dat toen de vrouwelijke student haar hoofd tegen mijn kastdeur stootte, dit allesbehalve grappig was. Het was tragisch. Het arme kind had niet beseft dat uitglijden over bananenschillen of tegen deuren lopen míjn taak was. Dat was haar eerste grote vergissing. De tweede grote fout bestond uit de val die ze maakte, languit op de vloer, deze keer met haar gezicht naar de hemel gericht.

'Oh, het spijt mij waarlijk. Ik schrijf gewoonlijk met inkt.'

Ik weet nog steeds niet waarom ik dat zei. Ik zou graag zeggen dat het door de schok kwam, maar moet toegeven dat ik er ook veelvuldig in slaag om gelijksoortig irrelevante nonsens uit te kramen in saaiere situaties.

Ik zeeg instinctief neer op mijn knieën en boog over haar heen om te zien of ze nog leefde.

Mijn deur ging open en de decaan stapte naar binnen. Ik wist dat hij geklopt moest hebben, maar dat wij hem niet hadden gehoord. Ik wist ook dat ik op de vloer van mijn bureau lag, in een provocerende omhelzing met de eerste bewusteloze vrouwelijke student van onze faculteit. Ik zàg dat haar rok om haar middel wervelde en een onbelemmerd zicht op haar witte ondergoed bood. En ik vóelde dat zich een onvergeeflijk grote zwelling onder mijn broek had verheven.

'Het is niet wat u denkt!' riep ik profetisch uit. 'Ik kan alles uitleggen!'

De decaan keek naar onze eerste vrouwelijke student.

'Ik veronderstel dat dat voldoende zou moeten zijn om ons van dit specimen te ontdoen,' zei hij. 'Goed gedaan, Jean-Claude, ik wist wel dat ik op je kon rekenen.'

Ik hield het hoofd van het meisje nog steeds in mijn armen, trachtend haar voor mij te positioneren in een onhandige poging om de zwelling onder mijn broek te verbergen, toen ze bijkwam, zich volledig gewaarwerd van alle schaamtelijke details van de schandelijke positie waar ze zich in bevond, haar rok naar beneden trok en in afgrijzen naar mij opkeek.

'Het spijt mij werkelijk heel, heel erg,' zei ik. 'Hoe kan ik dit ooit goedmaken?'

Ik ben nooit getrouwd. Ik ging ervan uit dat ik de belangen van vrouwelijke studenten in het bijzonder en van vrouwen in het algemeen het beste kon verdedigen door zo ver mogelijk bij hen vandaan te blijven.

Het was meer dan begrijpelijk dat de door mij aangerande student het land uitvluchtte zo gauw zij de kans kreeg. Toen ik Martha de hand schudde, meer dan dertig jaar later, was ik verheugd te constateren dat er andere naties bestonden waar de dingen blijkbaar zo modern waren dat vrouwelijke studenten er een universitaire loopbaan konden vervolgen zonder door hun docenten te worden gemolesteerd. Maar ik was ook bezorgd. Ze had een lange weg afgelegd. Heilige Sint-Antonius, patroonheilige van verloren zaken en hopeloze strijd, beschermheer van oude vrijsters en verstokte vrijgezellen, wat doe je mij aan?

Moeder, stop met voor mijn zaligheid te bidden, mère, arrête de prier pour mon salut, car Martha est revenue, en uw Jean-Claude staat op het punt om in de hel af te dalen.

Als er op deze planeet één persoon was die meer dan genoeg reden had om welke akelige geruchten dan ook over mij te geloven, zelfs als die van een onbetrouwbaar individu als Sigrid Verdronken kwamen, dan was het wel... mijn arme eerste vrouwelijke student, Martha, zo besefte ik nu. Geen wonder dat ze in stresserende situaties een tic nerveux had ontwikkeld. Geen wonder dat ze zo bekommerd was om onze studenten. En geen wonder dat ze zichzelf gedwongen had om haar moedertaal te vergeten nadat ze het land verliet. Ze koesterde er geen al te rooskleurige herinneringen over.

Hoofdstuk 3

'Yes, YOU!' herhaalde Martha nadat de muziek gestopt was. 'I know who YOU *really* are!'

Ze pauzeerde om diep adem te halen, greep een vol glas Mort Subite van de schoorsteenmantel en dronk zonder haar blik zelfs maar een tel van mij af te wenden. Iedereen keek nu naar ons, zelfs de mensen die in de keuken waren geweest toen de muziek stopte, wrongen zich nieuwsgierig de woonkamer in om maar niets van het spektakel te missen.

Bérénice sprong tussen ons in, plantte haar kleine voeten resoluut tussen de biervlekken op de gebarsten vloertegels, versperde Martha de weg. Haar ogen lichtten gevaarlijk op. Ik voelde hoe haar spieren zich spanden, haar angst plaats maakte voor blinde woede terwijl ze haar armen spreidde en haar rug tegen mij aandrukte. Ze stond paraat om mij te verdedigen en ze zou nergens voor terugdeinzen.

In de hoek vervloekte Jefke de wispelturigheid van zijn muziekinstallatie.

'*You!* You don't know *me.*' Martha wees naar haar borst. 'But I, *I* know all about *you!*'

'Fucking hell,' vloekte Jefke.

'Hij is niet degene die hij beweert te zijn!' Martha deed één stap naar mij toe. Ze wankelde. Ik hield mijn adem in en ik denk niet dat ik de enige was. Ze was een tijgerin met haar prooi in het vizier. Een gevaarlijk aangeschoten tijgerin.

De stilte werd kortstondig verbroken door het geluid van vallende apparatuur.

'Merde,' zei Jefke.

Maar Martha verloor haar prooi geen seconde uit het oog.

'Ik zal jullie vertellen wie hij werkelijk is!' verklaarde ze. Iedereen hing aan haar lippen. Ze was geen tijgerin, ze was een heilige die terug op de aarde was nedergedaald. Vertoornd. Door mij.

De dag van de afrekening was eindelijk aangebroken. Ik dacht niet langer aan mijzelf. Ik dacht enkel nog aan Bérénice en greep haar bij de schouders. Ik wist dat ze niet zou aarzelen om roekeloos te zijn en wilde haar beletten zich te bezeren.

Martha nam nog een teug om zichzelf moed in te drinken. Het schoot door mij heen dat ze op het punt stond om iets te zeggen dat haar een half mensenleven had gekost om de moed ervoor te verzamelen.

Eén seconde later schrok iedereen in de kamer, Martha incluis, zich een ongeluk toen de eerste akkoorden van *Wild Thing* op een oorverdovend volume door het huis heen galmden.

Jefke greep mijn verbijsterde ex-studente beet en riep haar toe dit lied speciaal voor haar uitgekozen te hebben. Hij voerde haar weg in een wilde dans die Bomma en mijn groene Hanenkam verbluft achterliet. Martha bleek in ieder geval zat of stoned genoeg om de plannen voor haar gevaarlijke biecht weer te vergeten. Voorlopig, tenminste. Onder mijn handen voelde ik Bérénice weer ontspannen.

Ik zakte op de vloer ineen en hoopte de rest van de avond te overleven door daar te blijven.

Na een tijdje merkte ik op dat Elvira naast mij zat, en dat we met onze ruggen tegen de sofa leunden. Elvira aaide Don Quixote en praatte tegen ons beiden, maar ik had mijn vermogens voor menselijke communicatie nog niet hervonden.

Toen de muziek veranderde, liet Bomma haar danspartner in de steek om bij ons te komen zitten. Mijn groene Hanenkam lachte en greep Martha beet toen Jefke haar verliet om te gaan zien welke flauwe plezante het had gewaagd om de muziek te veranderen (in 'Jennifer Low-Pay,' zei Elvira). Lamme droeg Bérénice op zijn schouders en danste met haar in het rond. Ze lachte en wuifde naar mij. Ik had haar nog nooit zien wuiven.

Meneer Abdullah kwam ons vertellen dat het tijd was dat hij

naar huis ging omdat hij alle controle over zijn vrouwen aan het verliezen was. Ik kon met hem meevoelen.

'Waarom blijft u hier niet slapen?' vroeg Elvira.

Ik huiverde, mij inbeeldend hoe de Abdullahs door de donkere nacht naar huis zouden rijden en Sigrid Verdronkens huis zouden passeren.

'Restez, je vous en prie,' bedelde ik.

'Ik weet niet zeker of dat een zeer verstandig idee is, mijn vriend,' zei meneer Abdullah, een nog volledig vol glas limonade neerzettend en wat sigarettenas van zijn mantel slaand.

'U kunt allemaal in de tweede toren slapen,' zei Elvira. 'Plek genoeg.'

Maar meneer Abdullah kon niet overtuigd worden; de zorg voor de kinderen was aan een jong nichtje toevertrouwd en bovendien had Bashirah de volgende dag een belangrijke voetbalmatch.

'Bashirah-chérie, wil je niet goed uitgerust zijn voor je belangrijke match morgen, mijn klein teer rozenknopje?'

Met deze suggestie konden meneer Abdullahs vrouwen eindelijk overgehaald worden om afscheid van ons te komen nemen. Voor hij vertrok, kuste meneer Abdullah mij, wierp een blik op Martha die nog steeds aan het dansen was, en zei iets tegen mij over de ondoorgrondelijkheid van vrouwelijke temperamenten en dat voorzichtigheid altijd geboden is.

Ik stemde met grote knikken toe.

Eén minuut nadat de Abdullahs vertrokken waren, deed Martha haar beha uit (doch zonder haar topje uit te trekken, werkelijk een mysterieuze truc, ik vraag mij af hoe ze het voor elkaar kreeg). Ze zwierde de beha in het rond. Nu ja. Mijn hoopvolle verwachtingen aangaande intelligente conversaties waren toch al lang in rook opgegaan.

Mijn groene Hanenkam draaide wilde pirouettes met mijn rode Martha in zijn sterke armen, het helse feest aan alle kanten rond mij heen kolkend terwijl ik in mijn eigen private vagevuur brandde, mij mijn zonden van het verleden herinnerde om nog maar te zwijgen over Martha's confidenties over de rijkswachter die zich tot kinderbeschermer had ontpopt en die ze graag zou gebruiken om Bérénice in handen te krijgen. Oh vervloekt, Sigrid Verdronken, waarom moet je, van alle mensen die er op de wereld rondlopen, juist haar hebben?

Maar vanavond zouden wij tenminste veilig zijn. Ik schonk mezelf nog wat meer whiskey in. Chaos overal, ik kon net zo goed zelf zat worden. Ik wist uit ervaring dat dit volgende glas mij daar brengen zou.

Laat ons morgen over politiek twisten, dacht ik. En laat ons deze avond drinken, alsof het de laatste is. Wie weet, misschien is het dat wel.

Ik ontdekte een gitaar die naast mij kwam neerzitten. Er hing een man aan. Ik herkende de jonge man met de lange neus en het stekkerhaar.

'Heb je haar al gevonden?' vroeg ik, informerend naar het meisje in het rode kleedje.

'Nee, maar gij die van u overduidelijk wel,' grijnsde hij, een blik op Martha en haar beha werpend, terwijl hij mij bijschonk.

'Soms gebeurt het niet helemaal zoals je gehoopt had,' vertelde ik hem.

Martha gooide haar beha door de lucht.

'Wie is die man waar ze mee danst?' vroeg ik Elvira.

'Oh, da's Siebe. Hij is wreed koddig. Raad eens hoe hij zijn brood verdient? Hij schrijft boeken over romantiek, met curieuze titels als "How To Seduce a European Man".'

Martha's beha landde op de kop van het varken.

'Hij heeft ontdekt dat er een echte markt bestaat voor dat soort boeken,' vervolgde Elvira. 'Siebe zegt dat de boekenwinkels in Engelstalige landen er zelfs al aparte schappen voor hebben. Siebe spreekt geen Engels maar hij kopieert gewoon letterlijk uit die andere boeken, verandert hier en daar een woordje en zet er dan een valse naam op en verkoopt ze in Zaventem aan de toeristen. Ziet u al die gouden kettingen op zijn borst? Allemaal gekocht met de opbrengst.'

Ik dronk van mijn kriek, realiseerde mij toen dat het whiskey was. Elvira strekte een been uit en drukte met haar grote teen tegen de buik van Don Quixote in een poging hem ertoe te bewegen de beha terug te geven. Het onwillige varken liep weg en verschool zich achter Siebes snelbewegende benen.

'Ik hielp hem een beke met dat laatste boek dat 'em geschreven heeft, over hoe Europese mannen te verleiden,' zei Elvira. 'Siebe komt 's avonds naar hier, we pakken een pint en dan proberen we ons alle clichés te herinneren en daar grappige stukjes voor zijn boek van te maken, en ik help hem met het Engels. Jefke heeft de tekening voor de omslag gemaakt.'

Op de omslag van *The Ultimate Guide to Seduce a European Man* is een lange, roodharige vrouw in een nogal korte rok te zien. Ze balanceert op één hoog gehakt been en toont vol trots een fonkelende ring aan de vinger van haar rechterhand. En een glas Duvel in haar linkerhand.

'Het spijt me dat ik je *De blinden leiden de blinden* cadeau heb gegeven,' mompelde ik.

'Waarom?'

'Vergeef mij de ongepaste belediging. Ik wist niet dat Jefke halfblind was.'

'Hij ziet anders goed genoeg met het oog dat hij overheeft,' glimlachte Elvira. 'U bent gewoon paranoïde, professor.'

Was het maar waar.

Elvira stak nog een sigaret op. Haar vingers wreven over het litteken op haar pols. Het was mij nog niet eerder opgevallen dat ze daar een litteken had.

'Weet je wat, Elvira?'

'Nee.'

'Je doet me altijd aan iemand denken,' zei ik.

'Cool. Wie?'

'Het is mij juist te binnen geschoten.' Ik boog vorover en kuste haar op de lippen.

'Hij heeft haar beha nog altijd,' zei Elvira, en wees naar Don Quixote. Ze praatte nu heel langzaam; de alcohol moet eindelijk ook naar haar hoofd gestegen zijn. Ze keek naar Martha:

'"t Is een plezante als ze een glas op heeft. We moeten haar meer uitnodigen. Nondedju, ik moet dat ding proberen af te pakken, ik heb niet veel verstand van lingerie maar 't ziet er nog een duur spel uit – ze gaat er morgen spijt van hebben.'

'Ik neem de schuld volledig op mij,' zei ik.

'Echt? Echt waar? Oh, dat zou kweenie hoe lief van u zijn, professor.'

'Elvira, hoe weinig ken je mij,' jammerde ik. 'Ik ben het exact omgekeerde van alles wat lief en aardig is! Oh, Martha! Lieve Martha, dans! Dans alsof het de laatste keer is! Ik wou dat ik weer achtentwintig was, dan zou ik alles anders doen! Elvira, luister je?'

Ze prutste aan een groene fles zonder etiket.

Bérénice en Bomma droegen Lamme op hun schouders.

Nee, bij nader inzien was het net omgekeerd.

Jefke droeg de grote vrouw met de lange, leren laarzen op zijn schouders.

Nee, bij nader inzien was het alweer omgekeerd.

Don Quixote wandelde nog steeds op de dansvloer rond, probeerde zich een weg te banen tussen de wild dansende voeten. En pronkte nog steeds met Martha's beha.

'Fucking Maria Magdalena,' zei Elvira. 'Putain! Welke onnozelaar houdt er nu een varken als huisdier? Ik ben een idioot. Donkey-shot, waar zijn we mee bezig? Je kunt niet zomaar met een vrouw haar beha gaan rondlopen.'

'Volledig gelijk,' zei ik. 'Het zou werkelijk niet toegelaten mogen zijn. Oh, lieve Martha, wat heb ik gedaan?'

'Ik zou hem de mijne geven. Maar ik draag er nooit een.'

'Ik neem de schuld volledig op mij,' zei ik. 'Bérénice, oh Bérénice, ik heb gezondigd! Maar ik zal alles goedmaken! Bérénice, mijn kind! Vertel mij hoe!'

Toen begon ik een lang gesprek met de blinde hond, want de wijzers op mijn horloge waren in kleine fallussen veranderd. Dat doen ze altijd als ik zat ben.

Hoofdstuk 4

'Gosh,' zei Martha de volgende morgen. 'Ik hoop dat ik geen domme dingen gedaan heb.'

Ze is het allemaal vergeten, hoopte ik. Een overdosis Mort Subite kan allerlei soorten waanideeën teweegbrengen. Zie hoe ze optimistisch haar hoofdpijn te lijf gaat met vijf aspirines, geen vuiltje aan de lucht.

'Oh ja, ik was iets kwijtgeraakt, nu, wat was...'

Don Quixote rende voorbij en beantwoordde de vraag voor haar.

Voor deze dag ten einde zou zijn, zou ik mijzelf geconfronteerd zien met al mijn ergste nachtmerries en met andere die ik niet eens zou hebben durven verzinnen. Deze keer had zelfs Bérénice het niet zien aankomen. Ik zal mij deze dag altijd herinneren als het Laatste Oordeel, *mijn* Laatste Oordeel. Ik werd gewogen en te licht bevonden. En het spreekt voor zich dat de ruwe betonnen poorten van de hel ons al ongeduldig en wagenwijd open stonden op te wachten. Want natuurlijk zou mijn klungelige zelf erin slagen om de anderen in mijn val mee te sleuren.

De dag was voorstelbaar genoeg begonnen. De helft van het gezelschap die erachter probeerde te komen wat zij de vorige nacht gedaan hadden, terwijl de andere helft probeerde te doen alsof zij het zich niet herinnerden. Martha jacht makend op het varken. Don Quixote die bewees een zeer behendige hordenloper te zijn. Lamme die drie broden en vier bollen kaas verorberde in een onsuccesvolle poging om de rest van ons ervan te overtuigen dat Passendale een zeer probaat middel tegen hoofdpijn is. Jefke die op één been rondhinkte tot Elvira zijn andere terugvond. Ze moesten er alle twee om lachen en drukten toen hun handen tegen hun voorhoofd van de pijn. Bérénice was de enige zonder kater. Ik nam haar naar de badkamer zodat ze zich kon wassen en verse kleren kon aantrekken.

Net zoals in mijn huis was er bij Jefke en Elvira thuis slechts één spiegel: een kleine met een barst, zonder lijst, die boven de lavabo hing.

Sinds die dag toen ik Bérénice in Martha's spiegel had zien kijken met die merkwaardige blik van de volwassene, had ze spiegels zorgvuldig gemeden. Maar deze ochtend keek ze in Jefke en Elvira's badkamerspiegel met dezelfde onschuldige argeloosheid van voorheen.

Hoe eigenaardig. Misschien had de aanblik van Jefke zonder bril haar genezen. Of misschien had ik haar eerdere onschuld simpelweg verkeerd uitgelegd. Of haar wijsheid.

Terwijl mijn blik over de littekens op haar rug gleed toen ze haar ondergoed uittrok, werd ik er nogmaals aan herinnerd dat beide mijn eigen begrip ver te boven moesten gaan.

Maar men mocht niet vergeten dat zij in de realiteit van het dagelijkse leven werkelijk het kind was en dat ik de volwassene hoorde te zijn. Zelfs al had de chaos van het feest gisteravond onze rollen tijdelijk omgedraaid, ik hoorde haar te beschermen, en niet omgekeerd.

Goed, tijd voor een constructief gesprek met Martha. Onversaagd voorwaarts nu. Verman je. Of probeer te doen alsof. Zij is wellicht banger van jou dan jij van haar. Als zulks mogelijk is. Aan de andere kant, als zij dacht dat ik was wat ik wist dat zij dacht dat ik was... nee, nee, nee, wat je ook doet, vooral niet denken. Denken maakt alles erger.

Toen Bérénice en ik beneden kwamen, had Elvira sterke koffie gezet en was Bomma aan het avondeten begonnen. Lamme hielp Jefke om wat op te ruimen in de keuken en in de woonkamer. Alleen voor het biggenprobleem was nog geen oplossing gevonden.

Misschien verstandiger om haar eerst haar beha in veiligheid te laten stellen, dacht ik. En daarna zullen wij samen met Elvira neerzitten voor een productief gesprek over onze penibele situatie. Maar geef haar de gelegenheid om de volledige set van haar ondergoed te recupereren alvorens wij beginnen.

Werkelijk, als het verleden mij één ding geleerd had.

Martha en Elvira waren buiten en probeerden Don Quixote tegen een hek in het nauw te drijven. Hij ontsnapte op het laatste moment, baande zich een weg door een modderpoel en een gat in de afbrokkelende muur, sprong met de elegantie van een windhond over de oude slotgracht en koerste naar de vrijheid van de velden.

'Ik heb nooit geweten dat varkens zo snel konden zijn,' vertelde ik Jefke en Lamme, die het spektakel samen met mij gadesloegen door het keukenraam.

'Wel, deze in elk geval wel,' zei Jefke, 'maar Elvira kan ook rap zijn. Ze haalt hem meestal wel in. Na de eerste kilometer of zo.'

Elvira en Martha renden nu beiden achter de big aan. We gingen allemaal naar buiten om een beter zicht te krijgen – toen we de keukendeur openden, ontsnapte de blinde hond ook. We klommen op de oude muur. Ik droeg Bérénice op mijn schouders. Don Quixote galoppeerde nu met een ontzagwekkende snelheid over een modderig landweggetje.

'Twee vrouwen die op een varken jagen,' zei Lamme hoofdschuddend. 'En dan zijn er die míj beschuldigen van vraatzucht.'

De vreemde processie had nu de rug van een kleine heuvel bereikt. Don Quixote ging aan de leiding, met Martha's beha nog steeds in zijn muil, als een vlag wapperend in de wind. Onmiddellijk achter hem zagen wij Elvira, in snelle looppas en met blijkbaar genoeg adem over om Don Quixote's naam te blijven roepen. Ze werd op de voet gevolgd door de blinde hond die als een gek achter haar aanstormde omdat de kleine belletjes nog steeds aan haar enkel vastzaten. Martha verdedigde de achterhoede van het peleton.

'Hij vertoont nog steeds geen enkel teken van opgeven,' zei ik.

'Nee. Vol gas.'

'Hij is gestopt om wat gras te eten! Oh nee, hij staat weer op.'

'Schijnbeweging.'

'Hij wist dat hij het zich kon veroorloven. Hij heeft genoeg voorsprong.'

'Ja, hij geeft zich nog niet gewonnen.'

'Integendeel.'

'Maar Martha wel.'

'Oh, nee, ze wil hem de pas afsnijden! Oh, slim gezien!'

'Dat komt van al dat joggen,' zei Lamme tussen twee happen uit een pistolet met brie. 'Ge kunt zien dat ze ervaring heeft.'

Martha nam een kortere weg door de velden, maakte snelheid, bereikte een smaller stuk van het paadje voordat de anderen er aankwamen, draaide zich om, spreidde haar benen, stak haar handen uit en maakte zich klaar om Don Quixote te stoppen, die nu aan een overweldigende snelheid op haar af racete.

Boven op de muur keken Bérénice, de twee mannen en ik met gespannen verwachtingen toe.

'Ze zijn moe aan het worden,' zei Lamme. 'Ze beginnen risico's te nemen.'

Don Quixote vertraagde een beetje, maakte een schijnbeweging naar links, maakte een schijnbeweging naar rechts, accelereerde toen, trok zijn kop in en koerste regelrecht tussen Martha's benen door. Elvira en de hond dreunden op haar in. De frontale botsing slingerde beide vrouwen enkele meters terug.

'Bezint eer gij begint,' zei Jefke.

De blinde hond viel gedesoriënteerd in een gracht, maar de vrouwen hesen zichzelf weer overeind en zetten de jacht met hernieuwde passie voort. Eindelijk begon Elvira Don Quixote langzaamaan in te halen. Toen ze dicht genoeg bij hem was, gooide ze iets dat op een lasso geleek.

'Ze heeft 'm,' zei Lamme.

'Ja, maar hij heeft haar ook een beetje,' zei Jefke.

Don Quixote sleepte Elvira door de modder. Ze gooide haar

volledige gewicht in de strijd en gleed plat op haar buik door het veld achter hem aan. Martha maakte een grote, panterachtige sprong voorwaarts, greep Elvira's voeten, en gleed erachteraan.

Gelukkig rende Don Quixote nu in de richting van enkele grasplekken die er lichtjes zachter uitzagen. Eindelijk hield hij halt en zagen we beide vrouwen opstaan, hem gelijktijdig aaiend en uitvloekend. Elvira hees de vermoeide hond in haar armen en ze renden terug met de ondeugende big aan zijn lis achter hen aan. Hij zag er plotseling weer heel gedwee uit.

'Hij heeft soms zijn kuren,' zei Jefke.

De vrouwen arriveerden. Martha liet zich luid hijgend op de afgebrokkelde muur neerzakken.

'Onnozel varken,' zei Elvira, 'dat is nu echt de allerlaatste keer geweest, verstaan! De volgende keer kan iemand anders je gaan vangen en zie maar dat het geen slager is die worst van je maakt, oh, putain, wat ben ik aan het uitkramen, niemand maakt er worst van Don Quixote zolang ik er ben, over mijn dood lijk. Maar hij zou het fatsoen kunnen hebben om eens een paar manieren te leren. Zijt g'aan 't luisteren, Donkey-shot? Allé, geeft dat hier.'

Ze krabbelde hem met haar modderige voet achter zijn oor, nam het betwiste stuk lingerie uit zijn muil en gaf het aan Martha terug.

'Het is veiliger om er gewoon geen te dragen,' vertelde ze haar in ernst, waarna de twee jongens toegaven aan een vrolijke lach-bui.

Na eindelijk haar beha te hebben herwonnen op de vijand, rin-kelde Martha's draagbare telefoontje. Nog steeds uitgeput door de biggenjacht, sleurde ze zichzelf niettegenstaande weer over-eind en koerste naar haar aktetas in de woonkamer. Het was een van haar studenten, met een dringende vraag over een oefening in professor Habermats controversiële practicum.

Ik ging ook op de sofa zitten, diepte mijn voortgangsrapport op en deed alsof ik er aan werkte terwijl ik zenuwachtig wachtte tot Martha haar telefoongesprek beëindigd had en ondertussen mijn hersenen pijnigde om een eerste zin te vinden om het gênante gesprek dat zij en ik moesten hebben mee aan te vangen. Elvira was in de keuken, dichtbij als wij haar nodig hadden. Bérénice lag aan mijn voeten, met haar hoofd tegen mijn knieën geleund. Vandaag leek ze ook vreemd argeloos onverschillig ten opzichte van Martha, wat ik op dat moment nog als een goed voorteken beschouwde.

'It's very easy,' hoorde ik Martha zeggen, 'eerst werk je het uit met de tabel, en dan... nee, die moet je niet uitvegen, want die kun je later nog goed gebruiken. Ik noem hem altijd de "eerlijkheidscoëfficiënt", want, en dit is echt de schoonheid van deze methode, later, als je terugkijkt en hem vergelijkt met... nee, nee, niet uitvegen! Zet dat terug! Je zult het later nog nodig hebben! Wat? Professor Hei-bermat deed het nooit op die ma...? Wel, ik kan begrijpen dat hij niet... Wat? Nee, ik denk niet dat hij ooit nog terugkomt... Ja. Nee. Maar mijn methode... Ja, dat kan wel zijn, maar luister nu gewoon hoe ik... nee! Niet uitvegen! Niet uitvegen!'

Jefke en Lamme kwamen ons in de woonkamer gezelschap houden. Ze waren aan het praten over Elvira en over iets grappigs wat er gebeurd was toen ze had meegedaan aan de jaarlijkse Miss Belgium-schoonheidswedstrijd en die ook bijna gewonnen had. Ik had al eerder fragmenten van dat verhaal opgevangen. In Lammes versie werd ze gediskwalificeerd na een van de juryleden een trap te hebben gegeven op een nogal gevoelige plaats, maar van Jefke had ik gehoord dat zij het kroontje ontzegd werd omdat ze had gespuugd naar een van de televisiepresentatoren van de show. Ik vroeg me af of zij zich misschien aan beide misdrijven schuldig had gemaakt. Ik had Elvira hier zelf eens naar gevraagd, maar ze was niet erg toeschietelijk geweest.

'Aan zoiets zou ik nooit meedoen,' had ze gezegd.

'Ik wed dat jij zo'n wedstrijd gemakkelijk zou kunnen winnen,' had ik aangedrongen, hopend om enkele ongetwijfeld interessante details over haar verleden te weten te komen.

'Pff. Ben ik niet groot genoeg voor.'

'Ik wed dat alle vrouwen hoge hakken dragen tijdens zulke competities,' had ik geargumenteerd.

'Oh, mij zouden ze nooit toelaten in zoiets. Mijn neus is te groot. Bijna gelijk die van u. Ik denk dat ik mijn vaders neus heb.'

Ik had overwogen om haar tegen te spreken, want ik dacht dat Elvira erg mooi was. Maar vroeger dacht ik ook dat mijn buurman een toegewijde historicus was. Ik zweeg.

'Hoe belandde Elvira in de jaarlijkse Miss Belgium-wedstrijd?' vroeg ik de jongens nu de discussie weer op dit fascinerende onderwerp was gestuit.

'Ik denk dat een of ander lief haar moet hebben ingeschreven,' zei Jefke. Toen ik hem afwachtend aankeek, voegde hij eraan toe: 'Ik niet!'

'Iemand die wij kennen?' vroeg ik.

'Niet meer,' zei Jefke. 'Hij is nu zo dood als een pier.'

'Heeft ambras gekregen met het verkeerde soort mensen om ambras mee te hebben.' Lamme schudde zijn hoofd. 'Met het soort politieke overtuigingen waar ambras van komt.'

Ik vergat te ademen, nogmaals herinnerd aan Sigrid Verdronken.

'Ze was een Miss in 1999. Voor wij haar kenden,' verduidelijkte Lamme alvorens Jefke de conversatie terugbracht naar de kern van de zaak:

'Man, ze heeft nogal met die gast zijn kloten gerammeld!'

Jefke gaf een imitatie van iemand die juist in het gezicht werd gespuugd, die het niet had zien aankomen en die probeert niet te huilen, omdat hij weet dat hij live op ten minste drie verschillende televisiekanalen te zien is. Ik besloot om van nu af aan af en toe toch eens op de nieuwe commerciële zenders af te stemmen.

De jongens bulderden van het lachen en vielen in goede gewoonte zowat van hun stoel af. Perfecte timing of vrouwelijke intuïtie deed Elvira binnenkomen om ons nog wat koffie bij te schenken. Ik maakte van de gelegenheid gebruik om te proberen klaarheid te scheppen in de controverse en vroeg haar nog een keer of zij werkelijk had deelgenomen aan het betwiste schoonheidstoernooi.

'Dat heb ik u al eens gezegd, het antwoord is nee,' zei ze. 'En trouwens, 't was Miss Brabant en niet Miss Belgium.'

'Ja, ik weet dat ik een vrouw ben,' zei Martha. 'Maar ik ben toch echt wel de baas over wat er in dit lessenpakket staat en ik verbied je die coëfficiënt uit te vegen. Nee, zet het onmiddellijk terug! *Zet terug!*... Hallo? Hallo?'

'Het was zeer zeker Miss Belgium,' zei Lamme. 'Ik heb de video thuis liggen.'

'Oh ja?' vroeg ik.

'Oh ja,' zei Jefke.

'Droom verder,' zei Elvira. 'Don Quixote heeft hem vorige week opgegeten.'

Martha legde haar telefoontje naast zich neer.

'Dit is niet te geloven! Ze willen gewoonweg niet luisteren! Je zou bijna denken dat Hei-bermat hen geïndoctrineerd heeft of zoiets. Oh, bijna zes uur. Misschien willen you guys naar het avondjournaal kijken?'

Aha, dat zal ons beslist in de juiste stemming brengen, dacht ik optimistisch. Droge taal om serieuze gebeurtenissen op een gevoelloze manier te bespreken, precies wat wij nodig hebben. Wellicht kan ik zelfs enige inspiratie opdoen voor mijn eerste zin! Na eindeloos prutsen met de metalen kapstok die dienst deed als antenne, slaagde ik erin om een sneeuwerige ontvangst van onze eerste nationale zender te krijgen. Ik zou het mij snel beklagen. Er was een speciale uitzending, een samenvatting van de Dutroux-affaire.

Mijn arme Martha begon te hoesten zodra het programma op het beeld verscheen. Ik hoefde het zelfs niet voor haar te vertalen.

Het nieuwsprogramma gaf een overzicht van de gebeurtenissen die tot de rechtszaak van Dutroux hadden geleid, en waarvan een paar details zelfs nieuw voor mij waren: twee rijkswachters waren verantwoordelijk geweest om Dutroux van zijn gevangeniscel naar de rechtszaal te vervoeren, waar hij wat de pers de rechtszaak van de eeuw noemde bij zou wonen. Hij was weinig verrassend ontsnapt alvorens daar te arriveren. Hij had zich verstopt in een bos. Een onschuldige boswachter zag enkele herten langslopen. Toen merkte hij op dat een van de herten een broek droeg. Het was Dutroux, net als de andere wilde beesten vurig hopend om elke vorm van menselijke inmenging uit de weg te gaan.

Rustig blijven, Jean. Doe normaal. Doe alsof dat niets met jou te maken heeft.

De deur opende en Bomma schuifelde naar binnen. Ze droeg nog steeds haar dansschoenen, maar ze zette zichzelf bedaard aan mijn andere zijde neer, na haar zware nacht bij daglicht plichtsgetrouw haar normale grootmoedersrol hervattend. Ze nam haar breiwerk op, een trui voor Bérénice die zich bij mijn voeten uitstrekte, haar hoofd tegen mijn linkerkuit aangeleund. Ze was ergens aan aan het friemelen. Mijn schoenveters, hopelijk.

Martha deed haar uiterste best om niet naar ons te kijken, en ik deed mijn uiterste best om het niet op te merken. Jammer genoeg ontvingen de nieuwspresentatoren een buitenlandse expert in de studio en de discussie werd in het Engels voortgezet. Naast mij voelde ik Martha meer en meer gespannen worden. De expert werd gevraagd om een profiel te geven van de typische crimineel die zich aan dit soort misdrijven vergrijpt. Hij schraapte zijn keel en begon er onmiddellijk aan, met een enthousiasme enkel geëvenaard door professor Bloem als die het over zijn favoriete rock-'n-rollbands had:

Mannen van middelbare tot oudere leeftijd, veelal in gerespecteerde beroepen, die alleen wonen met, en of grote hoeveelheden tijd spenderen met kinderen en of jongere personen. Een verleden van kleine vergrijpen of overtredingen die vaak niet werden aangegeven. Misbruik van verdovende middelen zoals alcohol tijdens stressvolle situaties. Afwijkend, soms onvolwassen gedrag. Herhaaldelijk gebrek aan zelfbeheersing. Beperkte sociale vaardigheden.

Hij had net zo goed mijn cv kunnen aflezen.

Niettemin, doe alsof je het niet hoort, Jean. Onopvallend. Gedraag je onopvallend.

Ik bemerkte een vreemd geluid. Een gehijg. Ik hoopte maar dat het niet van mij kwam.

'Kinderbescherming is iedereens verantwoordelijkheid,' vervolgde de expert. 'Daarom, als u ook maar de kleinste twijfel heeft over een kind in uw omgeving waar misschien iets mee aan de hand is, moet u elk kleinste gerucht altijd onmiddellijk aangeven bij het dichtstbijzijnde politiebureau. Hier is geen plaats voor uitzonderingen!'

Het vreemde geluid kwam van Martha. Ze was zichzelf aan het verstikken in haar zakdoek, wanhopig trachtend om niet te niezen.

Er verscheen een telefoonnummer op het scherm. De nieuwspresentator las het ook voor, traag en in drie verschillende talen om er zeker van te zijn dat niemand het kon missen. Indien men niet durfde op te bellen, was er ook een adres waar men naar kon schrijven. Portvrij.

Mijn hand moest snel iets kunnen vasthouden of hij zou oncontroleerbaar beginnen te beven. Ik zocht verwoed naar mijn sigaretten en wierp een steelse blik op Bomma. Ze breide onbekommerd verder. De hemel zij gedankt dat ze geen Engels begrijpt.

'Het kleinste gerucht,' vatte de expert samen. 'Uw aangifte ervan kan een kind het leven redden!'

Naast mij was Martha praktisch aan het stikken in haar hevige hoestbui.

Ik weet dat ik iets had moeten zeggen. Ik weet dat ik het had moeten proberen uit te leggen, dat ik had moeten discussiëren, argumenteren, pleiten, smeken, wat dan ook. Maar de woorden van de expert hadden zo definitief geklonken, zo onherroepelijk en ontegensprekelijk, ze sloegen mij volledig uit het lood. Ik viel bijna flauw. Ik concentreerde mij erop om het bewustzijn te bewaren door diepe trekken van mijn sigaret te nemen.

'Trouwens,' zei de expert met zijn wijsvinger zelfverzekerd in de lucht, 'waar rook is, is altijd vuur!'

Nu begon ik ook te hoesten. Martha en ik waren twee hoestende, kokhalzende wrakken ellende op de sofa, elkeen stikkend in zijn eigen wanhoop.

Martha was de eerste die probeerde te vluchten. Toen viel ze op haar neus en ontdekte dat als ze bij mij vandaan wilde, ze ons eerst ontward zou moeten zien te krijgen. Bérénice had mijn schoenveters aan een koordje van haar joggingbroekspijp vastgemaakt.

'Wat is dat nu?' vroeg Elvira die uit de keuken kwam. 'Professor, u bent aan het huilen!'

'Martha is gevallen,' zei ik.

'Maar ik zag haar juist naar buiten gaan. Zoveel pijn kan ze zich niet gedaan hebben. Waarom moet u daarvoor schreien?'

Omwille van een reden die ik niet kende, had Sigrid Verdronken in Martha's gedachten de zaden van de twijfel geplant, opgeteld bij alle andere redenen die ze al had om mij te wantrouwen. Morgen zou Martha het telefoonnummer bellen. Ze zouden Bérénice van mij afpakken. Waar zouden ze haar heen brengen? Wat zou er met haar gebeuren? Zou ze terug moeten naar het instituut? Zou Sigrid Verdronken zijn connecties gebruiken voor... ja, waarvoor eigelijk? Waarom had hij het nodig gevonden om Martha al die slechte dingen over mij te vertellen? Wat kon het hem schelen of Bérénice bij mij woonde of in het instituut? Ze had hem niets gedaan. Hoopte hij nog steeds dat ik meneer Abdullah zou verraden als hij dreigde om mijn kind kwaad te doen?

Ik wist maar één ding: ik kon niemand behalve mijzelf er de schuld voor geven.

Wat zou ik zeggen, als ze mij beschuldigden? Wat zou ik de rechter vertellen?

Ik ben nooit goed geweest in liegen. En als ik de waarheid

sprak, *vooral* als ik de waarheid sprak, zo realiseerde ik mij nu, zou ik schuldig bevonden worden, schuldig, schuldig, en nog eens schuldig. Geen enkele ziel op deze aardbodem zou van mijn meest intieme geheimen weet kunnen hebben zonder mij te veroordelen. Iedereen zou denken dat ik een monster was.

Ik kromp ineen bij de gedachte aan wat er zou gebeuren als ze een psychiater zouden loslaten op mijn gekwelde ziel. Ik was slechts van één ding zeker: het zou er niet mooi uitzien.

Elvira zat geknield voor mij, één hand op mijn knie.

'Professor, waarom huilt u?'

'Dat vertel ik je als je groot genoeg bent om het te kunnen begrijpen,' snotterde ik.

Maar zo lang heb ik niet kunnen wachten. Later die avond vroeg ik Elvira om mij te vergezellen op een wandeling door de velden en ik biechtte alles aan haar op. Ik wist dat zij ook zou zeggen dat ik een monster was. Wat ik te vertellen had was te erg, zelfs voor Elvira. Maar ik kon het niet langer voor mij houden.

Hoofdstuk 5

Na dat beruchte examen in 1968 ontwikkelde ik een soort kleine aandoening. Het is iets puur fysisch. Ik durf het geen klacht te noemen, want dat zou klinken alsof het over een soort tekort gaat. Terwijl het feitelijk eerder te maken had met een teveel aan iets. De kwestie was dat, telkens (werkelijk iedere keer) als ik herinnerd werd aan het examen, mijn lichaam de situatie zowat herleefde en zich een grote zwelling in mijn broek verhief. Dit maakte mij altijd enorm zenuwachtig. En hoe zenuwachtiger ik werd, hoe, eh... wel, hoe erger mijn kleine aandoening werd. Volledig buiten mijn eigen wil om. Mijn kleine aandoening werd opgewekt door twee dingen. Het eerste ding was de aanwezigheid van een vrouw (welke vrouw dan ook, ik moet met schaamte bekennen dat mijn lichaam geen onderscheid tussen verschillende vrouwen scheen te maken). Het tweede ding was om aan een vrouw herinnerd te worden.

Mijn kleine aandoening heeft tijdens personeelsvergadingen vrij veel gênante situaties veroorzaakt. De eerste rampen voltrokken zich in '68, tijdens het hoogtepunt van de studentenopstanden. Het kwam toevallig zo uit dat de leraarskamer voor faculteitsleden zich op de tweede verdieping bevond, met ramen die uitzagen op de Vesaliusstraat. Dikwijls bevonden wij ons in het midden van een personeelsvergadering als een volgende gewelddadige betoging langsmarcheerde. Ik wist dat *zij* zich in die woedende menigte moest bevinden en mijn bloed wel kon drinken. Ze had al haar vrienden over mij verteld. Zij wachtten het juiste moment af om mij in het nauw te drijven en een lesje te leren. De woedende kreten klommen de leraarskamer binnen, martelden mijn geheugen en mijn arme lijf dat zich (werkelijk

volledig uit eigen beweging) verhief, oude vernederingen her-
levend en nieuwe creërend terwijl ik angstvallig zocht naar een
boek dat groot genoeg was om het op mijn schoot te positioneren. Zo nonchalant mogelijk.

In die tijd ontwikkelde ik de goede gewoonte om nergens
heen te gaan zonder een goed boek. Literatuur kan uw leven
redden. Doch één keer bevond ik mij buiten het faculteitsgebouw
zonder boek. Ik zal niet snel vergeten wat er op die dag gebeurde.
Mijn kleine aandoening werd er zeker niet beter op. Of minder,
afhankelijk van hoe men de zaken bekijkt.

's Ochtends was ik al geteisterd geweest door een betoging
die voorbij was gekomen op hetzelfde moment toen een van mijn
collega's had geprobeerd om een zeer gevoelig onderwerp aan te
snijden tijdens een personeelsvergarding. Het was geloof ik professor Bloem, de collega die naar de Beatles luisterde (dat doet
hij nog steeds) en die zo graag over emancipatie praatte (doet hij
ook nog steeds).

'Ik denk dat wij het over de kuisvrouwen moeten hebben,'
kondigde Bloem die ochtend aan.

De decaan keek bezorgd.

Ik probeerde om niet bezorgd te kijken.

'Een van hen is in verwachting,' zei Bloem met de trots van
degene die iets het eerste weet. Trouwens, nu ik er aan terugdenk, herinner ik me dat dat een ongetrouwde kuisvrouw was.
Wellicht beter om niet al te diep na te denken over wat voor soort
inmenging Bloem de snelle toegang had verschaft tot informatie over haar gezondheidsstatus. Hij is altijd al een trendsetter
geweest op het gebied van de emancipatie.

'Ik denk dat er voorzieningen gemaakt moeten worden zodat
zij hier borstvoeding kan geven,' stelde Bloem voor. 'Ik bedoel,
we zijn allemaal maar mensen. En *borst*voeding is niets meer dan
een normale, gezonde, *menselijke* activiteit.'

Ik tastte in mijn aktetas op zoek naar wat behulpzame literatuur.

Dat was de eerste keer dat Bloem dat idee opwierp. Enkele jaren later zouden wij inderdaad onze eerste borstvoedende kuisvrouw met zuigeling in de leraarskamer moeten verwelkomen. Professor Habermat vond het zeer amusant. Hij was ook in het bezit van een passe-partout en sloot moeder en kind dikwijls bij vergissing op als zij na zes uur nog niet waren vertrokken. Na enkele nachten van gevangenschap vonden de meeste kuisvrouwen veiliger plaatsen voor hun normale menselijke activiteiten – en keerde ik terug van mijn ziekteverlof, nog steeds wat onvast op mijn benen na de schok die het aanschouwen van dit wonder van de natuur bij mij teweeg had gebracht toen ik op een morgen nietsvermoedend met mijn kop koffie de leraarskamer was binnengewandeld.

In 1968 leek Bloems idee echter belachelijk vergezocht. Ik had zelfs niet de energie om te protesteren. Bovendien had ik het veel te druk met het over mijn schoot draperen van de wereldatlas en het maken van een nonchalante indruk.

Een protestbetoging had precies onder ons raam halt gehouden. Mijn hart sloeg een tel over toen ik hoorde wat zij deze keer riepen. Ze riepen mijn naam!

Het verraste mij nauwelijks.

Zelfs al was ik slechts achtentwintig, ik had wel degelijk de titel van professor, ik sprak Vlaams doch ook Frans en ik had mijn gezag misbruikt om een onschuldige studente tegen een kastdeur buiten westen te slaan. In hun ogen moest ik de duivel in mensengedaante zijn.

Ik luisterde aandachtiger en pas toen verstond ik wat zij werkelijk riepen. Leuven Vlaams. Het was dezelfde slogan als altijd. Ik begon zelfs mee te zingen, uit pure dankbaarheid dat ze niet iets veel ergers zongen, en ook om de aandacht van mijn schoot af te leiden.

Het was een goede overlevingsstrategie. Het enige neveneffect was dat mijn Vlaamse collega's mij van een heimelijk patriottisme begonnen te verdenken, terwijl mijn Waalse collega's fronsten en opstonden om het raam dicht te doen. Ik hoopte vurig dat ze mijn naam niet op enig spandoek zouden zien staan alvorens ze het rolluik naar beneden trokken.

Maar later die dag belandde ik midden in de chaos op straat en ontmoette ik mijn eerste vrouwelijke student voor een tweede keer. Het was eigenlijk een beetje Jan-Klaassens fout geweest. Jan-Klaassen was mijn enige vriend buiten het departement. In die dagen misschien mijn enige vriend in het algemeen. In ieder geval mijn beste vriend. Hij was een beetje een eenzaat, net als ik. Hij was ook niet gezegend met een al te adellijk voorkomen, hij had een grote wrat op zijn neus en pokdalige wangen. Waar ik te weinig kin had, had Jan-Klaassen er zeker te veel van. En waar ik soms enige moeite heb ondervonden om gesprekken met mensen aan te gaan, was Jan-Klaassen in staat om met wie dan ook te praten. Hij was graag op zichzelf, maar als hij toch het gezelschap van anderen opzocht, kon Jan-Klaassen een waar genie zijn. In zijn gezelschap vond zelfs ik het makkelijker om te praten. Ik had er echter toch voor gekozen om hem niets te vertellen over de vrouwelijke student. Ik stelde het gezelschap van iemand die niets over haar wist op prijs – met mijn collega's was ik er nooit zeker van in welke richting de roddels zich wel of niet konden verspreiden, of al verspreid hadden.

Waar God een kerk sticht, bouwt de duivel een kapel, en de Belg een frietkot. Op die bewuste dag wilde Jan-Klaassen met alle geweld naar een bepaald frietkot om ons avondmaal van frietjes met mayonaise en stoofvleessaus te gaan halen. Jammer genoeg was de frituur die hij in gedachten had in het Munt-straatje, met andere woorden in het hol van de leeuw, in het midden van het stadscentrum dat in rep en roer stond. Ik probeerde hem dit krankzinnige plan uit het hoofd te praten. Ik vertelde Jan-Klaassen over mijn moeders bijzondere kooktalenten en bood aan om hem dit weekend te inviteren zodat hij zichzelf kon overtuigen, maar Jan-Klaassen zei dat is vrijdag en vandaag is het woensdag en we hebben nu honger. Trouwens, hij had reeds een belofte gemaakt aan een buitenlandse gastdocent die ons zou vergezellen. Dus zei ik, met veel tegenzin, toe. Maar ik had er geen goed gevoel over.

Wij haalden de buitenlandse gastdocent op, die Canadees bleek te zijn. Gelukkig geen Franssprekende Canadees.

Jan-Klaassen escorteerde ons naar zijn geliefde frituur en begon een conversatie over covariante elektrodynamica met de vettige eigenaar, wiëns dikke harige armen in grote bergen frietjes schepten. Ik was natuurlijk op de hoogte van Jan-Klaassens speciale talent om met iedereen over ongeveer alles te kunnen praten, maar vanavond had ik toch het gevoel dat hij zich wat overschatte. Achter ons kon ik het woedende geschreeuw van een volgende betoging horen, waarschijnlijk in de Naamsestraat. Het lawaai zwol aan, ze kwamen dichterbij. De vettige eigenaar fronste, en ik kon goed begrijpen waarom. Hij wilde natuurlijk sluiten, vanwege het risico van de betogers die zijn frituur misschien zouden vernielen. In plaats daarvan werd hij de les gelezen door een rijkeluiszoon met een kop als een muilezel, die waarschijnlijk van zijn hele leven nog geen dag eerlijke arbeid had verricht, maar er alles aan deed om hem van de zijne af te houden. Ik probeerde om mij achter Jan-Klaassens rug te verschuilen en keek naar binnen. Ik zag dat wij niet zijn enige klant waren. Aan een van de kleine tafeltjes zat een meisje, met haar rug naar ons toe. Maar ik wist met absolute zekerheid wie zij was. Ze was mijn vrouwelijke student.

Hoe wreed kan het toeval zijn.

Ik besefte dat wij zo snel mogelijk moesten maken dat wij wegkwamen en probeerde om Jan-Klaassen een signaal te geven. Maar natuurlijk was hij volledig in beslag genomen door zijn enthousiasme over covariante elektrodynamica. Tot mijn grote verbazing zag ik de frituureigenaar knikken. Hij schudde zijn dikke buik onder zijn vettige schort, vatte samen ''t Zijn de frieten niet, maar 't frietvet dat het doet,' en gaf Jan-Klaassen een extra portie stoofvleessaus, van het huis.

'Sluit u nog niet?' vroeg ik hoopvol.

'Nee. Onnozele kinderen' – de man bewoog zijn hoofd in de richting van het lawaai – 'gaan mij mijn broodwinning niet afpakken.' Hij maakte een verwelkomend gebaar naar de schamele stoeltjes het dichtst bij de glasloze ramen, alsof hij ons naar de beste tafel in een viersterrenrestaurant begeleidde. Jan-Klaassen en de Canadees gingen dankbaar zitten en ik had de moed niet om te protesteren. Nu zou het in ieder geval veiliger zijn om bij hen te blijven. Als ik alleen door de betoging zou worden opgeslokt, zou ik oneindig veel slechter af zijn. Jan-Klaassen noch de Canadees zagen er al te strijdvaardig uit, maar wij zouden tenminste met z'n drieën zijn in plaats van alleen. Ik trachtte om niet in de richting van de vrouwelijke student te kijken. Misschien had zij ons niet gezien. Ik wierp mijzelf op de stoel die het verst van haar verwijderd was. Het zweet gutste van mij af.

'Why are your students so mad?' vroeg de Canadees bezorgd, zich nog steeds afvragend of hij zijn jas wel of niet zou uitdoen.

'Ah, dat is een zeer wreed verhaal,' beloofde Jan-Klaassen die er eens goed voor ging zitten. 'Ik zou het zeker niet aan de eerste de beste durven vertellen. Maar, aangezien u er een fatsoenlijk man uitziet, zal ik u vertellen wat geen van mijn godvrezende medeburgers ooit zal durven loslaten: de waarheid.'

De Canadees besloot zijn jas aan te houden.

Ik besloot de mijne uit te trekken.

'Ja, de geschiedenis van dit land is een ware tragedie,' lichtte Jan-Klaassen de Canadees in. 'Ze was nochtans hoopvol begonnen, met de Romeinse keizer Julius Caesar die zo onder de indruk was van de Belgen dat hij een regel over hen schreef in zijn dagboek. Hij schreef dat hij een troep wilden was tegengekomen, zoals men in die dagen wel meer deed, en dat deze primitieve gevallen niet naar de naam Belg luisterden, doch zichzelf wel zo noemden, en dat zij daarom wel zeer dapper moesten zijn. En dat waren zij ook! Noeste krijgers, het moet gezegd zijn, die met één hand een paard tegen de vlakte konden slaan, met de andere hand een hele kar in brandhout konden veranderen, maar dikwijls hadden de Romeinen ook nog eens een zwaard mee, en dan komt een mens toch al snel handen te kort.'

Jan-Klaassen ging niet voor de gecensureerde versie. De Canadees hing aan zijn lippen. Misschien was hij op reis gegaan op zoek naar avontuur. Wel, hij werd op zijn wenken bediend: absurde vertellingen door een lokale clown plus de kreten van een echt gevecht op de achtergrond. Dit kon wel even duren. En waar had Jan-Klaassen zo goed Engels geleerd?

'En zo komt het dat dit een heel vreedzaam land werd,' riep Jan-Klaassen tegen de achtergrond van het lawaai van de protestbetoging. 'Sinds wij door de Romeinen te boek werden gesteld als een dapper volk, zit het met onze reputatie wel snor en hoeven wij ons niet langer zorgen te maken over vermoeiende zaken als oorlogsvoering, dat laten wij graag over aan de machtswellustiger landen die ons omringen, en daarmede kunnen wij ons dus volledig toeleggen op belangrijker binnenlandse zaken. In het bijzonder: op de diepere dingen van het leven. En daar hebben wij er hier heel veel van. Wij hebben hier werkelijk alles wat een mens gelukkig kan maken. Bier, voornamelijk. En mannen en vrouwen die weten hoe ze het moeten drinken. Ja, dat is in andere landen wel anders, natuurlijk. Van heinde en verre komen de mensen, om ons zoete bier te proeven, onze zalige pralines te eten, onze paters voor keiharde dollars van hun malse kazen te beroven, en terecht! Dit zou een prachtig land zijn, meneer, en het zou een voorrecht zijn hier te mogen leven, ware het niet dat er iets was dat ons geluk in de weg staat.'

Spiedend vanuit mijn ooghoeken zag ik dat de vrouwelijke student zojuist haar pakje frieten ophad. Ik voelde mijn maag omkeren. Nu kon zij elke seconde opstaan. Toen zag ik haar naar haar tas reiken en er een boek uithalen. Ze zou gaan lezen. Ik zou dat boek op dit moment goed kunnen gebruiken. Nee, nee, denk aan iets anders. Iets veiligs.

'U moet weten dat, ironisch genoeg, "Eendracht baart macht" onze nationale spreuk is. Concordia res parvae crescunt. Letterlijk: door eendracht komen de kleine dingen tot bloei. Zelfs zeer kleine dingen kunnen dan plots opschieten en zich verheffen tot onverwachte grootte,' mijmerde Jan-Klaassen, 'en dat is iets waar wij in België jammer genoeg alles vanaf weten.'

Denk aan iets saais. Iets onseksueels. Denk aan werk. Statistiek. Wiskunde. Examens. Merde! Ik dacht dat alleen tieners dit soort problemen hadden, of toch in ieder geval problemen van deze omvang. Maar het gebeurde, als altijd, volledig buiten mijn eigen wil om. Ik greep in paniek naar mijn jas en probeerde die over mijn benen te trekken zonder dat iemand zou zien waarom ik hem daar zou willen hebben. Ik werd doodsbang. Angst voor de student, angst voor de confrontatie, angst om ontdekt te worden. Het meeste van al de angst om mijn onhandige lichaam niet de baas te kunnen op momenten als deze.

Ondertussen was Jan-Klaassen zich volledig aan het inleven in zijn rol van moderne minstreel:

'Ja, er is een zeer tragische binnenlandse kwestie die ons dagelijks geluk verstoort en de vrede in de weg staat, die verdeeldheid zaait, de mensen van hun gezond verstand berooft en tegen elkaar opzet.'

'Een politiek probleem?' vroeg de Canadees medelijdend.

'Erger,' zei Jan-Klaassen. 'Het is een eeuwenoude kwestie die onze volksaard heeft getekend, wat zeg ik, onze volksaard is geworden. Dat is het spijtige van de zaak, van de ramp, als ik zo vrij mag zijn. Hogere instanties schijnen boven onze hoofden om beslissingen te maken, maar het is toch steeds de gewone man die er het gelag van betaalt. U heeft wellicht al geraden over welke wispelturige ramp ik het heb.'

De vrouwelijke student draaide een bladzij om. Ik verschoof mijn jasje een centimeter. Kleine aanpassingen kunnen een mens zijn leven redden.

'Het weer,' zei Jan-Klaassen. 'Overal ter wereld weet een mens waar hij met het weer aan toe is, maar niet hier. Er is kop noch staart aan te krijgen, slechts één ding staat vast: alles is mogelijk. Op paasdag lopen onze chocolade-eieren het risico te smelten door een tropische hittegolf of brutaal ingedeukt te worden door hagel, in de zomer worden onze kusten geteisterd door Siberische stormen als onze boeren tenminste niet met een zonneslag van hun tractors vallen, en dan heb ik het nog niet gehad over onze raadselachtige herfsten en onze behekste winters. Wat er ook gebeurt, prachtige zomers in Frankrijk of elfstedentochten in Nederland, wij zitten er altijd middenin, of liever, wij vallen telkens precies tussen de mazen van het net, en hebben niets. Behalve muggen. Het effect van zulke onvoorspelbaarheden is onmeetbaar. Mensen bouwen hun toekomst op al naargelang de verwachtingen. Maar hier kan men geen picknick plannen of hij wordt bedolven onder een sneeuwlawine, geen feest geven of de gasten worden met zonneluifel en al weggeblazen, geen tent opzetten of men wordt er in het midden van de nacht uitgeblazen. Denkt u eens in wat dat doet met een volk, meneer. Eeuwen van onzekerheid en machteloosheid. Zoiets eist zijn tol. Tegen zoveel onvoorspelbaarheid is niemand opgewassen, en zeker de Belgen niet, met hun voorliefde voor de simpele geneugten van smakelijk voedsel en een goede nachtrust.'

Mijn frietjes waren koud en zompig geworden. Mijn levende nachtmerrie zat minder dan twee meter van mij vandaan en sloeg nog een bladzijde om. Snelle lezer.

'Ik heb mij gisteren nog een barbecue aangeschaft, maar of ik die ooit zal kunnen gebruiken, alleen God weet het! De machteloosheid is niet te schatten. En het resultaat kunt u op de achtergrond horen. Want de jongere generatie is altijd het vatbaarst voor onzekerheden. Wij, ja wij zijn zo opgegroeid, met lange klaagliederen telkens als wij op onze rubberlaarzen een bakker durven binnen te glijden, maar deze jonge mensen, meneer, die hebben het karakter daarvoor nog niet opgebouwd. Een paar weken geleden zijn wij nog met de hele Heiligbloed-processie weggeblazen en weggeregend, wat zeg ik, ondergesneeuwd! En dat op Hemelvaartsdag,' zei Jan-Klaassen, naar boven kijkend. 'En wie dat zo geregeld heeft weet ik niet, maar hij kan erop rekenen dat ik nog een appeltje met hem te schillen heb,' dreigde onze verteller, met een vuist naar de hemel gebald. 'Drie nieuwe paraplu's morsdood, en een gloednieuwe hoed naar de kloten, of liever door het minnewater verzwolgen in een vloedgolf waar ze in de tijden van Mozes nog jaloers op zouden zijn geweest. Nee, van het weer hoeft men hier geen toegevingen te verwachten, dat is een ding dat zeker is. Niets dan water, en altijd op het verkeerde ogenblik.'

Ik hoopte dat deze situatie niet het punt zou bereiken waar vlekken zichtbaar zouden worden op mijn kruis. Ik hing krampachtig aan mijn stoel. Dit was waanzin. Dit kon onmogelijk zo doorgaan. Deze kleine aandoening maakte mijn wereld tot een gevangenis. Misschien moest ik trouwen. Misschien zou het dan weggaan.

'U hebt natuurlijk al begrepen dat er echter nog een andere binnenlandse kwestie is die onze levens pas goed verziekt,' knikte Jan-Klaassen naar de Canadees die angstig toekeek hoe zich een heel korps rijkswachters langsspoedde in de richting van de betoging. 'En dit probleem is nog veel betreurenswaardiger, omdat het niet door de natuur maar door de mensen zelf werd geschapen. Het is evenmin een probleem dat plotseling de kop heeft opgestoken. Nee, dit is een vete, die jaren teruggaat. Wat zeg ik, een twist die diep in de duistere hoofdstukken van onze geschiedenis verstrengeld is geraakt. De woede en nijd en bloedwraak die nu door onze straten en door onze harten spookt, is natuurlijk niet zomaar uit het niets voortgekomen. Hoe is het ooit begonnen? Geen hond die het weet.'

Geen enkele vrouw zou ooit met mij willen trouwen, ik was te lelijk. Misschien als ik haar er voor betaalde. Veel.

'Aan alles heerst gebrek,' zei Jan-Klaassen. 'Vooral aan plaats. De mensen zitten te dicht op mekaar, dat is het hele probleem. En de Belg wordt geboren met een baksteen in zijn maag. Zodra de navelstreng wordt doorgeknipt weet hij het al, ooit moet hij een huis bouwen, metselen en aan mekaar timmeren, hypotheken bijeen smeden, tuinen aanleggen en bakstenen verdedigen tegen jaloerse buren. Hele dorpen zijn al ten onder gegaan aan woeste burgeroorlogen, uitgevochten met keihard cement, vlijmscherpe dakpannen, hardvochtige bakstenen en levensgevaarlijke laminaatwiggen. Bloederige affaires en niet alleen uit financieel oogpunt een kostbare grap, dat kan ik u wel vertellen.'

Geen enkele vrouw zou mij ooit trouwen om geld, tenzij het

een belachelijk hoog bedrag was, dat ik niet had. Misschien moest ik mijn geluk beproeven bij een prostituee. Misschien zou ik de allereerste man in de geschiedenis zijn die ooit door een prostituee werd afgewezen.

'Er is inderdaad ook nog een andere kleinere tragedie,' zei Jan-Klaassen, 'maar daar zal ik u niet te veel mee vervelen, want dat heeft natuurlijk met de hedendaagse jeugd te maken. De motivatie is ver te zoeken. En een gebrek aan respect, ongehoord!'

Als ik de allereerste man zou zijn die ooit door een prostituee werd afgewezen, zou mijn kleine aandoening er wellicht nog erger op worden. Wegblijven was de boodschap. Bij zoveel mogelijk mensen, prostituee of niet, men kan nooit zeker genoeg zijn.

'Een neefje van mij zit op school in Ieper en daar hebben ze er ook zo een. Een zekere Yves, slechte punten niet normaal meer, behalve voor Frans, de uitslover. De andere kinderen nooit laten spieken en ondertussen zelf hele nachten wakker blijven om alle vervoegingen uit het hoofd te leren. En ja, dan bij de muziekles in slaap vallen natuurlijk, dat komt ervan. Man, als dat soort gasten later groot word, stelt u zich voor dat dat per ongeluk op belangrijke posities terecht zou komen. Daar zouden we nog een peer mee afzien. Enfin, zo'n vaart zal het wel niet lopen. Vooraleer dat soort gespuis aan een job geraakt, moet er al heel wat gebeuren.'

De vrouwelijke student legde haar boek neer, zocht haar jas. Heilige Maag... nee, Heilige Antonius, sta me bij. Een wonder. Een catastrofe, een godsoordeel, alles. Ik zal mijn rapporten nooit meer te laat indienen, ik zal geen druppel meer drinken voor de rest van mijn leven, al mijn inkomsten altijd eerlijk aangeven, al mijn vrouwelijke studenten altijd doorgeven aan andere collega's en indien niet mogelijk altijd grootste onderscheiding geven zonder ze zelfs maar naar hun naam te durven vragen, een hangslot op mijn kastdeur monteren, nooit nog ergens te laat komen, mijn aktetas nooit meer vergeten en zorgen dat hij altijd rijkelijk gevuld is met... Oh, het wonder! De vrouwelijke student twijfelde en ging weer zitten. Voor onze frituur waren twee studenten, die op de betoging vooruit waren gelopen, slaags geraakt met twee andere studenten die van het Hogeschoolplein met een vlag kwamen aanrennen.

'Een of ander folkloristisch optochtje,' stelde Jan-Klaassen de Canadees gerust. ''t Zal weer de feestdag van de patroonheilige van de beenhouwers zijn zeker. En zoals u ziet kan de concurrentiestrijd moordend zijn.'

'Er schijnt ook een taalkwestie aan verbonden te zijn?' vroeg de Canadees.

'Taal?' vroeg Jan-Klaassen. 'Nee, nee, gebraden kip. Die zijn op woensdag altijd in de aanbieding. Enfin, op een van hun vlaggen staat inderdaad een haan, maar ja, dat waren vroeger tijden hè, alles moest mannelijk zijn, gelijk als in de spreekwoorden. Ze zeggen bijvoorbeeld, de liefde van de man gaat door de maag, maar dan hebt u nog nooit mijn zuster een bol Leerdammer zien opeten. En wie gelooft dat als de wijn in de man is, de wijsheid in de kan is, moet maar eens Jean-Claudes tante Clémentine naar huis voeren als ze een fles jenever opheeft. Daar moeten wij het trouwens nog eens over hebben,' zei Jan-Klaassen tegen mij. 'Woonde ze nu op nummer 69 or 96? Ik dacht 96, maar ze wandelde zo naar binnen bij 69. Enfin, ik heb ze maar laten doen. Met de vrouw begint het leven, maar het kan er ook wel eindigen, als men ze kwaad krijgt. En ze zag er precies nogal vastberaden uit.'

Het lawaai van de betoging zwol aan. Ik sloeg mijn ogen neer. Misschien zou er op de vloer iets te vinden zijn dat veilig genoeg was om mijn blik zich eraan te laten vastgrijpen. De aktetas van de Canadees. Er stak een boek uit. Ah, dat boek zou mijn redding zijn! Ik vroeg of ik het kon lenen en zei in het Vlaams tegen Jan-Klaassen dat hij vooral moest doorgaan met ons dood te vervelen met zijn onnozele verhalen. Hij had niet veel aansporing nodig.

'Ja, om nog even terug te komen op die vlaggen, daar staat dus inderdaad altijd iets mannelijks op, nooit een poes of een koe maar altijd een leeuw of een kanariepiet bijvoorbeeld. Ja, u komt uit Canada en dat is de nieuwe wereld, dus dat zal voor u wel vreemd overkomen. Maar hier zitten wij nog geplaagd met middeleeuwse tradities hè.'

'You ga maar door met story. Ik already familiair met plot,' excuseerde ik mijzelf bij de Canadees. Ik positioneerde het boek voorzichtjes op mijn schoot.

Het was een roman over Napoleon Bonaparte. Ik smeet mij in de lectuur, trachtte mij wanhopig het verhaal binnen te wurmen en geen aandacht te schenken aan het steeds luider opzwellende lawaai van de betogers die steeds dichterbij kwamen, noch aan het feit dat mijn grootste vijand minder dan drie meter bij mij vandaan zat. Rivieren van zweet doordrenkten mijn hemd. Mijn trillende vingers klampten zich aan de bladzijdes vast. Ik concentreerde mij op de letters, niet in staat om de woorden te lezen, opteerde ik voor het bestuderen van de vorm van de a, b, c, d, e, en ah, daar was een f. Hoe wonderbaarlijk, hoe het alfabet tegelijkertijd zo geordend en zo mysterieus kon zijn, wat een schoonheid er te vinden was in het kleine krulletje van de a, het dikke buikje van de b, zo gelijk en toch ook zo verschillend aan de d. Ik trachtte om mijzelf hierover in een soort trance te werken. Hoe prachtig fier en stijf rechtop verheven, een letter als de 'l'!

Oh jee. De letter 'l' was niet langer het enige wat fier en...

Ondertussen kon ik hen dichter en dichterbij horen komen.

Toen de betoging door het Muntstraatje trok, gooide een lange student met een baret op zijn hoofd een rookbom in onze frituur. De rook verspreidde zich snel, Jan-Klaassen, de vettige frituurbaas en ik doken weg achter de toog. Het volgende moment werden we opgeschept door een enorme vloedgolf en tegen de muur gekwakt. De verbouwereerde Canadees slaakte een krijsende gil en sprong naar buiten, zijn noodlot tegemoet terwijl wij proestend over de vloer zwommen.

'Water, water en nog eens water,' zei Jan-Klaassen. 'Is het dan werkelijk te veel gevraagd om in deze stad eens een dag door te komen zonder doorweekt te worden?'

De rijkswachters hadden de slangen van hun waterkanon moeten laten vallen toen ze onder de voet werden gelopen door de tierende studenten en met hen slaags raakten in een hevig gevecht dat zich juist voor onze frituur afspeelde, en het Muntstraatje bijna uit zijn voegen deed barsten.

'Wat is er met onze Canadees gebeurd?' vroeg Jan-Klaassen die een voet van de frituurbaas uit zijn nek duwde en twee frieten uit zijn oor plukte. Ik was degene die het dichtst bij de toog lag en loerde snel vanachter de hoek naar buiten.

'Knock-out,' zei ik.

'Baksteen?' vroeg Jan-Klaassen.

'Bordenwisser deze keer, voor zover ik van hier kan zien. In ieder geval vrij goed gemikt.'

'Lap, weer een die prijs heeft,' zei Jan-Klaassen. 'Eigenlijk zouden ze er een soort beker voor moeten uitreiken. En ik had hem nog zo gewaarschuwd.'

'Jij en je beeldspraak,' zei ik. 'Je hebt die arme man alleen maar verward.'

'Ik was de hele tijd aan het wachten tot je me zou tegenspreken!'

'Ik was eh... met iets anders bezig,' zei ik, uitglijdend in een plas plakkerige mayonaise.

Toen we er eindelijk in slaagden om onszelf druipend weer overeind te hijsen, zag ik dat de vrouwelijke student verdwenen was. Net als de zwelling onder mijn broek. Maar Jan-Klaassen had gelijk, men kan het lot niet laten afhangen van de hoeveelheid koud water die op het gepaste ogenblik wel of niet uit de hemel wil vallen.

Op dat ogenblik maakte ik de beslissing dat ik een manier zou bedenken om mijzelf voor eens en voor altijd van mijn kleine aandoening te genezen.

Hoofdstuk 6

De volgende dag besloot ik dat Vader Jozef, de parochiepastoor, mijn beste kans was. Wij waren beiden celibatair, hij wegens godsdienstige overtuigingen en ik wegens praktische noodzaak. Hij scheen zijn situatie op succesvolle wijze te kunnen besturen, ik was een ramp in het overleven van de mijne. Hier was een man van wie ik leren kon.

Ik besloot dat de eenvoudigste manier om hem tot een gesprek te verleiden eruit bestond om simpelweg te biecht te gaan. Ik wist wanneer hij die afnam, want mijn moeder ging er altijd trouw heen, elke vrijdagnamiddag zonder uitzondering. Ik ging vroeg, in de hoop mogelijke wachtrijen voor te zijn en haastte mij op een drafje de biechtstoel in. Vader Jozef was reeds daar en opende het kleine houten luikje dat voor het hekje tussen ons beiden in zat. Onze gezichten waren nu slechts gescheiden door het ijzeren rooster. Ik ben er vrij zeker van dat hij mij herkende. Ik nam aan dat het het beste was om de regels van het spel te eerbiedigen:

'Vergeef mij, Vader, want ik heb gezondigd.'

'Vertel maar, mijn zoon,' antwoordde hij, niet zichtbaar geschokt. Dit soort bekentenissen hoorde hij vermoedelijk wel vaker.

'Het gaat over onzedige gedachten,' sprak ik zonder aarzeling, want ik had mijn eerste regels de avond voordien goed ingestudeerd.

'Ik luister,' kwam de repliek, weeral vlotjes en onverrast. Ik beschouwde dit als een goed teken.

'Ik vrees dat het nogal ingewikkeld is,' zei ik. 'Het zijn niet de gedachten an sich die zondig zijn, het is meer de reactie van het lichaam op de... afwezigheid van gedachten.'

Deze keer klonk de repliek oprecht geïnteresseerd:

'Probeer het mij maar te vertellen, mijn zoon, ik ben hier om te luisteren. Vergeet niet, wij hebben allen onze problemen, maar de goede God is vergevingsgezind.'

'Bedoelt u dat u dit soort problemen ook heeft?' flapte ik eruit, voor een moment vergetend waar ik was. Ik had Vader Jozef altijd al als een soort zielsverwant beschouwd – hij had ook nog nooit een vrouw gekend in de Bijbelse zin, en toch dwongen zijn beroepsactiviteiten hem tot enkele penibele communicaties met hen. Ik had echter nooit durven vermoeden dat de gelijkenissen zó ver zouden gaan.

Een klein lachje weerklonk vanachter het hekwerk.

'Wij leven allen in verzoeking, mijn zoon. Ik ben nog steeds aan het luisteren.'

Zijn eerlijkheid gaf mij hoop. Ik deed mijn uiterste best om mijn intense angst voor vrouwen en voor wat er zou gebeuren als ik mij alleen in een kamer met hen zou bevinden te beschrijven. Schaamte. Vernedering. Dood. Destructie. De volledige overbelasting van alle lichaamsfuncties, met andere woorden het einde van de beschaafde wereld zoals wij haar kennen. Vader Jozef maakte begrijpende geluiden, alsof hij precies wist waar ik het over had. Ik stond op het punt om mijn strategieën voor lange jassen en grote boeken rondgedragen in aktetassen nader toe te lichten, toen hij mij in de rede viel:

'Mijn zoon, ik heb toch de indruk dat gij mij nog niets verteld hebt over de werkelijke oorsprong van deze onzuivere gedachten, of de lichamelijke reactie op de afwezigheid ervan, zoals ge eerder zei. Ik heb trouwens recentelijk een avondcursus in de psychoanalytische wetenschap gevolgd, want in de kerk moeten wij ook modern zijn en ons voordeel slaan met nieuwe ideeën in plaats van die uit te sluiten.'

Geen wonder dat zijn biechtstoel zo populair was in onze buurt. Vader Jozef bewees een bekwamer man te zijn dan ik zelfs maar had durven hopen. Ik was gekomen in de hoop enkele kleine adviezen in te winnen over hoe met mijn kleine aandoening te kunnen overleven, doch werd verwelkomd door een man die beloofde om de hele kwaal in een keer uit te roeien.

'Het lijkt mij dat er iets in uw verleden is waar gij nu nog hinder van ondervindt. Als ge erin slaagt om u dat te herinneren, zal het ons wellicht lukken om het probleem van uw zonden in de kiem te smoren.'

Ik wilde beginnen met hem over de studentenprotesten te vertellen, die in mijn mening de kiem van het probleem waren, maar hij onderbrak mij al rap:

'Wanneer namen deze rellen voor het eerst plaats, mijn zoon?'

'Enkele maanden geleden. Toen ik net was benoemd tot hoogleraar in de wiskunde.'

'Hmm, dat is te laat. Volgens mijn brochure hier zou het over iets moeten gaan dat zich in de kindertijd heeft afgespeeld.'

Voor zover ik mij kon herinneren, had er zich in mijn kindertijd niets al te bijzonders afgespeeld.

'Wel, ge zijt nog maar achtentwintig. Ik veronderstel dat wij dat nog als laattijdige puberteit of adolescentie kunnen beschouwen,' zei hij, een goede Belg, hopend een compromis te bekomen.

Toen Vader Jozef vroeg of ik mij een significante seksuele gebeurtenis kon herinneren, begreep ik dat ik hem over de vrouwelijke student moest vertellen. Als hij echt naar een significante seksuele gebeurtenis wilde luisteren, dan was dit het beste dat ik hem te bieden had.

'Dat klinkt bijzonder interessant, mijn zoon. Vertel mij daar maar over, en neem uw tijd.'

'Het is wel een vrij... heftig en... onfatsoenlijk verhaal,' twijfelde ik. 'Bent u er echt zeker van dat u het horen wilt?'

'Absoluut,' klonk het snelle antwoord.

Ik had Vader Jozef onversaagd trouwmissen zien opdragen, en hem met zelfverzekerdheid over de liefde en over het heilige lichaam horen praten, onderwerpen waar hij op zijn zachtst uitgedrukt elke substantiële ervaring over moest missen. Als deze man erin slaagde om zich zonder al te grote accidenten door het dagelijkse leven heen te slaan, dan kon ik niet achterblijven. Ik ademde diep in en begon hem het hele verhaal te vertellen.

Het begin was het moeilijkste, maar daarna begon ik er echt in te komen.

Toen ik klaar was, realiseerde ik mij dat Vader Jozef al een hele tijd opvallend stil was geweest.

'Vader? Bent u daar nog?'

Geen antwoord. Ik kon zien dat hij nog steeds achter het hekje zat, maar hij leunde tegen de wand van de biechtstoel zodat ik zijn gezicht niet kon onderscheiden.

'Vader? Was dit het soort significante seksuele gebeurtenis dat u in gedachten had?'

Nog steeds niets.

'Ik moet toegeven dat er inderdaad iets vreemds bevrijdends is aan... Vader?'

Hij was flauw gevallen. Ik weet niet zeker bij welk deel van het verhaal. De laatste keer dat ik mij herinnerde hem gehoord te hebben, was tijdens de borstvoedende kuisvrouwen geweest. Ik had naast mij in de biechtstoel een kleine zucht gehoord en had aangenomen dat Vader Jozef dit gedeelte bijzonder interessant had gevonden, maar ik zal het nooit zeker weten. Het is mogelijk dat hij de opfladderende rok van de vrouwelijke student al niet overleefde.

'Water...' hijgde Vader Jozef uiteindelijk. 'Breng mij alsjeblieft een glaasje water. Er is een gootsteentje in het kamertje van de misdienaren.'

'En mijn zonden?' vroeg ik toen ik teruggekeerd was met het water.

'Ge zijt vergeven, mijn zoon,' zei hij met moeite, een beverig kruisteken slaand.

'Bent u zeker?' vroeg ik.

Hij keek verward.

'Natuurlijk, mijn zoon, natuurlijk... Maar, eh, voor alle zeker-heid lijkt het mij beter als ge berouw toont door zeventig rozenkransen te bidden... en dat ge mij belooft *nooit* nog met *wie* dan ook over deze dingen te zullen spreken.'

Ik knikte en heb deze belofte gedurende al deze jaren gerespecteerd.

'Als ge zo vriendelijk wilt zijn om Zuster Maria Bernarda te vragen mij naar het parochiehuis terug te vergezellen,' zei mijn biechtvader, wankelend op zijn stok. 'Nee, bij nader inzien kunt ge misschien beter Vader Gérard vragen. Of eh, misschien zou het het veiligste zijn als gij mij zelf even vergezelde, mijn zoon.'

Hoofdstuk 7

Ik was zeer, zeer nerveus geweest toen Bérénice bij mij kwam wonen. Op de gezegende leeftijd van drieënzestig had ik het grootste gedeelte van mijn leven doorgebracht met het angstvallig vermijden van vrouwen en kinderen, aangezien mijn kleine aandoening mij al die jaren was blijven kwellen. Op een gegeven moment had de oude decaan mij in het kader van een gastprofessoraat weggezonden naar China, alwaar ik al snel ontdekte dat mijn kleine aandoening – behalve uiterst gênant – ook zeer politiek incorrect was: mijn lichaam ondervond geen ondermijnende effecten van Chinese vrouwen. Het reageerde spijtig genoeg wel vrij heftig op de aanwezigheid van enkele andere buitenlandse vrouwelijke gastdocenten. Het heeft mij zeer gespeten toen China zijn grenzen wijder naar het Westen openstelde. Zonder dit nieuwe beleid zou China voor mij een uiterst veilig land geweest zijn. Ik speelde met het idee om een overplaatsing naar een kleinere stad aan te vragen, waar hopelijk nog geen buitenlanders waren gearriveerd, maar voor ik erin slaagde om dit plan ten uitvoer te brengen, werd er een nieuwe decaan benoemd in Leuven. Hij riep mij terug en zo reisde ik weer af naar Europa, doodsbenauwd voor wat mij daar te wachten stond. Gelukkig waren er tijdens mijn afwezigheid geen nieuwe vrouwelijke docenten aangesteld.

Ik weet nog steeds niet zeker wat mij heeft doen besluiten om Bérénice te adopteren. Ik heb mijzelf hieromtrent dikwijls zeer streng bekritiseerd, vooral in het begin, toen ze zo moeilijk at en sliep. Ik durfde haar nauwelijks aan te raken, verlamd van angst voor hoe mijn lichaam zou reageren.

'Cette fille,' had meneer Abdullah gezegd, 'is als een woestijnbloem: onverwoestbaar.'

Ze zou het zeker nodig hebben, als ze erop rekende hier met mij in dit huis te overleven, bij nacht en ontij overgeleverd aan de wispelturige grillen van mijn verraderlijke lichaam.

Ik liet haar altijd baden met haar ondergoed aan. Ik tilde haar voorzichtig op, met mijn handen onder haar oksels. Ik nam werkelijk elke mogelijke voorzorgsmaatregel en tot nog toe had mijn kleine aandoening de kop nog niet opgestoken, maar toch wist ik dat mijn lichaam heimelijk aan het wachten was om mij op een onbewaakt ogenblik, als ik het het minst verwachtte, te overrompelen.

Meneer Abdullah was een grote hulp bij het bedenken van manieren om Bérénice te doen eten, maar het probleem van de nachtrust was er een dat ik onmogelijk met hem kon bespreken, het was te nauw verbonden met de intieme details van mijn kleine aandoening en de gelofte aan Vader Jozef was een gewoonte geworden, diep in mij geworteld door de jaren heen.

Eerst had ik geprobeerd om Bérénice in de logeerkamer te slapen te leggen, daarna in mijn ouders' slaapkamer, en ten slotte op een veldbed in mijn eigen kamer. Maar elke nacht – zelfs toen haar ene been nog steeds gebroken was en haar bewegingsvrijheid heel beperkt was – liet ze zichzelf uit bed vallen. Ze probeerde dan weg te kruipen en botste in haar vlucht soms tegen de deur. Enkele keren slaagde ze er zelfs in om zichzelf helemaal naar beneden te sleuren en vond ik haar in het holst van de nacht tegen het keukenraam aangedrukt. Ze staarde zacht huilend de duisternis in. Het ene moment was ik ontroerd door het vreemde kind dat ik niet begreep, het volgende moment herinnerde ik me dat het middernacht was, dat het donker was, dat ik in mijn pyjama was, dat zij dat ook was, en dat wij de ramp nabij waren.

'Alsjeblieft, Bérénice, dwing mij er alsjeblieft niet toe om je te moeten dragen. Ik zeg dit voor je eigen goed. Je weet het misschien niet, maar je bent hier met vuur aan het spelen. Alsjeblieft, ik bid je, probeer toch om op eigen houtje terug naar boven te gaan.'

Maar dat deed ze nooit.

'Gedraag je, Jean, gedraag je,' gebood ik mijzelf elke keer als ik weer verplicht was om haar de trap op te dragen. 'Denk aan het arme kind. Vergeet niet waar je haar gevonden hebt. Mijn vriend, wat gij ook doet, zorg er alsjeblieft voor dat ge niet de reden zult zijn waarom zij daar zal moeten terugkeren. Waag het niet dit onschuldige kind te onteren door haar aan de vernederende aanblik van je beschamende kleine aandoening bloot te stellen!'

Bérénices arm zocht evenwicht op mijn schouder terwijl ik mijn eigen lichaam met misplaatst gezag toesprak:

'Jij zult me nog niet verraden. Nee. Ik bega een ongeluk, ik massacreer je voor ik je toelaat om dit arme kind in het verderf te storten. Hou je in. Als je erin slaagt je nog eenmaal te gedragen, krijg je achteraf een sigaret en een glas wijn van me.'

In de slaapkamer en in de badkamer verplichtte ik mijzelf om de littekens op haar rug en haar armen en benen geen seconde uit het oog te verliezen. Terwijl ik voor haar neerhurkte om haar ondergoed te verschonen, sprak ik mezelf toe:

'Kijk goed naar wat er al met haar gedaan is. Waag het niet om daar nog iets aan toe te voegen.'

Er was altijd een heel moeilijk moment, als zij met haar handen op mijn schouders moest leunen terwijl ik haar ondergoed uitdeed. Telkens als ik erin slaagde om dit zonder ongelukken te overleven, had ik een groot glas wijn nodig om de angst te boven te komen.

Ik was elke ochtend verheugd te zien dat sommige littekens begonnen te vervagen, maar ik was al even euforisch toen ik bemerkte dat andere littekens bleven. Die zouden mij er tenminste aan blijven herinneren dat ik mijn schandelijke lichaam te allen tijde onder controle moest blijven houden. Hoopte ik.

Wat Bérénice betreft, zij reageerde op mij zoals alle andere vrouwen en kinderen gewoonlijk deden: met een mengeling van angst en weerzin. Het was onmogelijk de indruk af te schudden dat zij reageerde alsof ik haar verbrandde telkens als ik haar aanraakte. Maar toen gebeurde er iets waardoor de dingen tussen ons begonnen te veranderen.

Ik was gedwongen geweest om haar naar de kliniek te brengen, omdat het gipsverband om haar been verwijderd moest worden. Er was een hele worsteling voor nodig geweest om haar in de auto te krijgen, en daarna in de kliniek, in de wachtkamer, en uiteindelijk op een tafel in een operatiekamer. Ik had dit bezoek aan de kliniek voor weken gevreesd, ik wist dat ziekenhuizen letterlijk gevuld waren met vrouwelijke verpleegsters en andere mensen die ik in verlegenheid kon brengen, kon choqueren, of die mij zouden veroordelen.

Ik was er nauwelijks in geslaagd om Bérénice op de tafel te tillen toen de dokter met zijn zaagtoestel verscheen. Twee vrouwelijke verpleegsters probeerden mij te helpen om Bérénice rustig te houden, maar ik zag hen verscheidene kleine foutjes maken.

Bérénice heeft het nooit aangenaam gevonden als er iemand achter haar staat. En destijds was ze ook zeer op haar hoede voor plotselinge bewegingen.

'Voorzichtig, voorzichtig,' zei ik toen een van de verpleegsters achter Bérénice ging staan en haar hand wilde vastgrijpen.

Bérénices hand lag op de koude, metalen tafel. Ik zag hoe haar vingers verstarden, zich schrap zetten. Ze begon te beven, haar magere armen en benen trilden van angst. Ze was doodsbang voor deze mensen en voor de situatie waar ze zich in bevond, ik herkende het gevoel omdat ik me zelf zo vele keren gevoeld heb. Ze leek zo heel klein op de grote tafel. Ze toonde het wit van haar ogen, spiedde de kamer rond, wanhopig op zoek naar een mogelijkheid om te ontsnappen. Ook al zag ze er vaak heel kwetsbaar uit, er was ook iets heel wilskrachtigs aan Bérénice. Ze mag dan nooit een woord gesproken hebben, maar ze was een persoon in haar eigen recht, met sympathieën en antipathieën, duizend verschillende stemmingen, unieke uitdrukkingen en gebaren. Ik denk niet dat die verpleegsters zich er van bewust waren wat voor een gesofisticeerd wezen ze werkelijk was, maar ik kende haar al een beetje beter. Ik wist hoe hachelijk de situatie was.

De dokter kwam dichterbij met zijn zaag en ik zag Bérénice angstig terugdeinzen. Haar rechterhand liet de tafel los, reisde door de kloof tussen ons beiden en beroerde uiteindelijk slechts de lucht. Maar ik wist, dat de intentie van dat handje geweest was, om de mijne te grijpen.

Ik ben dat moment nooit vergeten, het is een van mijn meest kostbare herinneringen geworden.

Niettemin moet ik toegeven dat deze gebeurtenis ook aan het begin staat van de manifestaties die uiteindelijk leidden tot de vreemde slaapgewoontes die wij spoedig zouden delen. Toen ik op een nacht weer wakker was geworden, had ik gezien dat Bérénice opnieuw was verdwenen. Het veldbed was leeg. Ik vond haar opnieuw in de keuken, tegen het raam aangedrukt.

'Het is hier zo koud en tochtig, Bérénice, je kunt echt niet op deze vloer slapen,' zei ik tegen haar. 'Ga alsjeblieft terug naar bed.'

Ze had er geen zin in en ik was gedwongen de nachtmerrie om haar de trap op te dragen nog een keer te doorstaan. Na mijn kamer opnieuw te zijn binnengegaan, zette ik haar op de rand van mijn bed neer omdat ik wat bloed op haar voorhoofd had ontwaard – ze was waarschijnlijk tegen iets aangebotst toen ze naar beneden kroop. Ik verliet de kamer weer om wat jodium voor de wond te gaan halen. Maar toen ik de kamer opnieuw binnenkwam, was er iets heel bijzonders gebeurd. Bérénice was in slaap gevallen. Op mijn bed. Ik staarde naar het vreemde tafereel, niet goed wetend wat er mee aan te vangen. In haar plaats zou ik het bed waar ikzelf in sliep als de gevaarlijkste plaats in het huis beschouwd hebben, letterlijk de allerlaatste plaats waar ik ooit in slaap zou willen vallen, maar daar lag ze, met haar hoofd op mijn kussen, één klein mager handje naar de hemel geopend, als in stille overgave. Uiteindelijk bracht ik die eerste nacht in een stoel naast het bed door, aangezien ik het niet had aangedurfd om haar te verplaatsen.

Hetzelfde scenario herhaalde zich enkele nachten op rij. Nu zij blijkbaar zo verliefd was geworden op mijn bed, besloot ik om zelf in het veldbed te slapen, maar toen kwam de rampzalige nacht waarin ik het veldbed doormidden brak. Het gebeurde, geloof ik, om ongeveer vijf minuten voor twaalf, als ik het mij goed herinner. Ik bevrijdde mijn ledematen zenuwachtig van tussen het veldbed dat plotseling was dichtgeklapt. Gelukkig had ik Bérénice tenminste niet wakker gemaakt. Maar wat nu?

Ik durfde haar niet alleen in de kamer te laten, maar ik was wel zeer moe. Ik zette mij neer op de andere kant van het bed, zo stilletjes mogelijk, zo ver mogelijk verwijderd van de slapende Bérénice, en dwong mijzelf om de hele nacht rechtop te blijven zitten. Ik was mij er zeer bewust van hoe belangrijk het was om vooral niet in slaap te vallen. Mijn lichaam had mij tot nu toe nog steeds niet verraden, maar in slapende toestand zou het zeker gevaarlijker worden. Uiteindelijk legde ik mij maar te slapen op de vloer naast het bed. Het was daar vrij koud, maar ik voelde mij zeer tevreden een extra mogelijkheid voor sabotage door dat onberekenbare lichaam van mij verijdeld te hebben.

Ik werd in het holst van de nacht gewekt door het geluid van een dichterbij komende onweersbui. Ik ging snel rechtop zitten en tuurde over het bed om te kijken of alles nog goed was met Bérénice. In het duister kon ik slechts de contouren zien van het kind dat ineengedoken onder mijn deken lag. Maar ik herkende het geluid dat ik hoorde: het was het geluid van klapperende tanden – ik heb dat geluid zovele keren uit mijn eigen mond horen komen. De donder bulderde.

'Wees niet bang, Bérénice,' zei ik. 'Het gaat hier namelijk slechts om elektriciteitsladingen die zich tussen de wolken samenhopen. Het gaat spoedig weer over. Ik wed zelfs dat deze bui nog ver bij ons vandaan is. Als wij de seconden tussen de bliksemschicht en de donderklap tellen, kunnen wij erachter komen hoe ver precies. Wacht, ik zal een demonstratie geven. Eén...'

Een tweede bliksemschicht flitste door de lucht, tegelijkertijd met een verschrikkelijk luide donderklap die het huis op zijn grondvesten deed daveren. De lucht om ons heen knetterde. Het is natuurlijk niet mijn bedoeling om de schuld van mijn latere daden volledig af te schuiven op deze onweersbui, maar ik zou toch graag de gelegenheid aangrijpen om te benadrukken dat het wel degelijk een zeer hevige storm was. Het onweer was nu recht boven ons.

Bérénice gilde van angst. En toen gebeurde het.

In die ene seconde waarin de bliksemschicht en de luide donderklap samenvielen, waarin het kind schreeuwde, waarin ik alleen in het huis met haar was, vergat ik alles en reageerde alsof zij en ik in een ongelooflijk klein land leefden, waarin slechts zij en ik bestonden: ik strekte mijn armen uit en trok haar naar mij toe.

Ik heb mezelf hier achteraf om vervloekt.

Maar voor ik doorhad wat er gebeurde, rustte Bérénices kleine hoofd reeds op mijn borst, haar haar kriebelde mijn neus, ik voelde een dunne, bevende arm op mijn kloppende hart, een klammig handje op mijn magere schouder, een trillende knie die tegen mijn eigen spillebeen werd aangedrukt. Toen ze haar zachte oogleden knipperde, voelde ik letterlijk hoe die mijn grijze borsthaar streelden.

'Mijn moeder dacht vroeger dat onweerswolken betekenden dat de goden woedend op ons waren,' vertelde ik Bérénice. 'Maar goden bestaan natuurlijk niet echt. Alleen wij, mensen, bestaan.'

Ik had nog niet beseft dat er zich iets heel vreemds, iets uiterst buitengewoons, begon te voltrekken. Bérénices arm hield langzaam op met beven. Ik voelde hoe de spieren in haar benen zich ontspanden, hoe haar knieën zich tegen mijn been vlijden. Haar hoofd ging even zachtjes omhoog en legde zich toen weer op mijn borst neer, haar ademhaling werd ook rustiger. Heilige Maagd Maria sta me bij, ze was toch niet aan het overwegen om in deze positie in slaap te gaan vallen?

'Voorzichtig, Bérénice,' noopte ik haar. 'Je bent hier met vuur aan het spelen. Wat doe je deze arme oude man aan. Mag ik je er alsjeblieft aan herinneren dat wij niet van steen zijn gemaakt?'

Maar een nieuwe gewoonte was reeds tussen ons geboren,

een zeer opmerkelijke gewoonte, maar niettegenstaande een gewoonte die geen van ons beiden ooit wist af te schudden.

Ik reikte naar mijn nachttafeltje, in een poging om de zakdoek die ik daar altijd heb liggen te grijpen zonder het glas water dat er altijd naast staat te doen kapseizen – tot dan toe een veelvuldig voorkomende nachtelijke routine van mij. Maar die avond stootte ik het glas niet om. Ik merkte dat mijn voorhoofd niet bezweet was – zoals het anders altijd was. Ik stak een sigaret op en slaagde daarin met mijn allereerste lucifer, het vlammetje waggelde zelfs niet. Ik hield mijn hand voor me uit, en hij was kalm en stil, in het geheel niet beverig. Ik staarde ongelovig naar die kalme hand. Mijn benen voelden zwaar en warm. Ik besefte terwijl het gebeurde, dat mijn hele lichaam zich ontspande, zich uitstrekte, gaapte en in slaap viel. Enkel en alleen door haar aanwezigheid, door mij te vertrouwen in plaats van voor mij terug te schrikken, had Bérénice mij genezen van mijn kleine aandoening. Hij had zich niet verheven sinds ze bij mij kwam wonen, hij had zich vannacht niet laten zien, en hij zou nooit meer verrijzen om mij te martelen. Een klein kind had mijn angst voor vrouwen aangeraakt en weggenomen.

Hoofdstuk 8

'Is dat alles?' Elvira moest een geeuw onderdrukken. De nacht had zijn intrede al gedaan. Zij en ik hielden halt onder een oude eikenboom op een heuveltop, de lichtjes van de boerderij in de verte.

'*Alles?*' kreet ik. 'Is het nog niet *genoeg?* Waarom begin je niet te schreeuwen? Waarom vloek je mij niet uit? Waarom ben je niet woedend op mij?'

'Maar in 's hemelsnaam, u hebt toch niets verkeerd gedaan. En zelfs al had u wel... echt waar, professor,' zei Elvira, 'ik ben een derde van uw leeftijd en heb al veel ergere dingen gedaan. Lieve Maria Magdalena, windt u toch niet zo op.'

Ze wees tussen mijn benen.

'En dat geldt ook voor dat andere ding waar u het over had. Niks om u druk over te maken. Dat is toch normaal, dat hebben alle mannen toch.'

'Ik vraag mij ten stelligste af of ze er allemaal zoveel... last van hebben als ik.'

'Oh, ik weet niet... Misschien als ze jonger zijn.'

Uit haar mond klonk het zowaar als een compliment.

'Hoe dan ook, nu bent u er toch niet meer van geämbeteerd, of wel?'

'Wel, dat is nu juist het alleronbehoorlijkste aan de hele situatie,' zei ik. 'Het probleem schijnt volledig verdwenen te zijn sinds Bérénice in mijn bed slaapt.'

'Dat is niet onbehoorlijk, professor,' zei Elvira. En toen vatte ze de tragedie van mijn leven in één kort zinnetje samen:

''t Is gewoon een komisch verhaaltje, da's alles.'

'Ben je daar heel zeker van?'

'Tuurlijk.'

'Als jij het zegt, zal het wel zo zijn,' nam ik aan.

'En Bérénice, die is haar slaapproblemen nu ook kwijtgeraakt?'

'Ja. Sinds ze in mijn bed mag slapen, wordt ze nooit meer wakker in het midden van de nacht. Ze slaapt nu heel vast, en telkens tot de volgende morgen.'

'Ze was waarschijnlijk gewoon bang voor het donker. Daar hebben veel kinderen last van. Merde, ík ben bang geweest in het donker toen ik al lang geen kind meer was. Da's menselijk. En het gaat meestal over als er iemand anders bij je is, iemand die je graag mag. Da's ook maar normaal. U hebt niets anders dan goed gedaan, professor. En maakt u geen zorgen, ze groeit daar wel overheen als ze ouder wordt. En in de tussentijd wordt ze tenminste minder bang in plaats van meer. Met haar zal alles wel goed komen. Dat is het al. Iedereen kan zien hoe goed u voor haar zorgt.'

'Echt waar?' vroeg ik. Een blok viel van mijn schouders. Het was een opzienbarend gevoel. Jammer genoeg was het van vrij korte duur, want in de boerderij wachtte Martha, klaar om eindelijk op te biechten wat ze mij al zo lang had willen vertellen. Ze zou niet zo vergevensgezind zijn als Elvira geweest was. Want Sigrid Verdronken had in de tussentijd ook niet stilgezeten.

Maar dat magische uur tussen die twee onthullingen in zal ik nooit vergeten. Elvira en ik wandelden in stilte terug naar de boerderij, zochten onze weg door de donkere velden. Ergens halverwege zei Elvira: 'Zut!' en stopte om een steentje uit haar schoen te halen. Haar hand rustte eventjes op mijn schouder, zocht naar evenwicht terwijl ze op één voet balanceerde.

'Moet u eens iets weten, professor,' zei ze. 'Ik heb zo het gevoel dat u en ik meer gemeen hebben dan slechts de grootte van onze neuzen.'

Op de terugweg schoten duizenden gedachten door mijn hoofd, gedachten waar ik voor de allereerste keer zeker van wist dat ze niet onbehoorlijk waren. Ik was manieren aan het bedenken om uitdrukking te geven aan de immense dankbaarheid die ik voor Elvira voelde.

Hoofdstuk 9

Martha's bekentenis had in feite meer weg van een openbare proclamatie. Ik had mij nog steeds in vrij dromerige toestand bevonden, mij verwonderend over de recentelijke ontdekking toch geen monster te zijn, toen Martha mijn hand vastgreep en mij de keuken introk. Ik moest tot mijn spijt vaststellen dat hij leeg was.

'Sjaan-Klote,' zei Martha.

We hoorden Jefke lachen in de kamer ernaast. Misschien omdat het op die manier uitspreken van mijn naam, fascinerend exotisch als het klinkt in het Engels, in de minder exotische Vlaamse en Nederlandse talen onfortuinlijker connotaties teweegbrengt. Maar dat was slechts een ongemak van lagere orde vergeleken met de veel hogere ordes waar ik tijdens mijn leven al ervaring mee had opgedaan.

Martha deed snel de deur dicht.

'Sjaan-Klote, er is iets waar jij en ik dringend een little talk over moeten hebben. Deze keer geef ik je de kans niet om te ontsnappen. Sit down.'

Ik voelde twee ferme handen op mijn schouders en werd op een keukenstoel neergeduwd. Voor mijn ogen danste plots een visioen van mijn eigen keuken, waar *Het schip der dwazen* voordien nog veilig aan de muur had gehangen. Die dwazen zouden heel wat aflachen als zij de situatie waar ik nu weer in verzeild was konden zien.

'Er is iets wat ik je al een hele tijd wil vertellen. Iets over óns.'

'Zou je het erg vinden als ik mij in dat geval eerst even een glas inschenk?' vroeg ik.

Dat vond ze een verstandig idee.

'Je zult het nodig hebben.'

'Misschien heb jij ook iets nodig?' vroeg ik voorzichtig.

'Absoluut,' luidde het resolute antwoord.

'Is er geen kans op... bijwerkingen, met je medicatie bedoel ik?' informeerde ik behoedzaam.

'Oh, ik ben met mijn pillen gestopt. Ze werken precies niet meer. Maar Heff-ke heeft mij iets sterkers gegeven. Had je het nog niet gemerkt? Ik ben van mijn hoest af!'

Wat een opluchting. Ik schonk glazen in, slaagde erin een sigaret te lokaliseren en deed mijn best om niet te beven terwijl ik hem aanstak. Het kleine vlammetje was echter koppig en ontsnapte mijn sigaret telkens als die in de buurt kwam – het is Bérénice inderdaad gelukt om mijn gênante vrees voor vrouwen in het algemeen weg te nemen, maar mijn natuurlijke vrees voor Martha in het bijzonder was vrij intact gebleven.

'Wacht, ik help je wel,' zei Martha, en ze stak de sigaret snel voor me aan. Ik moet haar nogal verbouwereerd aangekeken hebben.

'Wat dacht je dan?' glimlachte ze. 'Dat ik een verwende meid van de Upper East Side ben die nog niet weet hoe je een aansteker gebruikt? Sjaan-Klote, luister je? Je hebt die schattige, verstrooide blik weer in je ogen.'

'?'

'Ik probeer het je al een hele tijd te vertellen, maar je ontsnapt telkens op het laatste moment. Ik zal niet doen alsof ik niet gefantaseerd heb over hoe ik het zou zeggen, maar ik veronderstel dat je echt blind zou moeten zijn als je het al niet had geraden: I think I'm falling in love with you.'

Het glas viel uit mijn handen, mijn hele broek vol natte rode wijn.

'Wat is de Upper East Side?' sputterde ik, een reddingsboei uitsmijtend in de richting van de woorden die het minst onverstaanbaar klonken.

'Een buurt in New York. Heel duur, niet het soort dat ik zou kunnen betalen. Maar ik heb een very nice appartment in een ander deel van Manhatten, called the West Village. You might like it, het is klein, maar gezellig, en... oh, ik ben niet goed in dit soort dingen, het klinkt altijd zoveel beter in mijn hoofd, you know, like a fairytale! Ik weet niet hoe ik dit moet zeggen, maar, eh, Sjaan-Klote, denk je niet dat het tijd is dat wij over onze feelings praten?'

Upper Village? Fairytale? *Feelings?*

'Ik geloof niet dat ik de eer heb je volledig te kunnen volgen,' probeerde ik. De rollen tussen mijn vroegere studente en mijzelf waren nu volledig omgedraaid. Ik wist niet zeker of ik het erg prettig vond.

Martha bloosde, een zenuwtrekje verscheen rond haar lippen.

'Weet je nog, die dag, toen wij elkaar de hand schudden, op dat oude plein? Jij had juist die speech gegeven en je prijs ontvangen.' Ze glimlachte. 'Je had die veel te wijde toga aan en El-vai-rah probeerde om te voorkomen dat het hele zaakje zou afzakken, met een enorme hoeveelheid naalden. En toen we terug naar je kantoor gingen, was er een grappig klein mannetje dat ronddanste en om de een of andere reden aan je mouw bleef trekken... en jij was zo vriendelijk om me bij jou thuis uit te nodigen.'

Martha leek in gedachten verzonken.

'Ik denk dat ik die dag zelfs geniesd heb. Sorry, had ik je dat al verteld? Dat ik een soort tic nerveux heb?'

'Geen probleem, ik herinner het mij heel goed,' verzekerde ik haar.

Martha moest lachen. 'Oh, Sjaan-Klote, de dingen die jij soms uitspookt! Zakdoekje leggen met een hond! En schaken met eikels en kersen als schaakstukken! Ik denk niet dat ik ooit iemand ontmoet heb die zo origineel is als jij! Luisteren naar jou voelt aan als... als... als een frisse zomerbries!'

'Werkelijk?'

'Ja, natuurlijk! Je bent altijd zo... oh, maak je geen zorgen om die wijnvlekken, Sjaan-Klote. Nee, niet over wrijven, dat maakt het alleen maar erger. Ik probeer ze er later wel uit te wassen, als je je broek even uit wilt doen voor mij, en als ik de vlekken er niet uitkrijg zal dat een mooie gelegenheid zijn om een nieuw kostuum voor je te kopen.'

'Wat is er verkeerd met mijn kostuum?' vroeg ik panisch. Mijn kostuum is altijd het enige geweest waar ik een heel klein beetje zelfvertrouwen aan heb durven hechten. Mijn moeder verzekerde mij altijd dat het van eersteklaskwaliteit was en dat goede kwaliteit zich nooit verloochent.

'Maar Sjaan-Klowie, het valt gewoon uit elkaar op het moment dat wij er over praten! Hoe oud is het al niet?'

'Het was mijn vaders trouwkostuum,' lichtte ik haar in. 'Zeer hoogstaande kwaliteit. Echte wol.'

'Schapen dragen ook echte wol,' bedacht Martha giechelend. 'Dit is precies wat ik bedoel! Als jij iets zegt, Sjaan-Klote, slecht verstaanbaar en onsamenhangend als het mag zijn, weet ik dat ik elk woord kan vertrouwen. En om dat kleine meisje te adopteren, en zelfs Bomma in huis te nemen toen ze met pensioen moest... you're a really good man, Sjaan. Jij doet nooit alsof, je gedraagt je gewoon net zo komisch en hulpeloos als je echt bent. Maar ik weet dat er onder al dat clownachtige gedrag een hele lieve, eerlijke en vertederende man schuilgaat. En trouwens, ik vind je vaak heel schattig.'

Gedurende mijn vijfenzestigjarige bestaan had niemand mij er ooit van verdacht in het bezit te zijn van eigenschappen die voor schattig konden doorgaan. Als het een val moest voorstellen, was hij alleszins niet erg geraffineerd.

'Je bent nog nooit in de States geweest, hè, Sjaan-Klote? Misschien wil je op een dag wel op bezoek komen, en dan kan ik je gids zijn. Je kunt Bérénice ook meebrengen. Ik denk dat ze langzamerhand toch aan me begint te wennen, vind je ook niet? Denk je dat ze het leuk zou vinden om op reis te gaan? You know, onbekende horizonten verkennen, en...'

Hemeltjelief, en allerlei onbekende gerechten moeten eten.

'En je zou mijn vrienden kunnen ontmoeten. Oh, en als je daar zin in zou hebben zouden we ook mijn zus kunnen bezoeken. Ze heeft een prachtig huis, you'd like it very much.'

In mijn verbeelding zag ik mezelf rondlopen in een buitengewoon gigantisch wit huis vol met dure meubels, grote kroonluchters die naar beneden konden vallen, prachtige tapijten die bevlekt konden worden, en kostbare kunstwerken die omvergestoten konden worden. Het leek mij een eerder riskante onderneming.

'Ik weet,' zei Martha, 'dat er zich hier een heel lieve, verwarde man schuilhoudt, die wacht om zich bloot te stellen.'

Ik moest haar gelijk geven waar het de verwarring betrof, maar als het voor haar hetzelfde was, stelde ik liever niet te veel bloot.

'Er moeten daar, verborgen onder de oppervlakte,' – ze wees naar mijn borst, maar omdat ik haastig met mijn stoel achteruitsprong eindigde ze met naar mijn kruis te wijzen – 'toch wel een paar geheime verlangens voor de toekomst liggen?'

Omdat ik niets zei, praatte Martha zelf verder:

'Toen ik jonger was, was ik heel ambitieus. I really wanted to get out there and, you know, aan de wereld bewijzen wat ik waard was.'

'Je bent een zeer succesvol academicus,' zei ik, verheugd een gespreksonderwerp op te merken dat neutraal en begrijpelijk genoeg leek om er een kleine repliek op te geven.

'Dankjewel, dat is heel lief van je, Sjaan.'

'Het valt niet te ontkennen,' zei ik. 'Je professionele bijdragen aan ons vakgebied zijn meer dan indrukwekkend.'

'Oh, dat ligt aan de verandering van omgeving die mij zoveel goed heeft gedaan, denk ik. Ik heb een fantastische tijd gehad bij jullie in het departement.'

'Echt waar?' vroeg ik verbaasd. 'Vind je het niet moeilijk om te...eh...'

Voor één keer zaten Martha en ik onmiddellijk op dezelfde golflengte.

'Oh nee, op dat vlak was overleven op Harvard veel moeilijker. Daar waren ook nog eens andere vrouwen in de academische staf, dus moest ik daar ook nog eens ruzie mee maken. Nee, ik ben hier graag. Voor de allereerste keer kan ik echt doen waar ik zin in heb en echte veranderingen doorvoeren. En ik heb nog veel meer ideeën om de studenten te helpen zich voor hun examens voor te bereiden.'

'Misschien is het beter om professor Sapristi hier niet van in te lichten,' raadde ik haar aan. 'Hij zal mogelijkerwijs lichtjes bezorgd zijn als hij deze nieuwe informatie verneemt.'

Martha moest glimlachen.

'Alleen met jou kan ik op deze manier praten, Sjaan-Klote, zonder bang te hoeven zijn dat je me zult uitlachen. En lesgeven en met studenten werken is het liefste wat ik doe, zij zijn de reden waarom ik aan de universiteit wilde beginnen. In Harvard heb ik ook altijd graag lesgegeven. En we hadden daar ook heel goede discussiegroepen. Maar, terzelfder tijd had ik toch het gevoel dat er in mijn leven iets ontbrak. Eh... Sjaan-Klote, volg je mij nog?'

Dat was niet het geval.

'Daarom ben ik naar hier gekomen. En het was zo fantastisch om jou weer te ontmoeten, en...'

Ik was niet aan het volgen. Ik was ook niet aan het leiden. Ik was aan het proberen om niet te verdrinken.

'Wanneer ontmoetten wij elkaar ook al weer voor het eerst?' Ik was op zoek naar een stuk wrakhout om mij aan vast te klampen.

'Tijdens een congres in China. Zeg nu niet dat je je dat niet meer herinnert! Het is nog maar een paar jaar geleden. We hadden zo'n fascinerend gesprek, weet je nog? Ik was daar samen met een paar andere collega's van de People's University of Beijing en jij en ik hebben toen urenlang gepraat – ook al leek jij bij momenten nogal nerveus, vanwege iets in verband met je broek, ik vergeet wat precies. En twee maanden geleden ontmoetten we elkaar opnieuw, op het plein in Leuven, toen jij juist je prijs ontvangen had.'

Aha. Blijkbaar herinnerde zij zich het examen in '68 niet meer. Zou dat zeer goed nieuws zijn of juist zeer slecht?

'Ik was nog nooit eerder in België geweest. Maar mijn oudere zus – wel, eigenlijk mijn halfzus, want mijn vader was met een andere vrouw getrouwd voor hij mijn moeder leerde kennen – hoe dan ook, mijn oudere zus, zij heeft hier vroeger gewoond. Ze is heel... wel, ik keek altijd heel erg naar haar op want, waar ze ook heen ging, ze beleefde altijd van die fantastische avonturen. En ze vertelde me ook een verhaal over een uitwisselingsjaar, wanneer zou dat geweest zijn, wel, in ieder geval al een hele tijd geleden, want zij is een stuk ouder dan ik, we schelen meer dan twintig jaar – maar ze vertelde daar altijd zo'n fantastisch verhaal over, over hoe ze naar Europa trok, als uitwisselingsstudent. Ze wilde wiskunde studeren – net als ik later, she always seemed to have such fun with it. Dus schreef ze zich gewoon in aan een Europese universiteit. Hier in België, en ze kwam in Leuven terecht. Sprak geen woord van de taal but hell, she just went for it. Dat is typisch mijn zus, ze is erg impulsief. En ze had een spectaculair verhaal over hoe ze naar het examen ging – na een jaar lang alleen maar gefuifd te hebben, wed ik – en ze verstond geen woord van de cursus, om van de examenvragen nog maar te zwijgen, maar ze had een heel, heel vriendelijke professor die leek te begrijpen dat ze een buitenlander was en de taal niet begreep, of misschien was hij een beetje verliefd op haar – dat probeerde ze me altijd te doen geloven, maar ik ben er zeker van dat ze aan het opscheppen was – ze overdreef altijd graag. Hoe dan ook, die professor begreep de situatie onmiddellijk, en in mijn zus' verhaal is het dus echt zo'n typische verstrooide professor, een beetje zoals jij soms bent, Sjaan-Klote. En blijkbaar deed die man – die zelf ook erg jong was, en misschien daarom met haar meevoelde – dus echt alles wat hij maar kon bedenken zodat zij kon spieken zonder dat iemand er achter kon komen. Oh, het was een heel lang verhaal, maar het was een van mijn favorieten. Over die klungelige professor die er alles aan deed om mijn zus te helpen die zelf natuurlijk geen idee had van waar ze mee bezig was. Blijkbaar gebeurde dat allemaal tijdens een of andere lokale rel, iets wat met de plaatselijke politiek te maken had, ik vergeet waar het ook al weer over ging, dat zul jij beter weten dan ik. Maar dat verhaal is mij altijd bijgebleven. You know, over die man die haar helemaal niet kende, die ze zelfs nog nooit eerder ontmoet had, en die toch zijn uiterste best deed om haar te helpen, gewoon, zomaar, zonder te vragen "oh, heb je wel hard genoeg gewerkt," en "is dit wel volgens de regels." Iemand die gewoon edelmoedig was uit pure... vriendelijkheid! En, veel later, vorig jaar was dat, kwam ik op een avond thuis na een feest, en...'

De tic nerveux vertrok Martha's lippen opnieuw. Ze keek naar haar voeten.

'... en ik voelde me gewoon zo... eenzaam. Ik had in die periode allerlei problemen, op het werk, en ook nog met andere dingen, persoonlijke dingen bedoel ik, en plotseling voelde ik me zo... in het nauw gedreven! Er wou maar niets lukken, net alsof, welke richting ik ook uit probeerde te gaan, elke keer botste ik met mijn gezicht op een muur. En toen ik naar bed ging, herinnerde ik me dat verhaal dat mijn zus me vroeger verteld had, over die prachtige middeleeuwse stad, en die magische ontmoeting met die vreemde man die zo vriendelijk tegen haar was geweest. En ik stond weer op en, gewoon voor de grap, ging ik achter mijn computer zitten en probeerde erachter te komen of ik de plaatsen waar ze geweest was op het internet terug kon vinden. En zo ontdekte ik de universiteit en het departement, het was er allemaal nog, precies zoals ze het beschreven had. En voor ik wist waar ik mee bezig was, had ik mijn cv opgepoetst en doorgestuurd om voor een gastdocentschap te solliciteren. En toen ik over dat prachtige oude plein wandelde, waar jij je speech aan het geven was, tussen al die dansende mensen, I suddenly felt so... light! En toen herkende ik jou, van het congres in China. En ik herinnerde me ook hoe je heette! Dus wandelde ik naar je toe.'

Ik moest even iets controleren.

'Martha, herinner jij je, per toeval, waar je was in, bijvoorbeeld, mei 1968? Was jij toen wellicht ook aan een universiteit verbonden, net zoals je zus?'

Ze keek mij geschokt aan.

'In 1968? Gosh, toen zat ik nog niet eens op de kleuterschool. Hoe oud dacht je wel dat ik ben?'

'?'

Hoofdstuk 10

Ik wilde deze vraag gaarne juist beantwoorden. Ik ervoer hem echter wel als een kleine uitdaging. Ik heb het altijd al moeilijk gevonden om de leeftijd van vrouwen te schatten. Dragen zij make-up? Dragen zij er geen? Ik kan het verschil nooit zien en begon te panikeren.

'Drieënvijftig?' gokte ik wanhopig. 'Negenentwintig? Eenenzestig?'

'Ik ben nog net geen veertig,' zei Martha met één opgetrokken wenkbrauw. 'Ik weet dat ik nu niet bepaald een tiener meer ben, maar ik denk graag dat ik nog altijd... ik bedoel, dat alles nog mogelijk is.'

'Zoals verliefd worden op knappe Europese professoren?'

Het is een van mijn vele fouten dat ik er vaak niet in slaag om idiote gedachten onuitgesproken te laten als die zich catastrofaal in mijn onnozele brein ontpoppen, veelal op een volledig ongepast ogenblik.

'Wel, ja, dat ook.' Martha begon weer te blozen.

'Vertel eens over die professor die jouw zuster ontmoette?' vroeg ik nieuwsgierig. 'Was hij erg knap om te zien?'

'Dat probeerde ze mij altijd wijs te maken, maar nee, ik wed van niet, of toch in ieder geval niet op een erg voor de hand liggende manier. Daar klonk hij veel te geeky voor. Weet je, misschien loopt hij zelfs nog steeds ergens op de universiteit rond. Misschien is het zelfs wel een van onze collega's! Daar heb ik al vaak over gefantaseerd. Hij moet ondertussen wel al stokoud zijn. Hei-bermat kan het niet zijn – that man is just pure evil. Ik denk ook niet dat het Sapristi is – te onnozel. En ik hoop maar dat het Bloom niet is – dat zou een grote teleurstelling zijn. Het moet wel een heel speciale man zijn, you know, ongelooflijk moedig maar ook fantastisch bescheiden. Soms heb ik er zelfs over gedroomd dat jij het was! Beeld je eens in hoe romantisch dat zou zijn geweest! Zo'n toeval. Maar ik geloof niet dat jij het bent.' Martha moest lachen. 'Ik bedoel, je weet wat ik voor jou voel, Sjaan-Klote, maar ik geloof dat wij beiden weten dat de regels durven buigen en lak hebben aan het gezag zoals die man had, wel, dat zijn niet echt typische Sjaan-Klote-achtige eigenschappen.'

Ik gaf toe dat het dat niet waren.

'Wat is er ondertussen met je zus gebeurd?' wilde ik weten. 'Is zij inmiddels ook een belangrijk academicus geworden?'

'Oh nee. Ze kwam er al snel achter dat het academische leven niets voor haar was. Ze heeft een tijdje voor een investeringsbank gewerkt. En toen heeft ze haar eigen bedrijf opgestart. Daarna heeft ze een paar jaar in Los Angeles gewerkt. Ik ging soms op bezoek, ze had een van die prachtige huizen aan het strand. Toen is ze weer iets helemaal anders gaan doen en nu werkt ze in design.'

'Hoe interessant,' zei ik, opgelucht te ontdekken dat de korte ontmoeting tussen deze onschuldige vrouw en mijn slechte invloed blijkbaar geen grote rampen in haar professionele leven had veroorzaakt. Maar misschien waren andere levenssferen op wredere wijze aangetast door mijn tussenkomst.

'Is je zus ooit getrouwd?' durfde ik te vragen. (Misschien was de eerste vrouwelijke student nu een vijftig jaar oude maagd.)

'Vier keer,' luidde Martha's antwoord.

Ze schraapte haar keel.

'Sjaan-Klote, wil je dit alsjeblieft niet verkeerd opvatten, maar er zijn een paar dingen die ik erg graag wil weten. En een daarvan heeft met je vrienden te maken. Ik bedoel, El-vai-rah en haar kompanen, die zijn in iets illegaals verwikkeld, right? Maar het is niets dat echt eh... erg is, of wel?'

Dit was een moeilijker vraag om te beantwoorden. Hier was ik zelf niet zeker van. Maar ik wist dat er één ding was waar ik wel heel zeker van was:

'Je kunt hen volledig vertrouwen. Het zijn door en door goede mensen,' zei ik met zo veel gezag als een man als ik kan voorwenden.

Martha slaakte een diepe zucht.

'Voor wij dit gesprek kunnen voortzetten, is er iets anders heel belangrijks dat we eerst moeten bespreken. Begin nu niet meteen te panikeren, Sjaan-Klote, maar toen jij buiten was met El-vairah, kreeg ik een telefoontje. Van mister Ver-drown-king. Nee, blijf nu toch rustig Sjaan-Klote, ik gaf hem vorige week mijn telefoonnummer, weet je nog wel, zodat hij me kon bereiken, om af te spreken voor de dinner party. Nu, ik kan me niet meer herinneren of ik je dit gisterenavond al vertelde – my God, ik had nooit met drinken mogen stoppen, je krijgt er zo'n hoofdpijn van als je weer begint – maar na wat er in je tuin gebeurde, kon ik die paar keren toen ik hem op straat ontmoette maar niet uit mijn hoofd zetten. Trouwens, nadat we naar die uitzending op de televisie keken, is het mij opnieuw opgevallen dat, elke keer dat wij elkaar ontmoetten, hij mij telkens, terloops, of tenminste trachtend om er terloops over te doen, iets vroeg over Bérénice. Hoe oud ze was, of ze ooit testen heeft moeten ondergaan, waar haar ouders waren, dat soort kleine dingetjes. Hij heeft me zelfs het telefoonnummer van een vriend van hem gegeven, iemand die met gehandicapte kinderen werkt, in een of andere speciale instelling. Maar er was iets eigenaardigs aan de manier waarop hij het deed. Bijna alsof hij probeerde om me ergens toe te... verplichten. Vind jij dat ook niet vreemd?'

Ik had een visioen van Bérénice, vastgebonden aan het bed in het instituut.

Voor mijn geestesoog zag ik Bosch' *Schip der dwazen*, deze keer niet aan mijn eigen keukenmuur, maar aan Jefke en Elvira's. Mijn hart sloeg een tel over. Het schilderij was veranderd! Het schip was gestrand. De dwazen waren niet langer aan het lachen, hun grimassen waren veranderd in wilde, monsterlijke uitdrukkingen, grotesk als de bloemen op de muur in het instituut waar ik Bérénice vond. Hun handen waren aan het gestrande schip vastgeketend. Dat moest betekenen dat ik droomde. Natuurlijk. Dit gebeurde niet echt. Als ik zou knipperen, zou het schip verdwijnen en zou Martha hier niet langer zitten.

Ik knipperde.

Het schip was verdwenen. Maar Martha zat nog steeds naast mij. Spijtig.

'Hij vertelde me ook een of ander raar verhaal over jou en dat je een affaire zou hebben gehad met een veel jongere student – trouwens, nu ik er aan terugdenk, was het eigenlijk bijna alsof hij jou een beetje wilde... wel, zwartmaken.'

Ik was niet verrast om te horen dat hij weet had van mijn misstap. Sigrid Verdronken moet zich in '68 tussen die woedende studenten die onder mijn raam schreeuwden bevonden hebben. Als er mensen tegen elkaar op konden worden gezet, kon je er op vertrouwen dat hij van de partij zou zijn.

'En zojuist probeerde hij me te bereiken via mijn telefoon, maar ik miste het gesprek omdat ik nog met die student aan het praten was, die heeft me toch nog teruggebeld. We hebben een paar uur gepraat en ik denk dat ik er eindelijk in ben geslaagd om hem uit te leggen dat...'

'Hoe weet je dat Sigrid Verdronken je probeerde op te bellen als je met die student aan het praten was?' viel ik haar panikerend in de rede.

'Oh, ik vertel je later weleens hoe die dingen werken,' zei Martha, en viste haar kleine draagbare telefoontje op. 'Laat ons de dingen voorlopig simpel houden: als je een gesprek mist, is er een nummer dat je kunt draaien, en zo kun je erachter komen wie je opbelde en of ze een bericht voor je achterlieten.'

'Hij liet een *bericht* achter?' kreet ik.

'Alleen een heel kort berichtje, waarin hij zei dat ik hem moest terugbellen.'

Dat was voor mijn gevoel al een te lang bericht.

'Bel hem niet terug, Martha,' drong ik aan. 'Het is geen goed idee.'

'Weet ik, ik heb er net ook met jouw Bomma over gepraat – je assistent Lenny bood aan om voor ons te tolken, maar ik moet zeggen dat Bomma heel goed Engels spreekt, beter dan jullie allemaal bij elkaar, ze zegt dat ze het heeft opgepikt toen ze als toiletjuffrouw werkte, op de gang van de vakgroep Internationale Economie. Bomma vertelde me ook dat je niet happig bent om naar de politie te gaan, omdat ze het vertikken om je te woord te staan. Wel, ik vind dat dat gewoon te gek is om los te lopen. Als je dat wilt, dan ga ik. En als ze ook weigeren om mij te woord te staan, dan ga ik recht naar de Amerikaanse ambassade, want dit is gewoon krankzinnig. Ik heb ook geprobeerd om er met Heff-ke over te praten maar, om eerlijk te zijn, soms jaagt hij me echt de stuipen op het lijf, en hij is er ook heel goed in om onderwerpen waar hij niet over wil praten te omzeilen door eh, rare, eh, grappen te maken. Trouwens, denk jij dat Ver-drown-king om een of andere reden geïnteresseerd is in Bérénice? Die vraag blijft maar door mijn hoofd spoken, maar ik kom er niet uit... oh jee, Sjaan-Klote, are you alright? Je bent helemaal bleek geworden.'

Ze bewoog haar hoofd dicht naar het mijne toe. Ik schrok op en verzette mijn stoel, een beetje verder bij haar vandaan.

Ze kwam weer dichterbij. Ik verzette mijn stoel nog een beetje.

Plots begon Martha te huilen. Het duurde eventjes voor ik het doorhad, want ze huilde op een heel eigenaardige manier, met grote, langgerekte snikken. Ze kroop weer dichterbij – deze keer verraste het mij zo dat ik vergat om mijn stoel weer te verzetten – en ze omhelsde mijn borstkas. Op ditzelfde moment wandelde Elvira de keuken binnen. Ik gebruikte mijn clownachtige gelaat om haar een heel groot vraagteken toe te sturen.

Elvira keek naar Martha's gebogen rug en gebaarde naar mij: 'ze huilt', door eerst naar Martha te wijzen en daarna met haar vinger een vallende traan op haar eigen wang te tekenen.

Ik knikte en bleef zitten waar ik zat. Elvira liep op haar tenen de keuken weer uit.

Martha stond, nog nasnikkend, op, en ik volgde haar voorbeeld.

'Zeg alsjeblieft dat ik je niet bang heb gemaakt, Sjaan-Klote,' snotterde ze.

Ze wilde een grote stap achteruit nemen om een beter overzicht over mijn idiote gelaatstrekken te verkrijgen. Daarmee sleurde ze ons beiden naar beneden, in een spectaculaire val op de keukenvloer – valbewegingen waar ik deel van uitmaak, zijn meestal vrij spectaculair. Martha stootte haar hoofd hard tegen de tafel en ik brak mijn pols.

Bérénice had onze schoenveters weer aan elkaar geknoopt.

'Bérénice!' riep ik in de richting van de zitkamer, Martha voor een ogenblik dankbaar vergetend. 'Een beetje respect voor onze grijze haren, alsjeblieft! Wij oudere mannen zijn niet van staal gemaakt!'

Ze kwam hink-stap-springend op ons af, een glimlach op haar lippen, en knielde bij ons neer. Haar fijne vingers leefden zich liefjes uit in het ontwarren van onze knopen.

'Sjaan-Klote, kijk naar je hand!' riep Martha. 'Doet het pijn? Waar zijn de anderen? El-vai-rah? We moeten hem naar een ziekenhuis brengen!'

Bérénices hand rustte op mijn linkerdij. Ze keek op naar Martha, met wijze ogen, en streelde haar haar, troostend.

'Ik heb een visioen gehad, over een schilderij,' zou ik Elvira later vertellen.

'Welkeen?'

'Het schip der dwazen.'

'Soms helpt het als je tegen je wang slaat,' zei ze. 'Hard.'

Hoofdstuk 11

Vannacht schrijf ik vanuit een bunker. Martha is hopeloze rondjes om mij heen aan het lopen, jammerend dat wij gaan sterven. Ze beukte zojuist in vertwijfeling met haar hoofd tegen de betonnen muur. Toen zei ze: 'Auw.'

'Er is tenminste een van ons die kalm blijft,' zei ze tegen mij. Het is waar dat ik echte crisissen vrij goed schijn te verduren. Ik word blijkbaar slechts gevloerd door de ingebeelde.

'Ik wou dat ik jouw moed had,' zei Martha. 'Je moet wel een academicus in hart en nieren zijn om zelfs in tijden als deze nog te kunnen schrijven. Is dat hoe je verkozen hebt om je laatste uren op deze planeet door te brengen?'

Ik vertelde haar dat het het tweede beste ding was dat ik kon bedenken.

Ze vroeg mij niet wat in mijn opinie het allerbeste ding geweest zou zijn.

Mijn antwoord zou trouwens het eten van mijn moeders stoofpot zijn geweest, of anders de garnaalkroketten van De lustige Jeanette. Met een goed glas bier. En een glaasje van de speciale eigengemaakte likeur van Het hopeloze geval om het af te maken? Ik zou haar het voor de hand liggende antwoord bespaard hebben, want dat zou een beetje gênant geweest zijn, ik deel mijn gevangenschap in deze bunker tenslotte met drie vrouwen (Martha, Elvira en Bérénice) en omdat wij een beetje op elkaar zitten, is het beter om de normale regels der beleefdheid in acht te houden.

Er heeft inderdaad een verandering van locatie plaatsgegrepen. Hoe wij hier in deze oude bunker in de duinen opgesloten zijn geraakt, is trouwens nog een heel verhaal. Ik schrijf deze woorden neer op de half vergane, vergeelde pagina's van een oude Bijbel. Hoe wij werden opgesloten in die kerk waar ik in het bezit van deze Bijbel ben gekomen, is ook een vreemde historie. Laat mij bij het begin beginnen.

Ik was aanvankelijk opgelucht geweest te ontdekken dat Elvira en Jefke mij en mijn gebroken pols naar de dorpsdokter wilden brengen. Ik was er twee dagen geleden getuige van geweest dat zij ook enthousiaste doe-het-zelvers waren als het op gebroken ledematen aankwam, maar ik verkoos toch een behandeling die als verdoving meer inhield dan een slok whiskey en een stukje hout om op te bijten. De dorpsdokter bleek gelukkig zeer competent (Elvira en Martha vergezelden mij, Jefke wachtte met Bérénice in de auto, na ons verteld te hebben dat hij dokters zo veel mogelijk vermeed – een standpunt waar ik in kon komen). Een korte tijd later had ik mijn pols in het gips, met een draagverband over mijn schouder om alles op zijn plaats te houden. Toen wij de dokter verlieten, beefde ik nog steeds op mijn benen, na slechts ternauwernood een verscheidenheid aan pathetische angsten aangaande kleedhokjes en onderzoekstafels overleefd te hebben. Misschien dat Elvira daarom de volgende dag voorstelde:

'Hebben jullie geen goesting om allemaal naar 't strand te gaan? Een beetje zeelucht zal u goeddoen, professor. We kunnen de Abdullahs ook vragen, misschien willen ze ook mee.'

Ik kon niet snel genoeg ja zeggen. Niet omdat ik zo verzot ben op het strand, maar omdat ik ja zou hebben gezegd tegen alles wat de kansen om mijzelf in de nabije toekomst met Martha alleen in een kamer te vinden zou verkleinen. Op mijn leeftijd kent men zijn limieten en de arme vrouw verdiende werkelijk beter dan met hen geconfronteerd te worden.

Gelukkig was Martha erg ingenomen met het idee om naar het strand te gaan. Ze had de ochtend aan de telefoon doorgebracht, trachtend om studenten te overtuigen van de waarde van haar eerlijkheidscoëfficiënt en om een vriendin te bereiken die een kindermeisje in dienst had die weer een andere vriendin had die ooit op zeer intieme voet scheen te hebben gestaan met iemand die voor de Amerikaanse ambassade werkte, beide echter zonder resultaat. Blij met het idee van een kleine pauze stak ze zichzelf in haar enorme winterjas en vertelde ons dat ze de Belgische kust nog niet eerder had bezocht.

Ik nam mij voor haar enkele escargots aan te bieden. Dat zou haar zeker verblijden. Ik zou ervoor zorgen extra verse en caoutchoucerige voor haar te vinden, want ik twijfelde er geen seconde aan dat culinaire kenners als Amerikanen verzot zouden zijn op exotische gerechten zoals zeeslak.

Bomma besloot om op de boerderij te blijven om de schapen, de ezel en de honden 's avonds te kunnen voederen. De anderen – de big meegerekend – klauterden in Jefkes verdachte zwarte auto. Lamme zat voorin, naast Jefke. Ik was opgelucht toen Elvira zich tussen Martha en mij inwrong. Ik had Bérénice op schoot. Elvira de big op de hare.

Wij hadden de Abdullahs opgebeld, maar ze namen niet op – Elvira herinnerde zich toen dat Bashirah haar de avond voordien had opgebeld om te vertellen dat haar voetbalmatch zeer goed was verlopen en dat zij de volgende dag opnieuw als spits zou worden opgesteld. We veronderstelden dat de hele familie naar het voetbalveld was getrokken om voor haar te supporteren.

Ik bevind mij in constante verbazing over hoe miniem onze kustlijn is; hij schijnt werkelijk zelfs te klein te zijn voor België. Dat is nochtans niet de indruk die ik gekregen heb tijdens zomerse bezoeken aan het strand, als ik al die mensen zie samenhopen op het kleine strookje strand dat zij trots het hunne kunnen noemen. Het behoeft geen betoog dat ik volledig achter gelijke-rechten-bewegingen sta, maar ik moet toch toegeven dat ik even uit het lood was geslagen toen de wetgevende macht het nodig vond om een deel van het strand voor nudistische doeleinden af te bakenen. Deze beweging schijnt echter vrij succesvol te zijn geweest; ik veronderstel dat de beperkte bewegingsvrijheid op ons kleine strand daar voor iets tussen zit. Ik stel mij wel vragen bij dat *deel* van het strand. Welk deel precies? En hoe kan men zeker weten of men er toevallig al niet op is? In twijfel onthoudt u, zei mijn vader, en ik heb mij sindsdien niet meer op het strand gewaagd.

Op onze weg naar de kust reden wij door de kleine stad Damme. Martha was zeer onder de indruk van de oude middeleeuwse architectuur: 'Look how beautiful! Al die schattige kleine poppenhuisjes!'

Ze keek verliefd naar de rijen huisjes. Jan-Klaassen had wel een punt gehad waar het bakstenen aanging. Zelfs Amerikanen schenen er gevoelig voor te zijn.

'Als je Damme mooi vindt, dan laten we je later ook Brugge zien,' zei Elvira. 'Daar hebben ze ook zulke kleine huisjes. Ze zijn zelfs een beetje groter.'

'Great,' zei Martha.

Elvira richtte zich tot mij:

'Wist je dat Jefke uit Damme afkomstig is? Hij is hier geboren.'

Ik kan niet zeggen dat het mij verraste. Zijn zwoele accent daargelaten, had Jefkes bijzonder intieme gevoel voor humor mij reeds doen vermoeden dat hij diepgaande West-Vlaamse roots moest hebben.

Jammer dat het mij nu pas te binnen schiet dat de stad Damme inderdaad een lange traditie kent van het leven schenken aan roekeloze individuen, want dit is toch waar Tijl Uylenspiegel werd geboren, in de tijden van de Spaanse inquisitie als ik mij dat goed herinner van mijn vaders verhalen. Die arme Spanjaarden zullen zich natuurlijk ook totaal mispakt hebben aan de gevreesde toorn van de Vlaamse boer die er niet voor terugschrikt om de gegoede burgers, de bevelhebbers en waarschijnlijk iedereen die zichzelf al te serieus durft te nemen een intieme poets te bakken. Vreemd dat het mij niet eerder is opgevallen dat Tijl Uylenspiegel er, net als Jefke, een handje naar scheen te hebben om de regels te overtreden. In Uylenspiegels geval, dan wel zonder al te pijnlijke gevolgen – even het feit buiten beschouwing latend dat zijn vroedvrouw krankzinnig werd, zijn vader op de brandstapel kwam en zijn moeder stierf van verdriet. De gelijkenissen schijnen echter nog verder te gaan, want net als Jefke had Tijl Uylenspiegel ook een zeer toegewijde, en voor zover wij weten, trouwe vriendin.

Toen wij de kust naderden, ontwaarde Martha een grote oude kerk en sprak haar bewondering nogmaals uit:

'Just look! How beautiful! Hoe oud zou die al niet zijn?'

'Niet al te oud,' zei ik. 'Gewoon vroegmiddeleeuws, denk ik.'

Martha was niettegenstaande zeer onder de indruk.

'Stel je voor! Al die generaties mensen die daar ooit zijn binnengegaan.'

Elvira stelde voor:

'We kunnen wel eventjes binnen kijken als je dat wilt. We zijn nu niet ver van de kust meer en het duurt nog wel efkes voor 't donker is.'

Jefke parkeerde de auto en wij gingen de kerk binnen.

Een oude Bijbel lag in het midden van het gangpad. Ik raapte hem op en zocht naar een of ander kastje waar hij wellicht in thuishoorde. Maar toen Bérénice nieuwsgierig naar een van de grote schilderijen liep, duwde ik de Bijbel snel in mijn jaszak, zodat ik mijn handen vrij had om aan haar uit te leggen wat het tafereel voorstelde.

'Dit is het Laatste Oordeel,' vertelde ik haar. Ik gaf kneepjes in haar hand en maakte kleine hoofdbeweginkjes, telkens als ik haar van een ander deel van het enorme canvas opmerkzaam wilde maken.

'Ziedaar, Christus staat in het midden van het schilderij en steekt zijn rechterarm uit naar...'

(klein kneepje)

'... zie ginder, alle mensen die braaf zijn geweest, ze rijzen op uit hun graven en vliegen naar de hemel...'

(klein kneepje)

'... waar de engelen zijn. Die vliegende gevaartes met hun grote vleugels. En daar, aan de andere kant, onder de linkerhand van Christus...'

(groter kneepje)

'... alle mensen die stout zijn geweest, die gaan naar eh... hoe heet het ook al weer... de, eh... hel.'

Toen liet ik Bérénices hand los want ik vreesde dat ik haar vingers kneusde.

Daarna gebeurde er, behalve dan op dat moment waarop Martha zelf mijn hand probeerde vast te houden, niets al te bijzonders, tot op het ogenblik waarop wij merkten dat we werden opgesloten.

We hoorden de doffe klap van de grote deur die plotseling dichtsloeg. Toen hoorden we het gerinkel van sleutels die in een slot werden omgedraaid. Martha rende snel naar de deur toe en schreeuwde naar wie het ook was die aan de andere kant stond, maar ze was te laat.

'Ik heb voetstappen gehoord, nog steeds dichtbij,' zei ze terwijl ze naar ons terugrende. 'En ik heb luid genoeg geroepen. Wie ons ook heeft opgesloten, moet mij zeker gehoord hebben.'

'Misschien gewoon een of andere dorpspastoor die al een beetje doof is,' opperde Elvira.

'Hoe laat is het?' vroeg ik.

Wij hoorden boven onze hoofden de kerkklok zes uur slaan – het cijfer van de duivel, kan ik daar nu wel aan toevoegen.

'Wel, tot zover het mysterie,' zei Jefke die de big aan een leiband hield. 'Onze-Lieve-Heer zijn bezoekuren zijn voorbij! Als er iemand nog iets op te biechten heeft, zal hij moeten wachten tot morgen. En heeft hij nog een hele nacht om gratis bij te zondigen voor het zo laat is!'

Hij lachte, maar Martha vroeg zich af of het echt zo eenvoudig kon zijn.

'Hebben kerken echt zulke strikte openingsuren?'

'Vroeger niet,' zei ik. 'Maar ik veronderstel dat vandaag de dag zelfs het huis van God 's nachts goed afgesloten moet worden. Misschien zijn ze bang dat hij anders wordt leeggeroofd. Of dat waardevolle voorwerpen gewoon worden, eh...'

'Afgebroken,' vulde Elvira aan.

'Maar dan kijken ze toch wel zeker eerst even rond om er zeker van te zijn dat ze niemand insluiten,' raadde Martha. 'Bovendien heb ik heel hard geroepen. En ik heb voetstappen gehoord, heel dichtbij! Iemand heeft ons hier opgesloten. Opzettelijk.'

Hoofdstuk 12

We onderzochten alle ingangen, in de hoop om een of ander klein achterdeurtje te vinden dat wellicht nog steeds open was. Lamme en Jefke ontdekten enkele verborgen wijnvoorraden.

'Communiewijn,' vermoedde ik. 'Voor de eucharistie.'

'En als ge dat niet gelooft, maak ik u iets anders wijs,' zei Jefke vrolijk. ''t Zien er dure flessen uit en ze waren wreed goed verstopt.'

'En ze smaken subliem,' zei Lamme, die zich zelf al had bediend uit een gouden beker die zeker niet voor zulke clandestiene doeleinden was geschapen. Hij morste wat van de wijn op de zwarte marmeren tegels. Don Quixote likte het dankbaar op.

'We moeten hier zo snel mogelijk weg,' zei Martha, achterdochtig om zich heen spiedend. 'Ik vertrouw het niet. Met alles wat er deze laatste dagen al gebeurd is, kan dit onmogelijk toeval zijn.'

Wij zetten onze zoektocht naar een achterdeurtje dat we op onze eerste ronde misschien over het hoofd hadden gezien voort.

'In het allerergste geval,' zei ik, en wees omhoog naar de hoge glas-in-loodruiten, 'zouden we kunnen proberen om het glas te breken.'

'Ja, maar hoe geraken we daardoor naar buiten?' vroeg Martha. 'Ze zitten zo hoog. Dan zouden we een touw of zo moeten hebben. Damn, ik wou dat ik me toch maar had opgegeven voor die indoorsportklimlessen. Heeft er iemand van jullie ervaring met het beklimmen van stijle oppervlaktes?'

Ik was aan het wachten tot Jefke iets vulgairs zou zeggen,

maar hij was nog bezig een fles communiewijn leeg te drinken.

En toen, als bij wonder, vond Elvira een klein deurtje, goed
verborgen onder het tabernakel – in de buurt van de verstopte
wijnvoorraden. Een groot beeld van de Heilige Sint-Katha-
rina keek weifelend op ons neer. Ik was ook achterdochtig over
het kleine deurtje. Elvira en Lamme slaagden erin het open
te wrikken. Het deurtje gaf toegang tot een smalle, donkere
gang.

'Ben je er wel zeker van dat dat een veilig idee is?' vroeg ik.

Maar Martha was de donkere gang reeds ingestapt.

'Vooruit, geen tijd verspillen,' drong ze aan. 'Het kan niet
onveiliger zijn dan hier te blijven rondhangen in die spookachtige kerk. Ik vond hem leuker toen we hem veilig van buitenaf
bewonderden. Al die grote heiligenbeelden jagen me de stuipen
op het lijf. Vooruit, Sjaan-Klote, haast je. Lenny, Heff-ke, laat
die flessen met rust en kom hierheen.'

Elvira en het varken waren ook reeds door het verdachte
deurtje gegaan. Martha hield het voor mij open zodat ik kon
volgen met Bérénice. Lamme en Jefke kwamen ons achterna en
sleurden zoveel flessen mee als ze dragen konden. Ze drukten er
ook een paar in mijn handen.

'Voorzichtig, Sjaan-Klote,' zei Martha. 'Hou de deur voor
hen open, maar zorg ervoor dat je hem niet laat dichtvallen. Dat
slot ziet er maar roestig uit.'

Ik deed mijn best om de wijnflessen op mijn goede arm te
balanceren, terwijl ik de deur met mijn voet openhield. Toen
gleed ik uit op de tegels in de donkere gang.

Martha slaakte een korte gil.

De deur viel dicht.

We hebben hem niet meer opengekregen.

Bérénice, Elvira, Martha, het varken en ik waren nu van de
twee jongens gescheiden door het kleine doch vrij dikke deurtje.
We probeerden het weer open te wringen, maar het deurtje gaf
niet één milimeter toe. Aan de andere kant hoorden we Jefke en

Lamme roepen en trekken. Het kleine deurtje was zo dik dat we amper konden verstaan wat ze riepen.

'Het spijt mij waarlijk heel erg,' zei ik. 'Je had mij echt niet zoveel verantwoordelijkheid mogen geven op zo'n precair moment. Je weet toch dat mijn fysieke prestaties bij hoog gespannen verwachtingen altijd ver ondermaats zijn.'

Ik was voor een ogenblik vergeten dat Martha niet de eerste vrouwelijke student was, maar ze was het niettegenstaande onmiddellijk met mij eens.

'Waarom probeer je niet om meneer Abdullah te bereiken? Hij zou ons kunnen komen helpen. De Abdullahs zijn waarschijnlijk al weer thuis na Bashirahs voetbalmatch. Heb je je telefoontje nog bij je?' vroeg ik haar.

Ze vertelde me dat de batterij leeg was.

Elvira staakte haar pogingen om de deur open te wrikken.

'Ze zat niet op slot toen ik haar ontdekte, maar ze moet nu weer in het slot gevallen zijn,' zei ze. Ze riep naar de jongens: 'Sleutel! Probeer de sleutel te vinden!'

Martha kreunde toen ik per ongeluk op haar voet ging staan.

'Elke deur die gesloten kan worden, moet op de een of andere manier ook weer open kunnen,' meende Elvira. Als wetenschapper met veertig jaar ervaring deelde ik haar optimisme niet.

Er werd geen sleutel gevonden.

Uiteindelijk werd besloten dat wij naar het einde van de donkere gang moesten lopen. Als wij daar een uitgang vonden waardoor we konden ontsnappen, zouden we daarna terugkomen om de jongens te bevrijden.

De donkere gang scheen naar beneden te gaan. Ik gebruikte mijn aansteker om onze voetstappen wat te verlichten. ('Jefke heeft de mijne,' zei Elvira.)

'De gang is nu een soort tunnel geworden,' zei Martha. 'We moeten ver onder het straatniveau zijn. Ik vraag me af waar dit ons heen zal brengen.'

Ze was niet de enige. Ik greep Bérénices hand steviger vast.

We bleven doorlopen voor wat een eeuwigheid leek. Op Bérénice na moesten wij allen ons hoofd intrekken, Elvira incluis. We wandelden nu niet langer over tegels maar waadden door de modder. De muren van de tunnel waren niet langer uit steen opgetrokken. Houten palen ondersteunden het lage plafond.

'Het ziet eruit alsof het elke minuut kan instorten,' vreesde Martha.

'Het moet oud zijn,' hoopte Elvira. 'Als deze tunnel erin geslaagd is om al zo veel jaren niet in te zakken, kan hij nog wel een paar minuten wachten met instorten tot wij er door zijn.'

Maar dat kostte ons meer dan een paar minuten.

'Welke richting zouden we nu uitgaan?'

'Naar het strand toe, denk ik,' zei Elvira. 'Enfin, 'k zou er niet op durven zweren, oriëntatie en kaartlezen zijn nooit mijn beste kant geweest.'

Eindelijk kwam de tunnel uit op een grotere ruimte. Het was erg donker, maar wij konden de sterren boven ons zien. We stonden nu op vreemde tegels met dikke gleuven erin. We werden ingesloten door hoge muren met dezelfde tegels erop, behalve één muur die geheel uit ruw beton was opgetrokken.

'Wat is dit in godsnaam?' vroeg Martha.

'We zijn nog steeds veel lager dan het straatniveau,' zei Elvira. 'De tunnel ging niet terug naar boven. Maar we hebben een redelijke afstand afgelegd, we moeten tenminste aan de rand van het strand zijn aangekomen. Dit moet een of andere diepe put zijn.'

Ik probeerde mijn aansteker zo goed en zo kwaad als het ging te gebruiken om licht in de zaak te scheppen. Plotseling zag ik het.

'Kijk daar! Ik weet waar we zijn!'

'Waar? Wat?'

Ik probeerde mijn aansteker als een fakkel te gebruiken, wat niet simpel was, want het vlammetje was maar klein.

'Ik zweer dat ik daar een soort duikplank zag,' zei ik. 'We moeten ons in een zeer diep zwembad bevinden. Zonder water. Het is blijkbaar al heel lang niet meer gebruikt. Dit zwembad moet ooit bij de golfbaan gebouwd zijn, in de tijden dat rijke Engelsen nog vakantie kwamen houden op onze Belgische kusten.'

Dat is inderdaad al een hele tijd geleden.

'Het is wel erg diep voor een zwembad, vind je niet?' vroeg Martha zich af.

'Dit moet het diepste gedeelte zijn, dat ze ooit gebruikten om te duiken,' zei Elvira, 'en dat minder diepe gedeelte daar is nu opgevuld met beton.'

'Waarom zou iemand zoiets doen?'

Daar wist niemand een antwoord op.

'My God, het is hier zelfs nog spookachtiger dan in de kerk,' vond Martha. 'Hoe geraken we hier weer uit?'

Ik hield Bérénice en de wijnflessen tegen mijn borst aangedrukt.

'Wie zou de tunnel gebouwd hebben?' vroeg Elvira. 'Wie zou er in 's hemelsnaam ooit een tunnel van een oude Vlaamse kerk naar een vervallen Engels zwembad willen graven?'

Voor één keer wist ik het antwoord op een vraag die Elvira niet kon beantwoorden – mijn leeftijd verschafte mij voor de allereerste keer een klein beetje gezag over een onderwerp.

'Hij moet tijdens de oorlog gebouwd zijn,' zei ik. 'Ik had al eens over zulke tunnels gehoord, maar ik was er zelf nog nooit in een geweest. Ze werden gebouwd door het verzet, om een geheime doorgang naar de zee te krijgen. Om neergeschoten Engelse piloten te helpen ontsnappen. De Engelsen zijn altijd zeer goed voor ons geweest.'

'En bovendien bouwden ze enorm diepe zwembaden,' zei Martha. 'Laat ons op zoek gaan naar een manier om eruit te ontsnappen. Een laddertje of misschien een stuk muur dat minder stijl is zodat we naar boven kunnen klauteren.'

We vonden geen van die dingen. Wat we wel vonden was nog een verborgen deurtje. Martha was er opnieuw erg hoopvol over. Het deurtje kwam uit op een volgende ondergrondse tunnel.

'Als al deze tunnels gebouwd werden door het verzet, kunnen we er op vertrouwen dat ze ons in een goede richting zullen leiden. Volgens mij moeten we er in,' stelde ze voor.

Ik had er mijn bedenkingen over. Wat zou meneer Abdullah in deze situatie hebben gedaan, vroeg ik mij af. Elvira keek naar mij om te zien wat ik zou besluiten.

Uiteindelijk besloot ik helemaal niets en duwde Martha mij door het deurtje. Ik hield Bérénice nog steeds bij de hand. Elvira en het varken volgden mij schoorvoetend.

'Ik zou er maar niet op rekenen dat deze tunnel ons helemaal naar Engeland zal brengen,' zei ons plattelandsmeisje. 'Een tunnel onder de zee... dat zou nog een keer een stunt zijn!'

De tunnel leidde ons naar de donkere bunker (in het midden van de duinen) waar wij nu nog steeds in zitten.

'Ik begrijp er niets meer van,' zei Martha. 'Als al deze tunnels gegraven werden door het verzet, waarom zouden ze zich dan in godsnaam een weg hebben gegraven naar een Duitse bunker?'

'Je vergeet dat we het hier over het Bélgische verzet hebben,' zei ik.

'Zo krankzinnig kan niemand zijn,' zei Martha die geen ervaring had met Belgische oorlogvoering.

Ik kon het mij anders wel voorstellen. Twee plaatselijke verzetsstrijders die hun plan doornamen om een schoon tunneltje naar de zee te graven zodat ze de Engelse piloten voor etenstijd weg konden krijgen. Simpel als een hardgekookt eitje. En let op dat ge niet op een Duitse bunker stuit als ge weer bovenkomt. Haha. Kriekske?

Onnodig te zeggen dat de bunker heel goed was afgesloten. Wij zaten opnieuw gevangen. Niemand voelde er iets voor om terug te gaan naar het zwembad met het sinistere beton. Op dit ogenblik voelden wij ons zelfs vreemd beschermd in de bunker. Martha liet zich neervallen op een platte steen onder een van de schietgaten. Vanwaar ik zenuwachtig tegen de muur leunde, kon ik door Martha's schietgat drie en een halve ster ontwaren.

'Dit is ongelooflijk,' zei ze. 'Ik zweer dat er iemand achter ons aan zit. Dit is allemaal te veel om nog toeval te zijn. Holocaustontkennende buurmannen, aanvallen van skinheads, dansende duivels, dove Belgische pastoors, spookachtige Engelse zwembaden en nu dit: gevangenschap in een verlaten maar vreemd genoeg goed onderhouden Duitse bunker. Serieus, als ik niet beter wist, zou ik zeggen dat een van jullie ons in de val had gelokt.'

Op dat ogenblik bemerkte ze dat ze op iets hards zat en voelde in de zakken van haar enorme winterjas. Ze haalde er de enveloppen uit die maandagmorgen voor haar in de post waren gearriveerd.

'Was ik al helemaal vergeten. Kan ik er net zo goed nu even naar kijken,' zei ze. 'Als we inderdaad op het punt staan om te gaan sterven, maakt het toch niet veel meer uit hoe hoog mijn rekeningen zijn. Die kan ik dan toch niet meer betalen.'

Als ik in haar plaats geweest zou zijn, zou die kennis mij er juist van weerhouden hebben om de brieven te openen. Doch Martha heeft een zeer nieuwsgierige persoonlijkheid en ze begon de enveloppen één voor één open te maken. Ze kwam niet ver. Toen ze de vierde openscheurde, gaf ze een luide schreeuw.

Bérénice, Elvira, de big en ik liepen op haar toe om te zien wat er was gebeurd.

Martha hield een krantenknipsel in haar hand. Het had in een bruine envelop gezeten, aan haar geadresseerd. Geen afzender. De kop van het artikel was:

JONGE VLAAMSE NEONAZI'S: ONOPGELOSTE MOORDZAKEN
GEWELDDADIGE EXTREEM RECHTSTE STUDENTENVERENIGING NEEMT HEFT IN EIGEN HANDEN

Het artikel telde drie foto's. En Elvira stond op elk ervan.

Op de grootste foto stond een immense menigte jonge mensen afgebeeld die op studenten leken. Velen van hen waren kaal en sommige droegen getatoeëerde hakenkruizen en adelaars op hun armen. Ze juichten een lange jongeman met kort zwart haar, een zwart sikje, een brede borstkas en zeer gespierde armen toe. Hij stond vastberaden en hoog boven op een platform en schreeuwde iets. De foto was genomen op een moment waarop zijn mond wijdopen was geweest. Hij balde zijn vuist uitdagend naar de hemel. Naast hem op het platform stond, gekleed in haar gewoonlijke zwarte lederen jasje en in het geheel zeer herkenbaar, Elvira, met lichtelijk langere haren en haar arm in een verband.

Om eerlijk te zijn herinnerde die foto mij aan de studentenopstand in 1968; eenzelfde overweldigend aantal studenten drong zich samen op de kasseistraatjes van onze oude universiteitsstad. Alleen hadden ze in 1968 meer spandoeken en minder zwart leder gedragen. Ze hadden ook meer haar gehad.

Op de tweede, kleinere foto, zagen we Elvira en een ander meisje met donkerder haar, naast elkaar gezeten op het grasveld van een binnenplein. Ik herkende het Paus Adrianus VI College in Leuven. Onder deze foto stond geschreven:

De trouwe handlangers van de fascistische studentenleider Pedro: Elvira Ahmed en Stefanie Verdronken die omkwam in verdachte omstandigheden.

Op de derde foto stond de lange man met zijn zwarte sikje en zijn gespierde armen nogmaals afgebeeld. Aan zijn rechterzijde stond een lachend jong meisje: Elvira, opnieuw. De twee jonge mensen bestudeerden papieren die op een bureau lagen en leken zich niet van de camera bewust. De lange jongeman keek zeer ernstig. Hij wees met een pen naar iets op het papier. Zijn andere arm was door de camera gevangen in het midden van een beweging; hij was iets aan haar aan het uitleggen geweest.

Het artikel maakte gewag van de twijfelachtige zelfmoord gepleegd door de lange man genaamd Pedro, die blijkbaar een serie gewelddadige studentenopstanden had geleid in 2002, het jaar dat ik in China had doorgebracht in het kader van mijn gasthoogleraarschap. Het meisje met de donkere haren, Stefanie Verdronken, werd dood aangetroffen, *vlak naast mijn eigen faculteitsgebouw*, na, naar verluidt, van het dak te zijn afgeduwd. Haar dood had plaatsgevonden op de avond van *dezelfde* dag waarop

253

de Nederlandse extreem rechtse politicus Pim Fortuyn door een activist werd doodgeschoten. De studentenleider Pedro werd zes maanden later dood aangetroffen, na een val van een hoog gebouw te Brussel. Zijn verloofde en trouwe volgelinge, Elvira Ahmed, werd onmiddellijk na de feiten vermist.

Hoofdstuk 13

Elvira leunde tegen de koude betonnen muur, haar armen achter haar rug. Kleine dansende vlammetjes flikkerden in haar ogen.

De beschermengel die op een dag mysterieus in mijn kantoor was verschenen, wie was zij werkelijk?

Onze ontdekking van het krantenartikel had haar totaal niet van haar stuk gebracht. Haar hoofd was lichtjes voorovergebogen, maar haar ogen bestudeerden ons. Ik ving een van die kleine flikkerende vlammetjes op en wist – intuïtief, een ingeving; ze was onze reacties niet aan het meten, zoals een gewone sterveling dat gedaan zou hebben, nee: ze *las* mijn gedachten.

En ik was juist aan het denken dat Elvira degene was die had voorgesteld om naar het strand te gaan, degene die ons in de kerk had geleid, degene die de verborgen gang had ontdekt, degene die het laatst met de Abdullahs had gesproken voor ze verdwenen. Mijn verstand begreep dat Elvira gevaarlijker moest zijn dan welke andere mens die ik ooit had ontmoet. Maar mijn magere armen wilden haar aan mijn kippenborst drukken. Ik had nog nooit eerder een persoon ontmoet die beschuldigd werd van zonden die zelfs perverser waren dan die waar ik mij in het verleden mee geassocieerd heb gevoeld.

Geen wonder dat zij altijd zo vreemd gemakkelijk in de omgang is geweest. Ze heeft de wereld van de rede al lang geleden achter zich gelaten. Als wij inderdaad snel zullen sterven, kan het geen kwaad als ik toegeef dat ik haar op dat ogenblik mooier dan ooit vond.

Wat een vreemde gedachten schieten er door een mens heen als hij plots oog in oog met de dood staat.

Martha had de boodschap in die flikkerende vlammetjes nog niet ontwaard.

'Elvira Ahmed?' stamelde ze. 'Please tell us that isn't you.'

Haar lip trilde terwijl haar blik over het krantenartikel gleed.

'But it *is* you...'

Martha's hand fladderde boven het krantenknipsel, haar vingers aarzelden boven het woord 'moord'.

'Sjaan-Klote, wist jij hiervan?' fluisterde ze me toe. 'Die dode student werd pal naast jouw faculteit gevonden.'

'Het is ook een beetje de jouwe,' zei ik ruimdenkend. 'Je bent nu al langer dan een maand bij ons.'

'Ja,' zei Martha. Haar adem stokte, haar ogen waren nog steeds aan de woorden in het krantenknipsel vastgehaakt. 'Een maand. Thank God I wasn't around when all of this happened.'

Ik was zelf ook niet in het land geweest – ik had mij in China bevonden, een land dat ik trouwens op cultureel vlak nogal op het onze vond gelijken, in vele aspecten gaande van de omgang met autoriteitsfiguren (verward) tot de relatie met de culinaire geneugten des levens (passioneel). Maar ik dacht niet dat dit een goed moment was voor een uitgebreide discussie over de exacte smaak van de perfect gefrituurde bamboestengel.

'Iemand met een achternaam als Ahmed die zich aansluit bij een groep neonazi's,' mompelde Martha. Ze schudde haar rode krullen, niet begrijpend.

'En die terrorist, die leider, die Pedro, zeg ons alsjeblieft dat je nooit zijn verloofde bent geweest, of zijn handlanger... zeg alsjeblieft dat dat allemaal verzonnen is, en dat je ons niet...'

De tic nerveux vertrok Martha's lippen voor ze erin slaagde om haar zin af te maken:

'...verraden hebt.'

Hoofdstuk 14

'De man op die foto is inderdaad Pedro,' zei Elvira, met opgeheven kin, ons nu recht in de ogen kijkend, 'en het klopt dat ik zijn vriendin was toen die foto genomen werd, en het ben gebleven tot hij doodging, in november 2003, zoals dat artikel zegt.'

Ze liep langzaam op mij toe. Ik hield nog steeds Bérénices hand vast. Ze leek bang. Voor Elvira of voor de bunker... of voor beiden?

Nee, ik wist één ding: zelfs als Elvira ons kwaad zou doen, Bérénice zou ze nooit pijn kunnen doen. Elvira en Bérénice waren gelijk, op een raadselachtige, soms hartverscheurende maar betoverende manier gelijk, en wat er ook zou gebeuren, Elvira zou altijd voor Bérénice opkomen. Ze had het mij beloofd. En meneer Abdullah zou Elvira ook vertrouwen, zelfs als het hem zijn laatste ademtocht zou kosten, dat wist ik ook heel zeker.

Toen Elvira naast mij op de grond ging zitten, zaten Bérénice en ik ook neer, en ze begon te praten. Ze sprak traag maar duidelijk, koos haar woorden met zorg en richtte ze aan Martha, die zich weer op de platte steen onder haar schietgat had laten neervallen en zonder succes probeerde haar handen te doen stoppen met beven.

'You were also right about his politics,' vertelde Elvira haar. Ze diepte haar pakje sigaretten op, bood mij er een aan en stak er zelf een tussen haar lippen. Ik gaf haar een vuurtje.

'Maar ik heb tegen niemand gelogen. Jefke weet alles, en Lamme ook – ook al zijn zij waarschijnlijk de enigen.'

Ze dacht even na.

'Of in ieder geval de enigen die nog in leven zijn.'

Ik kon het niet helpen; ik was onder de indruk van de rustige en serene toon van Elvira's stem. Ze klonk niet eens alsof ze zich probeerde te verantwoorden. Maar die kalme stem deed ook het bloed in mijn aderen stollen: zij had het lang geleden afgeleerd om zich iets aan te trekken van welk menselijk oordeel dan ook.

'Het is een vreemd verhaal. Maar nu we hier toch zitten wil ik het wel vertellen, als iemand het horen wil.'

Ik slaagde erin om een van de flessen communiewijn open te maken met de kurkentrekker in mijn zakmes en bood Elvira een slok aan. Daarna nam ik zelf een flinke teug. Het was inderdaad zeer goede wijn. Martha bleek terug te zijn gevallen in haar eerdere gewoontes van onthouding, maar op Elvira scheen de wijn een inspirerend effect te hebben:

'Alle mensen zullen wel denken dat hun eigen verhaal uniek is, dat er niemand anders op aarde al heeft meegemaakt wat zij hebben meegemaakt. En ik ben er zeker van dat ze allemaal gelijk hebben, want ik denk hetzelfde over het mijne.'

Ik had al geraden dat Elvira's verhaal waarschijnlijk wel net iets unieker dan de norm zou blijken. Ik spoorde haar aan om nog een slok te nemen en ze begon te vertellen, in een mengelmoes van Engels doorspekt met Vlaamse, Franse of Duitse woorden als ze naar een uitdrukking zocht. Zoals ik al gevreesd had, was het een liefdesverhaal, even krankzinnig als het rijk waarin ze het beleefd had, de melange van talen waarin ze het ons vertelde, en de uren waarin wij er klappertandend naar moesten luisteren.

Deel III: Elvira

Hoofdstuk 1

'Ze zeggen dat sommige mannen er voor in de wieg gelegd zijn om leiders te worden, maar ik weet niet of dat waar is. Mensen kunnen toch alleen maar leiders worden als er andere mensen zijn die hen willen volgen?'

Elvira's gelaatsuitdrukking werd plots zachter en ik besefte dat ze, ook al zat ze nog steeds in de bunker naast ons, in werkelijkheid een ander land was binnengestapt, een land van het verleden, waar Martha en ik de vreemdelingen waren.

'Ik weet niet meer precies wanneer of van wie ik voor het eerst over Pedro gehoord heb, maar wel wanneer ik hem voor het eerst gezien heb. Tijdens een college. Hij was toen nog Habermats assistent, en hij had de les van hem overgenomen toen Habermat naar een congres was. Het was heel anders. We hoefden ook niets op te schrijven, zei hij, we moesten alleen luisteren, en hij zou vertellen. En vertellen kon hij. Hij hoefde de microfoon zelfs niet te gebruiken, hij had een diepe stem en iedereen was sowieso muisstil. Hij hield geen pauze en dat was ook niet nodig, niemand had er behoefte aan, zelfs over de saaiste formule kon hij vertellen alsof het een kostbaar geheim was dat hij aan jou persoonlijk verklapte. Het enige verschil tussen het eerste en het tweede uur was dat hij de mouwen van zijn hemd oprolde, af en toe eens tussen de rijen banken doorliep, en dan was iedereen nog stiller. We keken allemaal naar hem op. De geruchten gingen dat hij de briljantste student geweest was die onze faculteit ooit had gehad, vijf jaren op een rij grootste onderscheiding, zelfs voor wiskunde, en daarnaast had hij ook nog eens voltijds gewerkt om zijn studies zelf te betalen en voor hij zelfs maar afgestudeerd was, had hij al aanbiedingen gekregen in het buitenland, maar Habermat was sneller geweest en had hem een voorstel gedaan, voor echt onderzoekswerk, en toen was hij gebleven. En nu stond hij voor ons, legde de eerstejaars formules uit die voor hem zo gemakkelijk als één plus één moesten zijn, en leek het niet eens erg te vinden. In de laatste tien minuten ging hij op een van de banken van de voorste rij zitten, het meisje dat daar zat schoof haastig haar schrijfgerief aan kant en hij vroeg of we vragen hadden, en nam de tijd om hetzelfde probleem nog eens op een andere manier uit te leggen, alsof het weer nieuw was. Hij had een hebbelijkheidje, als iemand iets vroeg, keek hij altijd even naar beneden, de vingers van zijn rechterhand trokken aan een plukje haar dat over zijn voorhoofd viel, en als hij weer opkeek had hij een nieuwe manier bedacht om het aan ons uit te leggen.'

Elvira keek zelf naar beneden, haar rechterhand waarde even door de lucht, alsof ze het gebaar zou kopiëren, landde in plaats daarvan op de aansteker die naast haar lag.

'Eén keer, toen de les gedaan was en ik een van de laatsten was om mijn spullen in te pakken en me naar buiten te haasten – want daarna hadden we filosofie en dat was aan de andere kant van 't stad – botste ik tegen iemand op die nog voor de deuren op het binnenplein stond – statistiek was altijd in het Maria-Theresia College – en toen ik opkeek en zag wie het was waar ik tegenop gebotst was, ging ik bijna door de grond. Hij had juist een sigaret opgestoken, die door mij in een plas was gevallen, maar hij glimlachte, stak een nieuwe op en bood er mij ook een aan. Dat was mijn eerste sigaret. Hij vroeg me een paar dingen, en naar filosofie ben ik toen niet meer gegaan.

'De volgende keer hadden we weer les van Habermat, maar een paar weken later was Pedro er plots weer, met zijn opgestroopte mouwen, en ik vroeg me twee uur af of hij me zich nog herinnerde. Hij nam zijn verhaal weer op, alsof hij helemaal niet weg was geweest, liep tussen de rijen banken door, daagde ons uit om een fout te vinden in zijn redeneringen.'

Dat durf ik zelfs na veertig jaar hoogleraarschap nog niet. Het was mij wel duidelijk dat het hier om een man met bijzonder veel zelfvertrouwen ging. Het scheen haar echter niet te hebben afgeschrikt. Ik streelde Bérénices haar. Vrouwen kunnen werkelijk moediger zijn dan goed voor hen is – een probleem waar ik gelukkig van gevrijwaard ben gebleven.

'Habermat was veel weg en we zagen hem dus meer dan één keer terug. En telkens de les gedaan was, verliet ik het auditorium als laatste, en telkens stond hij daar op het binnenplein een van zijn Gitanes te roken en gaf hij me er ook een, en vroeg hij me het een en ander, over de vakken, maar na een tijdje ook over andere dingen, waar ik vandaan kwam, hoe ik hier terecht was gekomen, en ik had alleen maar verkeerde antwoorden, maar ik gaf ze, ik ben een goede actrice als ik er mijn tijd voor neem, maar tegen hem durfde ik niet te liegen.'

'Was he, eh, handsome?' vroeg Martha, die nog naar het krantenartikel in haar schoot had zitten turen en ondanks haar angst haar nieuwsgierigheid naar dit ene detail blijkbaar niet kon bedwingen.

Tot mijn verbazing schoot Elvira's blik bruusk van ons weg. Haar vingers trokken aan de uitgerafelde zoom van haar jeans.

'Yes,' zei ze toen, zo zacht dat we het bijna niet horen konden.

Ze leek haar verhaal even kwijt te zijn, stak nog een sigaret op. Ik weet normaal gezien nooit wat ik mensen moet vragen om ze aan het praten te krijgen, in de veronderstelling dat ik dat zelfs maar zou durven proberen, maar ik zweer dat ik deze keer een echte aan Jan-Klaassen-genialiteit grenzende inval had. Iets neutraals. En wat is neutraler dan een simpel getal?

'And you were eighteen years at the time?' vroeg ik dus.

'Seventeen. Dat was mijn eerste jaar in Leuven en alles was nog nieuw voor mij.'

Elvira's ogen werden weer zachter – ik kon haar bijna letterlijk zien terugvallen in het land van haar verleden.

'We woonden, wel hij woonde er en ik trok bij hem in, in zijn kamer in het Pauscollege. You'll know where that is, Martha, dat oude gebouw met het grote binnenplein, aan de andere kant van het park, je kunt het zien als je op het dakterras van de faculteit staat. Hij was er subregent.'

'Ik dacht dat het Pauscollege alleen voor jongens was?' vroeg ik.

'Klopt. Maar Pedro had overwicht en deed gewoon waar hij zin in had. De studenten waren trouwens allemaal straffe gasten die ongelooflijk veel dronken, niet echt mensen om over regels te zeuren, en de president was een geestelijke maar ook een zatlap, dus ook niet al te problematisch.'

Elvira blies rook uit.

'Ik weet dat dit als heiligschennis gaat klinken, zeker als je het dan ook nog eens optelt bij wat je over ons gelezen hebt in dat artikel, maar voor mij was die eerste tijd bij Pedro de hemel op aarde. Pure bliss. Hij kwam altijd voor me op, en hij wist alles over me en vond het niet erg. Je moet weten dat ik... hoe kan ik dat zeggen, mijn familie, wel, daarvoor, en op school en zo, waren de dingen niet altijd even eenvoudig geweest, want daar was ik altijd de enige buitenlander geweest, en in het begin sprak ik de taal nog niet, en zelfs toen ik hem wel geleerd had, sloten ze me nog steeds op in de vuilniscontainer. Ik heb nogal een paar uren in die vuilnisbak doorgebracht!' Ze moest erom lachen. 'Meer uur dan in klas denk ik soms, want de leerkrachten deden volgens mij dikwijls of ze het niet zagen. Alhoewel er op een dag wel een nieuw meisje op school was, Ratana, ook een buitenlander, ze was geadopteerd, en toen had ik gezelschap. Maar ze hield het niet lang uit, als je ergens bent waar je niet zijn wilt, moet je je verbeelden dat je ergens anders bent, maar dat kon Ratana niet, na een paar jaar is ze van een hoog flat-gebouw gesprongen. Ik ben wel naar haar begrafenis geweest, en haar vader, haar adoptievader bedoel ik, die arme man die natuurlijk goed hadden willen doen, vroeg me waarom ik nooit bij haar thuis was komen spelen, ze had het zo vaak gevraagd. Ik weet niet meer wat ik gezegd heb. Maar ik weet wel wat ik gedacht moet hebben: als ze ons hadden zien samenspannen, hadden ze het ons zeker nog moeilijker gemaakt. En ik was laf geweest.'

Ze schudde haar hoofd.

'Maar in Leuven was alles anders, daar kon ik mezelf opnieuw uitvinden, en de mensen waren makkelijker, hielden zich meer met hun eigen dingen bezig. Ik schaafde mijn accent bij, ik kopieerde hoe de andere meisjes praatten, zich gedroegen, ik verfde zelfs mijn haar. Pedro was de enige die raadde hoeveel moeite ik ervoor deed, en die het zelfs niet erg maar juist fantastisch vond. Elvira, jij bent een voorbeeld voor de anderen, hoeveel keer heeft hij dat wel niet gezegd. Wat ik deed stond voor hem gelijk aan integratie. Westernisation. Civilisation.'

'Op school was ik altijd wel een beetje jaloers geweest op andere kinderen die konden zeggen "oh mijn vader zegt dit," of "mijn vader zegt dat", het klonk gewoon zo fantastisch dat er een man was die altijd achter je stond, iemand die sterker en slimmer was en die richting gaf aan wat je deed, aan de toekomst. En nu had ik dat eindelijk ook: ik had Pedro.

'Hij hielp me met van alles, hij kon een hele nacht opblijven om me iets uit te leggen. Zie maar dat ik je er nooit op betrap dat je iets van buiten leert, zei hij altijd. Van buiten leren is voor papegaaien en communisten. En hij trok aan het plukje haar op zijn voorhoofd, en als hij weer opkeek, trok hij me op zijn schoot en had hij een andere manier bedacht om me een oefening uit te leggen. Alles was anders dan daarvoor, ik was niet langer alleen, en alles in Leuven was zo mooi en zo schoon, lichtjaren verwijderd van alles van daarvoor. Ik weet nog dat ik een keer op het gras op het binnenplein lag en dat ik naar boven keek door de takken van die mooie oude boom in het midden, en dat ik dacht: dit is hoe de hemel eruit moet zien.'

'And this is the same man who turned out to become a dangerous fascist leader?' vroeg Martha, niet begrijpend.

Elvira was even stil, krabde aan de korstjes op haar knie door het gat in haar jeans heen.

'Kadisha,' zei ze toen.

'Kadisha, meneer Abdullahs nichtje?' vroeg ik verbaasd.

'Ja. Op een dag was er een nieuw meisje in de les – dat was later, ik ging toen al lang niet veel meer naar de les, want Pedro had het toen heel druk met zijn doctoraat en ik nam veel van zijn werk over om hem tijd te geven om eraan te schrijven, maar als ik wel naar de les ging, zag ik haar altijd. Ze had een heel donkere huid. Ze droeg een hoofddoek. Ze zat altijd alleen. Anders dan de anderen, maar toch op een heel andere manier dan Ratana dat geweest was. Want ze lachte altijd. Ik vroeg me af waarom. Hoe kon ze zo anders zijn, altijd alleen zitten, en het niet erg vinden? Maar als ze mijn kant uitkeek, keek ik altijd snel weg, en in de pauze bleef ik ook uit haar buurt. Ik had geen zin in toestanden zoals op school; het leven was simpel en overzichtelijk en ik wilde het zo houden.'

Elvira's vingers trokken nerveus aan de bloedkorstjes op haar knie. Ze was toch een gewone sterveling, met haar eigen zwakheden, angsten, en spijt over dingen die ze nooit meer goed kon maken.

'Maar op een dag lachte Kadisha niet langer. Ik kon haar in het auditorium zien zitten, alleen, en netjes alles opschrijvend wat de prof zei, als een echt strebertje, net als voorheen, maar de glimlach was weg. Ik vroeg me weer af waarom. Zou er iets ergs gebeurd zijn of had ze simpelweg haar moed opgebruikt? Maar ik bemoeide me er niet mee. Weken gingen voorbij en ik dacht ieder voor zich. Maar één keer, toen de les gedaan was, struikelde er iemand op de trap voor mij, het was Kadisha, haar tas was ook gevallen, al haar blaadjes fladderden in het rond.'

Elvira's ogen glansden vastberaden.

'Merde, zo erg als op school kan het hier niet zijn, we zijn toch allemaal volwassenen, en ik rende naar haar toe, en ik hielp haar blaadjes oprapen, en ik hoorde mezelf vragen of ze vanmiddag al iets gegeten had, en die dag aten we samen bij haar op kot en we werden beste vriendinnen. Ze kon fantastisch goed koken, veel eten dat leek op dat van vroeger, op dat van toen ik nog thuis woonde bedoel ik, en het was zo tof om daar gewoon bij haar te zitten, bij iemand aan wie ik niets hoefde uit te leggen, en ik kwam er ook achter waarom ze er de laatste tijd zo weinig vrolijk had uitgezien: haar aanvraag voor een verblijfsvergunning was afgekeurd. Je wilt echt niet terug? vroeg ik. Oh, Elvira, het is geen kwestie van willen, zei ze. Daar is er niets. Geen internet. Geen kamer. Geen water. Maar ze bleef niet bij de pakken neerzitten, zei dat ze besloten had om van nu af aan haar moeders achternaam te gebruiken en gewoon te blijven en te hopen dat de bureaucratie haar zou vergeten. Ik zei dat mijn ouders vroeger hetzelfde hadden gedaan, en we lachten er samen om. Dat was hoe het was met Kadisha: één woord, één blik, en we begrepen elkaar precies, net of we zussen waren. Nu had ik alles! Pedro, en ook een echte vriendin, om mee te roddelen en onnozel mee te doen. Maar toen ik haar over Pedro vertelde, werd ze stil. Je moet oppassen, zei ze, ze zeggen dat hij niet van vreemdelingen houdt. Ik lachte erom en zei dat het precies omgekeerd was: hij was juist de vriendelijkste man die ik kende! Ik zei dat ze maar mee naar het Pauscollege moest komen om zichzelf te overtuigen, maar ze aarzelde. Toen ik die avond thuiskwam, vertelde ik Pedro over haar, alles, ook over de verblijfsvergunning en over hoe ze bang voor hem was geweest. Het was gewoon zo onnozel en ik had gedacht dat hij het ook wel heel grappig zou vinden. Maar hij lachte niet. Toch vond ik het niet echt vreemd; ik lachte dikwijls om grapjes die hij niet begreep, en omgekeerd, we hadden gewoon een ander soort humor. En toen zou ik nooit gedacht hebben...'

Elvira aarzelde.

'Je hebt ons nog steeds niet verteld over die... politieke vereniging van hem?' hielp Martha haar op weg.

Ze knikte traag.

'Het begon met lezingen die hij in zijn kamer op het College gaf. Over westerse democratieën en dat die helemaal teruggaan naar de Grieken en dat Europa zich zo gelukkig mag prijzen om het enige continent ter wereld te zijn waar politiek volledig losstaat van religie. En over hoe belangrijk het was dat we die cultuur in ere hielden. Er kwamen snel meer mensen naar luisteren. Spreken in het openbaar was iets wat hij goed kon en graag deed, net als lesgeven in het algemeen eigenlijk.'

Martha trok een wenkbrauw op.

Ik niet. Elke vorm van educatie is een vorm van indoctrinatie.

'Alhoewel het toch wel degelijk iets was wat hij zichzelf geleerd had, in het begin nog wat spielerei, maar niet iets wat vanzelf kwam, denk ik. Als hij niet lesgaf, of niet aan het spreken was, tegen een grote groep mensen bedoel ik, was hij heel anders. Heel stil, dikwijls op het timide af, en dat was de kant van hem die ik het liefste had. En dat is misschien ook wel waarom ik toch nog zo lang gebleven ben, of nee, dat is niet helemaal waar, eerder waarom ik zo stom was dat ik de dingen niet zag aankomen, omdat ik altijd dacht, die andere kant, die is er ook, zelfs als niemand het weet, ik weet het wel, ik weet hoe hij echt is. Maar nu denk ik, misschien kun je nooit echt weten hoe iemand 'echt' is, misschien gaat het daar niet om, maar eerder over wie ze worden, of wie ze willen zijn.'

Elvira schudde haar hoofd.

'Hij was aan het veranderen. Gewichtheffen, honderden push-ups elke morgen en elke avond, zijn haar werd korter, en dan hele nachten die lange vergaderingen, want de studenten die naar die speeches kwamen luisteren bleven vaak tot diep in de nacht doordiscussiëren, en ik had er een hekel aan, want in die tijd had ik zijn job voor Habermat zowat helemaal overgenomen, niet op papier natuurlijk, maar onofficieel, om hem tijd te geven aan zijn doctoraat te werken, en ook aan een manuscript dat een soort gepopulariseerde versie ervan zou worden – Habermat was zijn mentor natuurlijk. En ik klopte veel uren, ik maakte altijd lange dagen en als ik dan 's avonds thuiskwam, discussiëerden ze daar de hele nacht door en kon ik niet slapen, want het bed stond in dezelfde kamer – duplex, maar geen tussenmuren. En de volgende morgen moest ik weer vroeg op, want Habermat was een, wel, om het zacht uit te drukken, nogal veeleisende werkgever. Hij vond het helemaal niet erg om mij Pedro's werk te zien doen, hij vond alles goed zolang hij maar iemand had om rond te commanderen en al zijn eigen werk aan uit te besteden. Delegeren kon hij wel! Hij kon al iets delegeren voor het nog maar in een kilometer omtrek van zijn eigen bureau was beland. Examens verbeteren, duizenden grafieken maken, en ik was niet zo slim als Pedro dus het kostte mij sowieso al meer tijd, en dan nog al zijn afspraken regelen, zijn boodschappen doen, en voor zijn maîtresse zorgen, en...'

'Habermat has a *mistress?*' viel Martha haar in de rede. 'You must be joking!'

'I'm not,' zei Elvira. 'Een heel knap meiske om te zien trouwens. Wel een gekwelde ziel, want hij had nooit veel tijd voor haar. Ze woonde in een appartement dat hij voor haar huurde met geld uit zijn Europese-Commissiefonds, in de Vlamingenstraat, recht tegenover de achteringang van de faculteit – nog een voorbeeld van zijn efficiënte tijdsmanagement. Ondertussen werden Pedro's speeches steeds populairder, hij sprak nu niet meer tegen een groepje studenten in zijn kamer, maar tegen honderden tegelijk, samengeperst in het grote auditorium in het Maria-Theresia College. Als Pedro spreekt, gebeurt er altijd iets spectaculairs, zei Otto, zijn beste vriend, altijd, en hij had gelijk. En of je het nu met hem eens was of niet, in vergelijking met hem leken al onze andere professoren bejaarde zwakzinnigen.'

'Heb je ooit een van mijn lessen bijgewoond?' vroeg ik.

'I'm sorry? Oh nee, professor, u geeft alleen les in het laatste jaar en u was niet in Leuven toen ik in mijn laatste jaar zat.'

Een hele opluchting.

'Maar zijn verhaal was veranderd. Op een avond ging ik ook

naar het Maria-Theresia om te luisteren. Voordien had hij gezegd dat we onze cultuur in ere moesten houden. Nu schreeuwde hij dat we die moesten verdedigen! Verdedigen tegen wie, dacht ik. En als iemand een vraag stelde, was er geen plukje haar dat nog lang genoeg was om aan te trekken terwijl hij naar beneden keek om erover na te denken, hij wist alle antwoorden onmiddellijk, hij zei ze niet, hij schreeuwde ze, en ze juichten hem allemaal toe. Maar het allerergste was toen ik hoorde hoe hij allemaal kleine dingetjes die ik hem ooit eens had verteld over mijn familie toen we, ik bedoel, toen we elkaar nog maar net kenden, dingetjes die ik nog nooit aan iemand anders had verteld, en hij had ze in zijn speech verwerkt, en verdraaide mijn woorden om ze aan die menigte te vertellen en zijn gelijk te bewijzen! Dingetjes waarvan ik dacht, die zijn van mij, van mij en van hem want ik had ze zelf aan hem gegeven, maar op een moment dat, dat helemaal anders geweest was, waarin hij helemaal anders was geweest, wij alle twee, timide en, en van die dingetjes die je aan niemand vertelt behalve aan iemand die je... die had ik ooit aan zijn andere kant verteld, aan de kant die stil en lief was geweest, en nu gooide hij alles door elkaar, ik had wel door de grond kunnen zakken van schaamte, maar ik was ook boos. Hoe kun je, dacht ik, hoe kun je!'

'What did you do?' vroeg Martha ademloos.

'I thought he was an idiot of course, what did you think? We maakten ruzie, maar met discussiëren kwam je bij hem nergens, hij was zo goed in debatteren, en hoe meer je hem tegensprak, hoe meer hij overtuigd was dat hij gelijk had, en één keer rende ik gewoon naar boven en begon mijn koffer in te pakken, maar toen brak hij...'

Elvira zweeg plots. Ik wierp een blik op het artikel in Martha's schoot, op de foto van de lange man met zijn kwade ogen, zijn gespierde armen en zijn gemene vuist, en het meisje dat naast hem op het platform stond, haar arm in het gips. Niet het soort man met wie ik graag een meningsverschil zou hebben gehad.

'Nu ja, we maakten ruzie. Ik had gezegd dat ik weg zou gaan, maar hij wilde er niets van horen, alles liep door mekaar, dezelfde man die in het Maria-Theresia op het podium had staan schreeuwen, stond nu ook voor me in onze kamer, en achteraf zei hij, die Kadisha, die woont toch in de Diestsestraat, en ik wist wat hij bedoelde: ze is illegaal en ze kan maar beter opletten dat er niemand is die haar aangeeft, en dat was ook mijn fout, weeral, ik had het hem zelf verteld, en hij had alles met me kunnen doen, ik dacht dat ik het ergste al gezien had, maar achteraf bond ik toch in, want hij keek alsof, alsof hij alles kon, alsof de hele wereld wel zou doen wat hij wou, en ik dacht connard, die voldoening krijg je niet. Van dat punt af ben ik weer begonnen te acteren, want ik wilde wel weg, maar ik wist niet hoe, alhoewel, als ik heel eerlijk ben, denk ik dat er zelfs daarna nog momenten waren waarop ik dacht – ik was een idioot, de ene seconde dacht ik, dit is waanzin, je moet proberen weg te komen, en de volgende seconde dacht ik, dit gebeurt niet echt, hij is tijdelijk zijn verstand kwijt, morgen, volgende week verandert het misschien weer, en alles wat we deden, ik bedoel, waar we woonden, alle mensen die we kenden, alles hing aan elkaar, en ik wilde wel mijn diploma, maar hoe kon je iemand als hem in Leuven ontlopen waar iedereen iedereen kent. En ik wilde niet terug naar huis, het had me zoveel moeite gekost om er weg te komen, wat moest ik nu doen, teruggaan en zeggen oh, jullie hadden allemaal gelijk, studeren is niets voor mij, ik heb me helemaal vergist, ja, arrangeer maar een huwelijk voor me, ik zie het helemaal zitten? En ik was bang dat Kadisha door mij in de problemen zou komen, dat was helemaal mijn fout, en zolang ik niets beters kon bedenken, bleef ik, werk genoeg, en als ik braaf deed, was hij ook weer rustig, bijna als voordien, nee, nu ben ik niet eerlijk, eigenlijk helemaal als voordien, met het enige verschil dat ik nu alles anders zag. Elvira, jij bent een voorbeeld voor de anderen, ik denk dat hij het daarna zelfs nog weleens gezegd heeft, maar nu vond ik het geen compliment meer, nu moest ik me inhouden om niet te beginnen huilen of zijn kop hete koffie over hem uit te gieten.'

Bérénice zat stil naast mij, luisterend. Hoeveel begreep ze? Ik hoopte niet te veel. Of begreep ze beter dan Martha en ik samen waar Elvira het over had?

Martha huiverde.

'Hm... over die groep die hij leidde, vergaderen en naar speeches luisteren was niet het enige wat ze deden?' vroeg ze.

'Nee. Betogingen ook. Heel veel mensen die samenkwamen, eerst spraken ze dan af op de markt, gaf hij eerst een soort speech. Soms nam hij me er zelfs mee naar toe. Ja, die grote foto zal wel op een van die avonden genomen zijn. Iedereen wist ook over mij, hij was er trots op, ik was het levende bewijs dat ze niet racistisch waren, alleen tegen immigranten die weigeren zich aan te passen. Alleen tegen islam. Alhoewel de dingen daarna wel in een soort stroomversnelling kwamen, en toen riepen ze ook: "Vlaanderen voor de Vlamingen", "Eigen Volk Eerst", en "Blank Europa!" En dan dacht ik, hij is gewoon vergeten wie ik ben. Hij gedroeg zich er ook naar. Maar helemaal zeker weten deed ik het niet. Stefanie, ja, dat meisje dat naast mij zit op die kleinere foto, ze was helemaal gek van Pedro, een van zijn grootste fans, ze was er altijd bij, en soms zag ik haar naar me kijken, op die bepaalde manier van iemand die probeert erachter te komen waar je vandaan komt, en ze heeft er ook weleens iets over gezegd, en dan klonk het alsof hij er ook weleens over sprak, en dan dacht ik: hij is het toch niet vergeten. Eigenlijk denk ik dat hij in die tijd, net zoals voorheen, weer twee kanten had: een waarin ze alleen tegen vreemdelingen waren die weigeren zich aan te passen, en een andere waarin ze gewoon tegen iedereen waren die hier niet... thuishoort. Dat is zo moeilijk niet, die twee argumenten liggen toch al heel dicht bij mekaar. En zoals voordien, won die ene kant het op den duur weer van de andere. Want hij heeft ook wel zo'n, zo'n kruis en zo'n adelaar op zijn borst getatoeëerd gehad. Dat was helemaal op het laatst.'

'You still haven't told us much about that... manuscript he was writing?' vroeg Martha.

Elvira schudde haar hoofd.

'Hij hield er niet van als je het een manuscript noemde, je

moest manifesto zeggen. Op een avond toen hij laat thuis was, heb ik weleens geprobeerd om erin te lezen, maar ik... wel, er stonden veel moeilijke woorden in en... maar ik herkende wel zinnetjes die hij van Habermat had. Over achterstandsbuurten, en criminaliteit, dat koppelden ze allemaal aan ras, aan de mensen hun achtergrond bedoel ik, en aan religie en zo. Daar gaan de meeste van Habermats statistieken ook over.'

'En die... die grote betogingen en die massabijeenkomsten, daar ben jij dus ook naartoe geweest?' vroeg Martha.

'Sommige. Niet als ik het kon helpen. Het was altijd een enorm gedrang, en als ze iemand tegenkwamen wiens gezicht hen niet aanstond, gingen ze erachteraan. Dan probeerde ik altijd dicht bij Otto te blijven, die was iets rustiger. Met Otto kon ik eigenlijk wel goed overweg. Otto was veel jonger en ik heb altijd gedacht dat hij meer meedeed voor het avontuur dan voor de idealen, wat? Ja, hij moet ook op die grotere foto staan... eh... ja, daar, aan mijn linkerschouder, met dat kleine zwarte baardje leek hij altijd net Pedro's jongere en magerdere broer. En die oudere, kale man ernaast kennen jullie al, da's Boldewin, een vriend van Stefanies oom geloof ik. Maar toen was het leven al lang weer superingewikkeld geworden. En vol geheimen.'

'Wat voor soort geheimen?' vroeg Martha.

'Het illegale soort,' zei Elvira. 'Zo heb ik Jefke leren kennen natuurlijk.'

Hoofdstuk 2

'Kadisha had een brief ontvangen, van immigratie, we bestudeerden hem uren aan een stuk, het leek er niet op alsof iemand haar had aangegeven, het leek er echt op alsof de bureaucratie haar simpelweg had teruggevonden. Ze kreeg ook een telefoontje van de politie, ze moest vertrekken, er was zelfs al een datum, ze zouden haar komen halen om haar op het vliegtuig te zetten, ze was er doodsbang voor en ze wilde echt niet weg. Had ik maar een paspoort, zei ze, of het geld om er een te laten maken.'

Elvira schudde het hoofd. 'Dat geld hadden we niet, maar toen we eenmaal aan die mogelijkheid hadden durven denken, konden we het niet meer uit ons hoofd zetten. Het zou zoveel problemen oplossen, als Kadisha een paspoort had. Dan was zij veilig en kon ik ook bij Pedro weg. Een half jaar geleden had ik nog gedacht om gewoon mijn tijd uit te zitten, te wachten tot zij en ik allebei ons diploma hadden, en dan samen te verdwijnen, misschien naar Frankrijk, die taal spraken we al, en dan zou ze daar nog eens met immigratie kunnen proberen, nu wisten we al beter wanneer en hoe je moest liegen en dan hadden we elk in ieder geval al een diploma. Maar geloof me, als je elke nacht... wel, ik bedoel, als je gedwongen bent om samen te wonen met een man waar je een hekel aan hebt, dan wordt de vraag of je een diploma hebt of niet al snel bijzaak.'

Martha was wild aan het knikken.

'Dus vroegen we rond en uiteindelijk gaf iemand ons een telefoonnummer. Kadisha draaide het en maakte een afspraak. Hij klinkt maar raar, zei ze achteraf, hij lachte de hele tijd, ik kon er maar niet achter komen of hij nu probeerde om me een loer te draaien of niet. Dus beslisten we dat het het veiligste zou zijn als ik ging. Als hij politie, Vlaams Belanger, of beide zou blijken te zijn, zou hij geen been hebben om op te staan, want ik had een legaal paspoort. Ze had een afspraak gemaakt met hem in een café in Brussel en ik ging er in haar plaats naar toe.'

'Maar je zei toch dat jullie geen geld hadden?' vroeg Martha logisch.

'Nee, dus moest ik, eh... improviseren,' zei Elvira, met een plotse blos op haar wangen. Ik had haar nog nooit eerder zien blozen uit schaamte. Ik wist niet zeker welke soort improvisaties Elvira ten beste had gegeven, maar ik wist wel dat ik er dankbaar voor was, want ik voelde me verschrikkelijk verantwoordelijk ten aanzien van meneer Abdullahs nichtje en was opgelucht te horen dat toen zij in de problemen kwam, er tenminste iemand was geweest die niet had geaarzeld om te haren behoeve wat te improviseren. Als de details ervan echter Elvira beschaamd konden maken, wilde ik ze wel liever niet weten.

Jammer genoeg kon Martha zoals gewoonlijk haar nieuwsgierigheid niet onder controle houden:

'What kind of improvising?' vroeg ze kritisch. 'Hij zal het jullie wel niet op afbetaling hebben gegeven? Was het zo'n echte onderwereldfiguur? Zo'n echte smerige, ongure, louche, lugubere...'

'Wel, toen hij tegenover mij aan het tafeltje kwam zitten, wilde ik het liefste weer opstaan en zo snel mogelijk wegrennen,' gaf Elvira toe, 'ik was sowieso al op van de zenuwen, plus hij raadde ook nog een keer onmiddellijk dat ik Kadisha niet was, en ja hij zag er louche uit, en hij bleef de hele tijd maar verschrikkelijke grappen maken, maar ik was er nu, en ik dacht hij weet niet echt wie ik ben, dus ik vertelde hem voorzichtig toch een paar dingen over Kadisha's situatie, in het begin alleen maar algemeenheden en ik lette er goed op dat ik niet te veel zei, maar toen werd hij serieus en van de vragen die hij stelde, leek het wel of hij wist waar hij het over had. Hij zei dat het klonk alsof ze al in teveel dossiers stond, prutsen met bestaande papieren zou niet veel helpen, dat kon hij ook doen, maar hij raadde het niet aan, ze had eigenlijk een volledig nieuw paspoort nodig, en hij kon het voor haar maken. Ik zei dat we het geld er niet voor hadden en of we misschien niet een ander soort regeling konden treffen. Hij vroeg wat ik dan te bieden had. Dus gokte ik, en ik dronk mijn glas leeg en ik zette het terug op de tafel en ik zei dat ik met hem naar bed zou gaan. Als betaling.'

'Nee!' zei Martha, vol respect.

'Jawel,' zei Elvira. 'En hij lachte luid en beloofde dat hij me aan mijn woord zou houden en dronk erop.'

'En dat eh... had je ervoor over?' vroeg Martha, die er zelfs haar eigen penibele situatie in de bunker even door vergat.

Elvira haalde haar schouders op. 'Weet ik niet meer, ik weet alleen nog dat ik dat paspoort echt wilde hebben, en dat ik dacht laat hem eerst ja zeggen, en daarna zien we weer verder. Soms, als je in de miserie zit, is de enige manier om eruit te geraken eerst meer miserie te maken.'

Ik wist er alles van. Vooral over het erin zitten dan. Minder over het eruit geraken.

'En heb je dat dan gewoon, eh, gedaan?' vroeg Martha, jammer genoeg alweer ongelooflijk geïnteresseerd in alle details die ik zeker wilde overslaan.

'Wel, ik had al snel spijt, we hadden hem een fotootje van Kadisha gestuurd en het zou hem een paar weken kosten om het paspoort te maken, en die weken zweette ik water en bloed, het is één ding om verboden dingen te bedenken, maar toch nog een ander om ze ook echt te doen. Het zou ook een definitieve stap over de grens zijn. Ik bedoel, ik wist wel dat als Pedro er ooit achter kwam, het mijn beste dag niet zou zijn. Dan dacht ik, je bent gek, waar ben je mee bezig, het kan wel een halve gedraaide zijn, wie weet wat er met je gebeurt, hij kan je wel vermoorden, zo zag hij er alleszins ook uit, maar dan dacht ik weer, paspoort, Kadisha, vrijheid, en het enige wat je ervoor hoeft te doen is je ogen dichtdoen voor vijf minuten, tien minuten, een half uur maximum? Draag een rok dan gaat het sneller, vertel het nooit aan iemand, zeker aan Kadisha niet, en wat niemand weet is niet echt gebeurd. Toen kreeg Kadisha een telefoontje, het was klaar en ik kon het komen halen bij hem thuis, hij had speciaal naar mij gevraagd en ze zei je doet het toch, ze wist niet wat ze vroeg, maar ik dacht laat het haar niet weten, nooit weten, en er tenminste een van ons als maagd uit dit avontuur komen, en ik ging.

'Toen het uur van de waarheid aanbrak, schonk hij me een glas in en zei dat een dronken vrouw een engel in bed is, en dat ik niet moest denken dat ik iets kon proberen, vanavond rood, morgen dood, vang de dief en kap zijn hand eraf, vang de verrader en sla zijn kop eraf, en hij hief mijn rok een centimeter op met zijn houten been, sloeg er toen mee op mijn achterwerk, bulderde van het lachen, gaf mij het paspoort en zei dat ik niet bang moest zijn, hij gaf een rondje van de zaak. Ik heb het voor je gemaakt omdat je het nodig hebt, zei hij, ik ben geen advocaat, ik zit hier niet om de mensen een poot uit te draaien.'

'Jeff-ke! Dat was Jeff-ke!' riep Martha euforisch uit. 'Ik wist het! Ik wist het wel! I always thought that guy is into something illegal! Oh, and I was right, Sjaan-Klote!'

Ik had het al iets eerder geraden. Bij het louche uiterlijk en het West-Vlaamse gevoel voor humor, om precies te zijn.

Elvira knikte. 'Dus ik kwam er toch nog gemakkelijk van af. Bij hem, tenminste.'

'Inderdaad,' knikte Martha die er eerder ontgoocheld over klonk. Dat gold niet voor mij; mijn zakdoekvoorraad was weer serieus aan het opraken. Ik had zelfs vergeten om Bérénices oren met mijn handen te bedekken.

'En je hoefde er niet eens voor te...'

'... improviseren,' zei Elvira, met een wazige blik in haar ogen.

'En dat is Jeff-kes eh... beroep?' vroeg Martha. 'Paspoortver-valser? Een oplichter?'

'Ja,' zei Elvira, nog steeds met de wazige blik in haar ogen. 'Hij is er heel goed in.'

'Maar dat is niet hoe hij zijn been is kwijtgeraakt?' vroeg

Martha met afgrijzen. 'Ik bedoel, afgedraaid door een, eh, advocaat?'

Elvira lachte. 'Nee, dat denk ik niet. Dat moet je maar eens aan Lamme vragen. Hij kent Jefke het langst. Hij was ook degene die ons zijn telefoonnummer gaf. Maar, weet waar je aan begint met dat soort vragen, Martha, hij mist meer lichaamsdelen dan je al weet.'

'Werkelijk?' vroeg Martha met ontzag.

Toen hielden beide vrouwen abrupt hun mond, herinnerden zich waar ze waren. Er was niemand om iets aan te vragen. We zaten tussen koud beton waar zelfs geen driebenige Jefke iets tegen zou kunnen beginnen, en Martha en ik wisten nog steeds niet waarom.

'Vertel ons de rest snel,' zei ze tegen Elvira.

'Wel, ik had gelogen om een halve dag vrijaf te krijgen om naar Forêt te gaan en het paspoort op te halen,' vervolgde Elvira haar verhaal. 'En ik moest voorzichtig zijn, want ik wist dat Pedro woedend zou zijn als hij erachter kwam.'

'Van het feit dat we opgesloten zitten in deze bunker, neem ik aan dat er iets verkeerd ging en dat Pedro er toch achter kwam?' raadde Martha.

'Ja. Toen ik in Leuven terugkwam, was Kadisha verdwenen. Haar kamer was helemaal leeg, al haar spullen waren ook weg, alleen het bed stond er nog. Haar kotgenoten wisten niet wat er met haar gebeurd was. Ik panikeerde, ik wist niet meer wat ik moest doen. Uiteindelijk rende ik terug naar het Pauscollege en besloot om niets te doen zolang ik niet wist waar Kadisha was, maar ik wist niet waar ik het paspoort zolang kon verstoppen, zeker niet in mijn kantoor op de faculteit, want Habermat had de gewoonte om lukraak door alle schuiven te gaan als hij op zoek was naar kleingeld voor de automaat, en ik kende niet echt iemand anders die ik ermee durfde te vertrouwen, dus uiteindelijk verstopte ik het in onze kamer, in een gat in de muur, achter de ijskast, waar ik mijn geheime verzameling had.'

'Je geheime verzameling?'

'Oh, ik eh… ik bewaarde een paar dingetjes in dat gat.'

'Wat voor dingetjes?'

'Oh, gewoon kleine dingetjes… zoals boeken en eh… cola-blikjes,' zei Elvira, op een toon alsof dit het gedeelte van het verhaal was om het meest beschaamd over te zijn. 'Ik drink graag cola, maar Pedro zei altijd dat het imperialisme en Amerikaans massa-geproduceerd, eh, afval was, en daarom moest ik de blikjes soms snel kunnen verstoppen. Een klein muisje woonde ook in dat holletje – ik had hem Hugo Claus gedoopt, naar een bibliotheekboek waar ik nooit doorheen was geraakt, en ik voerde hem altijd druppels cola en kruimeltjes suikerwafel of suikerklontjes van in mijn koffie en zo. Dus ik deed het paspoort in mijn metalen pennendoosje, om er zeker van te zijn dat Hugo Claus er niet aan zou kunnen knagen, en ik verstopte het in zijn holletje.'

'Een muis genaamd Hugo Claus,' zei Martha hoofdschuddend. 'Okay, I'll go with that.'

Ze beet op haar lip: 'But when did Pedro find out about the passport?'

'Op dezelfde dag waarop Pim Fortuyn stierf.'

'Fortuyn?' vroeg Martha. 'De Nederlandse extreem rechtse politicus, right?'

Elvira knikte.

'Was dat die die ze hier een 'Jeannette' noemden?' vroeg Martha aan mij.

Ik knikte.

'En wat jij nu zegt, is dat er een verband is tussen jou, Kadisha's paspoort, de moord op Fortuyn en de dood van al die andere mensen?'

Elvira knikte opnieuw.

'Sjaan-Klote, are you alright?'

'Ik kan mijn vierde zakdoek niet vinden.'

'Hier, gebruik die van mij maar,' zei Elvira.

'Van welk gedeelte moest je deze keer huilen?' vroeg Martha met compassie.

'De rok en het houten been,' snotterde ik tussen twee snikken in. Het had mij getroffen, met vertraging.

'Probeer jezelf in te houden, Sjaan-Klote. We moeten proberen te ontdekken waarom we hier werden opgesloten, en, belangrijker nog, hoe we hier ooit weer uit kunnen ontsnappen. Right, El-vai-rah, nu ter zake, vertel ons hoe al die mensen zijn omgekomen. Het kan me al niet meer schelen of jij ze in een crime of passion vermoord hebt, maar we moeten het weten.'

De gevaarlijke kleine vlammetjes lichtten weer op in Elvira's ogen, mij herinnerend aan Bérénices ogen, die avond toen ze de scherf had opgepakt om mij tegen Martha te beschermen. Ik huiverde.

'Pedro was een grote fan van Fortuyn,' zei ze traag.

'Wat voor iemand was hij eigenlijk?' vroeg Martha, die zoals steeds de gevaarlijke vlammetjes te laat opmerkte.

'Een onnozelaar,' zei Elvira. 'Altijd een wreed groot gedacht van zichzelf. Meer dan twee voet langer dan ik, bijna zo groot als Pedro, en al even trots. Ik heb altijd gedacht dat hij een beetje verliefd was op Pedro. Ze konden heel goed met elkaar overweg – ze waren allebei zot van debatteren, en rationele argumenten, en de westerse beschaving, en al dat soort nonsens. Ze dachten allebei van zichzelf dat ze heel slim waren. We zijn ook bij hem thuis geweest, in Rotterdam. Zijn huis was net een museum. Habermat had die ontmoeting georganiseerd, en Pedro nam mij ook mee, als dankbaar voorbeeld van wat er gebeurt als arme immigrantenvrouwen van onderontwikkelde culturen deftig heropgevoed worden door ze een fatsoenlijke westerse opleiding te geven. Ik weet ook nog dat Fortuyn aan hem vroeg of we geen link met het Vlaams Belang of andere extreem rechtse partijen hadden, want dat was in het midden van de verkiezingen en hij moest natuurlijk oppassen met wie hij gezien werd, en Pedro zei nee, nee, natuurlijk niet, toen moest ik me bijna inhouden om niet te lachen, hij had zelfs die adelaar al op zijn borst staan, maar ja, tenzij je hem zou dwingen om zijn kleren uit te trekken, kon je dat niet zien.

'Maar ik gedroeg me, ik had Kadisha nog steeds niet terug-gevonden, ik wist niet wat er met haar gebeurd was, ik wist niet of ze nu veilig was of dat ik de dingen voor haar nog erger kon maken als ik Pedro nu verliet. Maar ik wist wel, al redelijk snel na Fortuyn te ontmoeten, dat hij zou sterven.'

'Je *wist...*?' vroeg Martha.

'Ja, telkens als hij tegen mij sprak... nu ja, dat is eigenlijk niet zo belangrijk. Ik heb ook weleens van hem gedroomd, zijn hoofd veranderde in een doodskop. Een skelet dat zijn dure driedelige kostuum droeg. Ratana zat naast hem, ze stal een van de vinger-kootjes uit zijn rechterhand en knaagde erop.'

'?'

'?'

'Als iemand als een skelet aan je verschijnt, betekent het meestal dat ze snel gaan sterven,' zei Elvira vaag, blijkbaar enkel verbaasd dat Martha en ik zo traag van begrip konden zijn.

Martha schoot mij een snelle angstige blik toe: is ze niet goed bij haar hoofd? Ik wist wel niet of ik de ideale persoon was om dat soort vragen aan te stellen. Wat ik echter wel wist, was dat de koten op het Pauscollege allesbehalve groot zijn. Als ik in zo'n piepklein kamertje enkele jaren had moeten doorbrengen in het spannende gezelschap van een gewichtheffende reus met een rijkswachtpostuur, zou dat mijn grenzen tussen werkelijkheid en waanbeeld wellicht ook wel enigszins opgerekt hebben. Ik zond Martha een besluiteloze blik terug.

Martha zuchtte en herpakte zich.

'Een interessante metafoor,' zei ze, 'maar in dit artikel staat wel dat Fortuyn gedood werd door een ouderwetse kogel, en niet door een spook met een culinaire voorkeur voor Jeanetterige politici. El-vai-rah, kun je ons alsjeblieft vertellen wat er *precies* gebeurd is op 6 mei 2002? In de normale wereld van oorzaak en gevolg, bedoel ik?'

Elvira stak nog een sigaret op, leunde met haar hoofd ach-terover tegen de koude muur. Ze ademde rook uit. Voor de eer-ste keer scheen ze bewust moeite te moeten doen om zich in het land van haar verleden terug te laten vallen. Er kroop een frons over haar gezicht: naar dit gedeelte had ze niet uitgekeken. Misschien is ze met zichzelf aan het overleggen, op dit eigenste moment aan het besluiten wat ze ons zal vertellen en wat ze achter zal houden, dacht ik. Maar toen ze eindelijk sprak, was haar stem weer luid en helder en ik wist dat ze ons alles zou vertellen, dat het jammer genoeg de brute werkelijkheid zou zijn, en dat ik net als zij ook eerder de voorkeur had gegeven aan iets anders. Niet zij, maar wij waren degenen die in de waagschaal werden gesteld. Uitgedaagd om te luisteren naar alles dat ze te zeggen had.

'On 6 May 2002 Pedro and I had a big fight. Hij zwoor bij God en alle heiligen bij elkaar dat hij me met zijn eigen handen zou vermoorden, zijn vriend professor Pim was dood, doodgeschoten door een vegetariër, van alle soorten extremisme die bestaan was het het vegetarisme dat hem uiteindelijk het loodje had doen leggen, maar ik was de enige die dat grappig vond, Pedro werd wit, hij raadde me aan om wat respect te tonen, want een groot man was gestorven, een grote weldoener, een genie! Hij werd zo boos, hij huilde bijna, hij stormde naar onze kamer, en toen, toen hij ontdekte dat zijn manifesto geruïneerd was, sloeg hij helemaal door.'

'Geruïneerd?' vroeg Martha.

'Ja. Iemand had ervan gegeten. Of toch in ieder geval aan geknabbeld.'

'Geknabbeld?' Martha kneep haar ogen tot spleetjes. 'Geknabbeld?'

'Ja. Hugo Claus.'

Martha sloeg zichzelf tegen het voorhoofd: 'Hugo Claus, de rat.'

'Muis,' zei Elvira. 'Hij was een muis.'

'En hij... vond het lekker?' vroeg Martha ongelovig.

'Ik denk het,' zei Elvira. 'Toen Pedro hem vond, lag hij alleszins nog steeds in het midden van de papiersnippers op zijn bureau, hij had alleen maar aan de randjes van een paar bladzijden van de eerste en de laatste hoofdstukken geknaagd, maar Pedro was razend, hij sloeg Hugo Claus van de tafel af, en plots was ik het allemaal zo beu, zo ongelooflijk spuugzat, de krankzinnigheid van alles, van een volwassen man die zelfs boos kon zijn op een muis, "Laat hem met rust, idioot!" riep ik. "Hij deed het niet expres! Voor hem is jouw manuscript gewoon een zooi papier!" en hij werd nog bozer: "Hoeveel keer moet ik je nog vertellen dat het een mani*festo* is?" en Hugo Claus vluchtte bang weg, koers zettend naar zijn holletje achter de ijskast, en Pedro rende achter hem aan, zwerend dat hij het hele nest zou uitroeien – Hugo Claus bleek een meisje te zijn en de moeder van een heel regiment kleine babymuisjes, maar ze zaten diep in de muur en Pedro kon niet bij ze, dus sloeg hij in plaats daarvan mijn colablikjes naar buiten, en dat was het moment waarop hij mijn pennendoosje met Kadisha's paspoort vond, en toen werd hij echt, echt heel boos, kwader dan ik hem ooit had gezien, hij noemde me een hoer, dat had hij nog nooit gedaan, en ik werd weer bang en ik dacht niet doen, hou je in, kalmeer hem, en ik herinnerde hem eraan dat er een tweede kopie van zijn manifesto in Habermats bureau lag, maar hij tierde dat die zooi papier, zoals ik het had durven noemen, het *origineel* was geweest, geschreven door zijn *eigen* hand, dat het in vijftig jaar tijd een museumstuk zou zijn geweest, dat duizenden kameraden hun krachten hadden verzameld, al maanden hadden zitten afwachten tot hij het klaar had, en hij had beloofd om het hun vanavond op de bijeenkomst te tonen, *vanavond!* en in zijn blinde woede begon hij zelfs pagina's van zijn eigen manifesto maar ook van Kadisha's paspoort te verscheuren, hij riep dat ik achterlijk was, iedereen wist het, en ik vergat alles, ik noemde hem Hitler, ik probeerde het paspoort af te pakken, hij werd nog bozer, en op het laatst stormde hij de kamer uit. Toen ik weer wakker werd, was het al donker buiten, en...'

'Wakker werd?' onderbrak Martha haar.

Elvira's blik gleed weer van ons weg, de hand die een seconde geleden nog gebarend door de lucht had gevlogen verstarde, en ik herinnerde me weer wat ze ons had verteld over Pedro's sterke armen en zijn vermoeiende hobby's.

'Ik rende naar Otto's kamer, samen renden we naar de faculteit, maar we waren te laat, in het licht van een straatlantaarn zagen we Pedro de muur onder Habermats raam opklimmen, hij trok zichzelf naar boven aan een touw, had waarschijnlijk iets zwaars aan dat touw vastgemaakt en het daarna naar boven gegooid, het glas gebroken en gehoopt dat het achter de radiator klem zou geraken, en mijn hart stond stil want ik kende Habermats kantoor goed, de radiator was oud. En Pedro woog zeker negentig kilo. Stefanie en Boldewin stonden beneden en keken naar Pedro die naar boven klom. Ze hielden het andere eind van het touw vast, alsof ze door het in hun handen te houden konden voorkomen dat hij zou vallen, de idioten.'

'Waarom was hij die muur aan het beklimmen?' vroeg ik.

'Om de andere kopie van het manifesto op tijd voor die massabijeenkomst uit Habermats kantoor te halen natuurlijk,' zei Martha.

Elvira sloot haar ogen.

'Habermats kantoor was op de vierde verdieping. Eén meter voordat Pedro Habermats raam bereikte, liet de radiator los. En Pedro viel.'

Ik realiseerde me dat ik mijn adem aan het inhouden was.

'Was hij dood?' vroeg Martha uiteindelijk.

'Nee. Maar Stefanie wel. Hij had zijn val op haar gebroken, ze lag midden in de scherven, haar lichaam had het kelderraam verbrijzeld toen ze neerstortte op het rooster dat eronder lag.'

Elvira haalde diep adem.

'Otto en ik renden naar hen toe, ik kon mezelf zien in Stefanies ogen, ze waren nog open, Pedro's benen lagen in een rare hoek onder hem, ik wilde zijn hoofd vasthouden, want zijn ogen waren ook nog open maar hij leefde nog, ik huilde, ik wilde huilen maar er was geen tijd voor want Boldewin werd helemaal gek, hij is dood! wacht tot de anderen dit horen, hij is voor hen gestorven, nee, hij is niet dood, kijk zijn ogen zijn open, doe iets,

Pedro zeg iets, stop hem, en hij keek naar boven en zei: vertel ze dat ik dood ben, en Boldewin werd gek als een duivel, wacht tot ze dit horen, we breken de hele stad af, en hij schreeuwde dat het allemaal mijn fout was, maar Otto stond aan mijn kant, hij kwam anders ook nooit goed met Boldewin overeen en die avond vocht hij met Boldewin, die boos op mij was, en... nu ja, achteraf renden Otto en ik naar het ziekenhuis om hulp te halen, we zeiden dat het een studentengrap en een ongeluk was en ze geloofden ons, maar toen Pedro uit de operatiezaal werd gereden, zeiden ze dat hij verlamd was, en zou blijven, heel zijn, van zijn middel af, ik bedoel, zijn hele onderlijf.'

'Gosh,' zei Martha na een tijdje. 'I bet he didn't take that very well.'

Elvira was hees, haar stem brak. Ze was lijkbleek.

'Zes maanden later gooide hij zichzelf van het blok in de Miniemenwijk in Brussel.' Een traan gleed over haar wang naar beneden.

We waren een tijdje stil.

'Wat gebeurde er met jou toen hij dood was?' vroeg Martha aan Elvira.

'Oh, ik was toen al lang niet meer aan de eh, unief, je veux dire, ik heb mijn eindexamens nooit gedaan.'

'Dat was niet echt wat ik bedoelde,' zei Martha.

'Ze staken me ergens,' zei Elvira, blijkbaar niet erg gebrand om erop in te gaan. Haar elleboog drukte tegen mijn arm terwijl ze de fles communiewijn aan haar lippen bracht en ik zag kans om nog een blik te werpen op het litteken op haar pols, merkte opnieuw de gelijkenissen op met de littekens op Bérénices polsen: smal in het midden en met kleine ronde groeven aan de zijkanten. Een gesticht of een bende skinheads? Ik zou op een veiliger moment weleens naar de verschillen informeren.

'Nu ja,' zei ze, 'Jefke kreeg me er weer uit.'

'Hoe?'

Ze haalde haar schouders op – '...hij zal wel een paar mensen omgekocht hebben...,' – probeerde een grappige grimas maar slaagde er niet in. 'Toen namen Lamme en hij me mee naar Forêt, en hij zorgde zo wat voor me, op zijn eigen, eh, manier, want in het begin was ik nog een beetje, eh, niet goed.'

'En daarna werd je verliefd op hem, uit dankbaarheid,' veronderstelde onze nog steeds te naïeve Martha.

Het deed Elvira lachen door haar tranen heen. Gosh, Martha, ik geloof niet dat het dankbaarheid was, dacht ik, mij de wazige blik herinnerend van toen ze ons vertelde over Jefkes improviseertalenten. Ik vroeg of ik het artikel nog eens kon zien en bestudeerde de grote man met zijn kwade ogen opnieuw. Het was waar wat Elvira had gezegd. Zeer klassieke gelaatstrekken. En ongelooflijk brede schouders. Maar hij was klaarblijkelijk niet erg goed geweest in improviseren.

'Het klinkt stom, maar in het begin was ik veel, veel banger van Jefke dan ik ooit van Pedro was geweest,' zei Elvira, plots weer timide. 'Je kon nooit echt voorspellen hoe hij ergens op zou reageren. Pedro kon laaiend boos worden, maar ik kon meestal wel voorzien wanneer. Jefke lacht op de gekste momenten, en met de onmogelijkste dingen, volslagen onberekenbaar. In het begin vond ik het oneindig veel griezeliger.'

Martha kon er goed inkomen. 'Maar je hebt sindsdien wel altijd bij Jeff-ke gewoond?' vroeg ze.

'Ja. Pedro's geest is me dikwijls komen bezoeken, in dromen bedoel ik, maar kort nadat ik op de boerderij ben gaan wonen, is hij gestopt met me lastig te vallen.'

Niet volledig onlogisch. Jefkes delicate gelaatstrekken en gevoelige humor zouden er zeker in slagen om zelfs het vasthoudendste spook te verjagen. Ik herinnerde mij de morgen toen ik Jefke en Elvira in mijn ouders' oude slaapkamer had zien liggen, vredig in slaap in mijn oude bed, en hoe Elvira had geslapen met haar neus tegen Jefkes bochel aangedrukt. Blijkbaar slagen sommige vrouwen erin om sommige mannen vrij passioneel te bejegenen, zelfs als die mannen toevallig een zeer afwijkend uiterlijk hebben, besloot ik. Ik vond het een vrij verfrissende gedachte, maar voor ik het wist was ik mij al een liefdesscène aan het inbeelden, met als hoofdrolspelers onder andere Jefke, Elvira, de bult en het houten been – gedachten die mij onmiddellijk met een ongelooflijk gênant schuldgevoel vervulden; bijna alsof ik had geprobeerd om mij mijn ouders in een vergelijkbare situatie voor te stellen. Ik denk dat Elvira had geraden waar ik aan aan het denken was, want ze gaf mij een knipoog en ik werd zo rood als een tomaat.

'Please focus, Sjaan-Klote,' zei Martha. 'Het verhaal is nog niet afgelopen. El-vai-rah, wat is er na Pedro's dood met zijn geschriften gebeurd?'

'Wel, ze hebben Habermat een schone promotie bezorgd. Hij schreef een artikel over ons, onder de titel *The Rise of Extremism in Western Europe: An in-depth Case Study into the Mind of Neo-Nazi Groups Today*, waarin hij gemakshalve vergeet om te vermelden dat hij Pedro's mentor was en dat hij die groep zelf hielp creëren en ondersteunen. Het is dat artikel dat hem dat schoon postje in Brussel bezorgd heeft,' zei Elvira. Ze had het beste voor het laatste bewaard:

'Hij weet wel niet dat ik de restanten van Pedro's originele manuscript heb. Die nacht toen Stefanie stierf, sloegen bij Boldewin de stoppen door en hij keerde onze kamer ondersteboven om het te vinden, maar Otto was hem al voor geweest. Twee jaar later stuurde hij me de restanten van het manifesto toe en de laatste maanden ben ik bezig geweest om te proberen alle puzzelstukjes weer bij elkaar te brengen en het hele document te restaureren. En je raad nooit wat ik ontdekt hebt...'

Deel IV: Jean-Claude

Hoofdstuk 1

Bérénice was op mijn schoot in slaap gevallen, mijn hand rustte op haar hoofd. De vloer van de bunker was ijskoud en ik wist dat mijn knieën stijf aan het worden waren, maar ik voelde er niets van. Mijn hart joeg door mijn borstkas.

'Pedro gebruikte veel van Verdronkens revisionistische gedachtegoed om zijn eigen argumenten te onderbouwen,' vertelde Elvira ons. 'Door in Pedro's manuscript te lezen, ben ik ook dingen over Sigrid Verdronkens experimenten te weten gekomen. Hij wil bewijzen dat de geschiedenis van de Tweede Wereldoorlog verdraaid werd door de hedendaagse geschiedkundigen en dat de raciale zuiveringen niet... wel, dat de kampen alleen maar werkkampen waren en niet bedoeld om... mensen te laten verdwijnen. De gaskamers in Auschwitz zijn blijkbaar verbazingwekkend goed bewaard gebleven. Sigrid Verdronken wil toestemming krijgen om zichzelf erin op te sluiten en om hetzelfde gas dat vroeger gebruikt werd – dat is allemaal opgetekend door historici – in de kamer te laten spuiten. Op die manier wil hij bewijzen dat wat wij zeggen dat er gebeurd is in de kampen, niet echt gebeurd is – door in leven te blijven, want dat is wat híj denkt dat er zal gebeuren. De toestemming voor die ultieme test heeft hij tot dusver nog niet gekregen en de Duitse overheid vind het al erg genoeg dat hij er zelfs maar om heeft durven te vragen. Maar ze kunnen hem niet veel doen, want hij is geen Duits onderdaan en zolang hij hier in België blijft is hij redelijk veilig. Hij heeft veel vrienden, politiekers die hij nog kent van vroeger, van zijn tijd bij het Vlaams Blok, en ook ex-rijkswachters, en de rest van de politie staat dus niet te springen om hem voor de voeten te lopen, die durven niet. Ondertussen is hij begonnen te zoeken naar andere manieren om te experimenteren. Met minder gas, en met echte mensen, ik bedoel, met mensen die niet hem zijn.'

Op dit ogenblik besloot Martha haar gelofte van onthouding opnieuw te verbreken en greep naar onze voorlaatste fles communiewijn.

'De precieze details weet ik er niet van,' vervolgde Elvira, 'want er ontbreken pagina's van Pedro's manuscript, ik heb ze niet allemaal kunnen recupereren. En zoals je je wel kunt voorstellen, is Verdronkens werk niet echt iets dat je in een bibliotheek kunt opzoeken. De enige andere persoon die ik kan bedenken die van dit soort dingen weet moet hebben, is Habermat, maar ik heb nog geen veilige manier kunnen vinden om in zijn bureau in te breken.'

'Weet je eigenlijk hoe het komt dat Sigrid Verdronken zo geïnteresseerd is in alles wat er in de Tweede Wereldoorlog is gebeurd?' vroeg ik.

'Een broer van hem stierf tijdens de oorlog, in een Amerikaans bombardement. Misschien is dat hoe hij de geallieerden is gaan haten. In Pedro's manuscript staat er een transcript van een gesprek tussen Sigrid Verdronken en iemand van een soort Amerikaanse vereniging. In dat gesprek beschuldigt Sigrid Verdronken de geallieerden ervan veel fouten te hebben gemaakt tijdens de oorlog, en die fouten later te hebben gecamoufleerd door de officiële geschiedenis te verdraaien. En bewijzen dat hij gelijk heeft, daar heeft hij zijn leven aan gewijd. Trouwens, als je kijkt naar de levensverhalen van de mensen die onze extreem rechtse partijen hebben opgericht, kun je zien dat veel van hen heel persoonlijke redenen hadden om de geallieerden te haten. Ze hadden dikwijls familie of vrienden die na de bevrijding – soms ten onrechte – beschuldigd werden van collaboratie en geëxecuteerd werden, veelal door hun eigen mensen. En zoals je weet, is er veel collaboratie geweest in Vlaanderen, waarschijnlijk meer dan in enig ander gedeelte van Europa. Al die arme Vlaamse mensen die gedurende eeuwen de meest fundamentele rechten waren ontnomen... toen de nazi's kwamen en hen zeiden dat ze een deel waren van de Germaanse cultuur, en hen voor de eerste keer privileges beloofden, hun eigen scholen, het recht om hun eigen taal te spreken... velen vielen ervoor, beseften niet dat ze eigenlijk opnieuw misbruikt werden. Maar uit de diepte van die vernederingen is later de kracht van het extreem rechts van vandaag gegroeid. En in België kunnen mensen met een politieke overtuiging zoals die van Pedro en Verdronken nog steeds verenigingen stichten en demonstraties organiseren – er is geen wet om het te verbieden, zoals er in Duitsland wel is, sinds de laatste oorlog.'

'Heb je Sigrid Verdronken ooit persoonlijk ontmoet?' vroeg ik.

'Ik denk dat ik hem één keer gezien heb. Van van achtereren. In de gang. Toen hij Pedro's kamer uitliep. Hij droeg een T-shirt met de link naar een website erop.'

'Ja, dat moet hem geweest zijn,' zei ik.

'Later heb ik van Otto gehoord dat hij in die tijd wel meer naar Leuven kwam. Hij bracht ook vrienden mee, ex-rijkswachters, zoals Boldewin. Ze waren zeer geïnteresseerd in Pedro's groep en in zijn manifesto. En blijkbaar is de... eh... academische waarde van Pedro's manuscript hoger dan Verdronkens originele werken. Verdronken is zelf geen al te goede schrijver, maar Pedro heeft aan de universiteit in Leuven gewerkt, hij was goed geoefend in de kunst van het argumenteren, in het schrijven van wetenschappelijke teksten met logisch onderbouwde redeneringen en al dat soort nonsens. Verdronken voelde zich geëerd dat een jongere man die meer... literair begaafd was, zijn werk gebruikte en verder ontwikkelde.'

Martha zette de fles communiewijn neer.

'Ik zal sterven als een negenendertig en een half jaar oude ongetrouwde vrouw,' concludeerde ze. Ze tuurde naar het krantenknipsel in haar schoot en zei: 'Nu begrijp ik alles.'

Ik wist niet zeker wat ze plotseling zo goed begreep, maar dat was misschien maar beter, want ze bleef maar zeggen:

'This is the end. This is the end.'

Ik ontkurkte onze laatste fles.

'Just to be clear,' zei Martha, 'dat Boldewin-geval, is dat degene die het nodig vond om ons zondagavond aan te vallen?'

Elvira knikte: 'In het dagelijkse leven is hij politieagent.'

'Wat een geruststelling,' zei Martha. 'En dat manuscript waar je het over had, is dat per toeval de zwik bruin papier verpakt in een plastic *Carrei-foer* zak, die onder het bed in jullie logeerkamer ligt waar ik gisterennacht – enorm slecht trouwens – geslapen heb?'

'Pedro zou het niet geestig vinden om je er op die manier over te horen spreken,' zei Elvira, 'maar: ja, dat is in wezen wat het is.'

'Crazy,' zei Martha tegen Elvira. 'Absoluut, volslagen en compleet gestoord. Sorry, de situatie, bedoel ik... geen wonder dat die skinheads jouw bloed wel kunnen drinken. In hun ogen ben jij natuurlijk degene die Pedro verraden en vermoord heeft.'

Martha wees naar de kleinere foto in het artikel.

'En die Stefanie, dat moet een nichtje of zo van Verdronken zijn. Ze geven jou waarschijnlijk ook de schuld van haar dood.' Martha had zich in één nacht tijd de perfecte uitspraak van het tongbrekende woord eigen gemaakt. In tijden van crisis zijn mensen werkelijk tot het uitzonderlijke in staat.

'Wist je dat Verdronken haar achternaam was?'

'Nee,' zei Elvira. 'Als ik dat geweten had, denk ik niet dat ik ooit bij u thuis over de vloer zou hebben durven komen, professor, zelfs niet op die avonden waarop u zeker wist dat Sigrid

Verdronken niet thuis was. Wat is de publicatiedatum op dat artikel?'

Wij schaarden ons rond Martha en zagen dat het artikel de datum droeg van dinsdag 22 november, feestdag van de Heilige Caecilia, maagd en martelares. Vandaag!

'Hoe is dat mogelijk?' vroeg ik. 'De envelop heeft toch sinds maandag in jouw jaszak gezeten?'

Die maandagmorgen toen ik mijn hoofd stootte tegen het Vlaams-Blokplakkaat dat plotseling in mijn voortuin was verrezen, zal ik niet licht vergeten.

'Dit moet een drukproef van het echte artikel zijn,' zei Martha. 'Kijk, de randen zijn te breed om in een echte krant te worden geplaatst. Dit papier is volgens mij ook ietsjes dikker dan normaal krantenpapier, en de achterkant is blanco. Hij moet iemand kennen die bij deze krant werkt. Verdronken, bedoel ik. Hij moet mij dit artikel toegestuurd hebben. Om mij een waarschuwing te geven? Or to make me change my mind about you guys? I don't know...' Martha was even stil. 'Maar ik wed dat Sigrid Verdronken er heel wat voor over zou hebben om dat manifesto in handen te krijgen, als hij wist dat jij het had,' voegde ze er toen aan toe.

Elvira knikte: 'Het is Pedro's erfenis.'

'Als het waar is dat Pedro voor die mensen een soort messias was, dan moet dat manifesto voor hen een soort... Bijbel zijn,' zei Martha, met één oog op de oude Bijbel die nog steeds in mijn schoot lag, naast de slapende Bérénice. 'Geen wonder dat ze zo woedend op jou zijn omdat je het vernield hebt.'

Martha stond op en begon nerveuze cirkeltjes door de bunker te lopen, onderwijl gesofisticeerde intepretaties van onze situatie afwisselend met korte uitbarstingen van hysterie:

'Ongelooflijk... Pedro's oude volgelingen moeten je hebben opgespoord... ik weet niet hoe, maar ze hebben een master-criminal-mind-soort van manier bedacht om ons hier allemaal op te sluiten, en nu zitten we hier, te wachten tot we vermoord worden op een afgrijselijke manier die... nee, ik mag er zelfs niet aan denken... oh, als die muis maar niet aan zijn manifesto had geknaagd!'

'Dat was mijn fout,' zei Elvira, 'op een avond toen Pedro laat thuiskwam had ik geprobeerd om er, zonder dat hij het wist, in te lezen. En ik had getracht mezelf moed in te drinken, maar ik stootte mijn kriekflesje om en ook een blikje cola dat ernaast had gestaan. Ze verweekten – en zoetten – een paar pagina's. Pedro heeft het nooit gemerkt, maar Hugo Claus wel – dat was een echte zoetekauw.'

Ze zuchtte. 'Mijn handen waren vettig. Ik was nog maar net frietjes gaan eten – bij Fonske in het Muntstraatje. Bent u weleens in die frituur geweest, professor? Daar hebben ze de allerbeste frietjes van Leuven.'

Dit is wat er gebeurt als mensen zich al te goed assimileren in de Belgische cultuur.

'Ik weiger het te geloven!' kreet Martha. 'We're all going to die, because of pink beer!'

Gebrouwen met krieken afkomstig van mijn geboortestad.

'En ook een beetje door Amerikaanse coca-cola,' zei Elvira. 'Zit daar echt zoveel suiker in als ze zeggen?'

'Ja!' luidde Martha's wanhoopskreet. 'Dat is de reden waarom ik het nooit drink! Kruidenthee is veel gezonder!'

'Dames, dames, alsjeblieft! Laten wij het hoofd koel houden, ik ben ervan overtuigd dat het hier slechts om een ongelukkig doch volledig accidenteel ongelukje ging,' probeerde ik te scheidsrechteren, als groot kenner van het onderwerp der onhandigheid.

Martha hield halt.

'Elvira, je... je hebt ons nu echt alles verteld, right?'

'Ik zweer dat ik hier niets van weet,' zei Elvira, wijzend naar de muren van de bunker. 'Voor zover ik weet, zijn we hier beland door dove pastoors, zatte verzetsstrijders, diepe Engelse zwembaden en heel veel toeval.'

'Maar dit is echt te veel toeval,' zuchtte Martha. 'Ik weet dat jij ons hier niet ingelokt hebt, ik vroeg me gewoon af of je in dat onmogelijke verhaal van je niet een of ander verband over het hoofd gezien hebt.'

Ik kon er inkomen. Wie ons ook naar Damme gevolgd moest zijn om ons in de kerk op te sluiten, zou waarschijnlijk niets geweten hebben over de geheime tunnel en... misschien waren wij drieën slechts toevallig aan een groter gevaar ontsnapt. Maar omwille van Elvira sprak ik mijn gedachten niet uit – Jefke en Lamme waren nog steeds in de kerk geweest toen wij die verlieten.

'Ik weet dat dit heel wreed gaat klinken, maar misschien moeten we ons op het ergste voorbereiden,' zei Martha. 'Stel dat die deur daar nu opengaat en Verdronken of Boldewin of een van hun griezelige vrienden komt binnenwandelen. Ik bedoel, wat doen we dan?'

Ik huiverde.

Elvira zei niets, maar de kleine vlammetjes smeulden nog steeds in haar ogen. Net als Bérénice had ze de dagen van onderwerping al lang achter zich gelaten. En ik wist dat ze, net als Bérénice, dodelijk roekeloos zou zijn en nergens voor terug zou deinzen.

'Wat ik nog steeds niet begrijp is: waarom wil je dat manifesto zo graag restaureren?' vroeg Martha. 'Het heeft je niets dan ongeluk gebracht.'

Elvira schudde haar hoofd.

'Pedro's ideeën leven voort, of ik ze nu publiceer of niet. Maar als het me wel lukt om ze te publiceren kunnen veel meer mensen ze lezen.'

'?'

'Als er iemand is die zijn gedachten kan reconstrueren, dan ben ik het, en... oh Martha, herinner je je niet meer wat ik Pedro genoemd heb, die avond toen Fortuyn stierf? Je kunt nooit, nooit iemand zo noemen, en hopen dat je er niet voor gestraft zal worden. Hij heeft veel verkeerd gedaan, maar, kriekenbier niet meegerekend, ik ook, dingen die ik nooit meer kan goedmaken, ik kan het verleden niet veranderen, maar als ik de toekomst niet probeer te veranderen, dan... dan kan ik net zo goed een koord pakken en me eraan ophangen, want dat is net als zeggen dat niemand ooit ergens iets van leert. En ik weet dat als je Pedro's argumenten van dichtbij hoort, dat je dan kunt kiezen om ze niet te geloven. Misschien is het beter om te weten wat hij dacht en om zijn ideeën te lachen, omdat je ziet hoe belachelijk ze zijn, beter dan om te doen alsof ze niet bestaan omdat je bang bent hoe gevaarlijk ze zouden kunnen zijn.'

'Maar dat soort ideeën is méér dan gevaarlijk,' riep Martha. 'Ze zijn onmenselijk! Mensen die er dat soort ideeën op na houden zijn geen mensen maar monsters, en die zijn het niet waard om gehoord te worden.'

Elvira twijfelde.

'Misschien werkt dat in Amerika, Martha, ik ben er nooit geweest en ik ken dat land niet. Maar hier... ik weet niet. Mensen als Verdronken uitsluiten heeft het Vlaams Blok, en later het Vlaams Belang, juist zo sterk en populair in de verkiezingen gemaakt.'

'Als wij een echte democratie willen,' twijfelde ik, 'zullen wij misschien moeten beginnen met naar alle meningen te luisteren.'

'Ja,' zuchtte Martha, 'maar is dat ook niet het begin van de Tweede Wereldoorlog geweest?'

'Dat, in combinatie met hoe onmenselijk wij de Duitsers en de collaborateurs na de Eerste Wereldoorlog hebben behandeld,' zei Elvira, 'en ze geen keus te laten zich niet te willen wreken.'

'Soms betreurt een mens het dat hij vroeger in de geschiedenisles niet wat beter had opgelet,' zuchtte Martha.

'Of dat hij zelfs niet eens in klas was,' lachte Elvira.

'Ik geef mijn ouders er niet de schuld van, ik bedoel, ik zeg niet dat ik de voordelen van home-schooling niet inzie. Ik zeg alleen dat ik graag de keus had gehad!'

Ik had haar eerder horen uitwijden over het feit dat zij als kind nooit naar school was gegaan – haar ouders en enkele privéleraren hadden haar onderwijs volledig zelf ter hand genomen. Blijkbaar een trend in het Amerikaanse opvoedingsland-schap. Het onderwerp scheen haar altijd nogal opgewonden te maken.

'Dames, dames, alsjeblieft, laten wij het hoofd proberen koel te houden,' herhaalde ik dus maar.

'Ze konden het waarschijnlijk niet laten om te proberen je te beschermen tegen de buitenwereld,' raadde Elvira. 'Ze moeten het goed bedoeld hebben.'

Daar moest Martha even over nadenken.

'Ja, misschien wel,' zei ze toen traag, alsof die mogelijkheid nu pas voor de eerste keer bij haar was opgekomen.

'Zou ik, in de veronderstelling dat we erin slagen om te ont-snappen en weer thuis te geraken, de pagina's van het manifesto die je al hebt hersteld eens mogen doorlezen?' vroeg ik Elvira.

'Tuurlijk.'

'Ik zou het ook graag lezen, als iemand het voor me kan ver-talen,' zei Martha. 'Ik ben er nog steeds op tegen om het te publi-ceren, maar ik ben wel nieuwsgierig om... oh, my God! Ik dacht er juist aan dat... oh... eh nee, laat maar.'

Ik wist waar ze aan dacht: wie ons ook in de kerk had opge-sloten, wist waarschijnlijk niets over de geheime tunnel die wij hadden ontdekt: misschien waren we maar net op tijd weggeko-men. En ik wist ook waarom ze nu zweeg. Ik probeerde beelden van een vluchtende Jefke, mankend op zijn houten been, uit mijn gedachten te bannen. Ik kon het hem op zijn sterfbed al horen zeggen: 't lopen is voor de zotten niet gemaakt. Hopelijk raadde Elvira onze gedachten deze keer niet, ze zou zeker terug naar de tunnel willen gaan, en dit was er het moment niet naar om roe-keloos te zijn. We wisten nog steeds niet zeker door wie, of *wat* wij precies belaagd werden.

'Mag ik nog een beetje?' vroeg Martha mij.

Ik gaf onze laatste fles communiewijn aan haar door.

Ik vond een pen in het borstzakje van mijn hemd en was blij per toeval de oude Bijbel te hebben gestolen. Nu kon ik de vergeelde pagina's gebruiken om Elvira's verhaal op te schrijven. Gelukkig was er genoeg maanlicht om bij te kunnen schrijven. Ik schreef vele uren lang, terwijl de drie vrouwen in slaap sukkelden. Martha gebruikte haar enorme winterjas als deken, de grote platte steen diende haar als een hard kussen. Negenendertig jaar en een half, dacht ik, want als ik er de kans toe krijg ben ik af en toe vrij goed in het onthouden van cijfers. Zij is nog steeds een jonge vrouw. Ik kon het me makkelijker inbeelden nu ze sliep: ze geleek veel meer op een meisje. Elvira sliep zittende. Ik herinnerde me hoe ze me eens had verteld dat ze ook staande had leren slapen, in de tijd toen ze nog voor professor Habermat werkte. Ik herinnerde me hoe ze liggende geslapen had, naast Jefke, in het bed in mijn ouders' oude slaapkamer. Vijfentwintig jaar, dacht ik. Bérénice rustte met haar hoofd kalm op mijn schoot, één handje naar de hemel geopend, zoals altijd als ze slaapt. Ze heeft naast mij geslapen, met haar hoofd op mijn borst, elke nacht sinds die nacht van het onweer.

'Kom hier, Bérénice, maar wees voorzichtig, ik ben een oude man. Ah, wat zouden de mensen er niet van denken als ze ons hier zo zagen liggen?' heb ik elke nacht gemompeld, als ze in bed klimt en naar mij opkijkt om te zien of ik haar zal toestaan naar mij toe te kruipen.

Elke nacht opnieuw heb ik zeer goed geslapen, mij geëerd gevoeld omdat er iemand is die nu ongestoorde dromen kan dromen, dankzij mij. Zes jaar oud.

De muren van de bunker zagen er in het maanlicht feeëriek uit. Een klein beetje mist drong binnen door de schietgaten. Wat een kostbaar moment, dacht ik. Hier zat ik, nog steeds ademend, omringd door mijn drie vrouwen, alle drie in slaap, alle drie even mysterieus, doch gelukkig ook even ongevaarlijk zolang ze nog sliepen. Ik kende enkele kleine flarden van de mysteries die elk van hen omhulden, en ik voelde mij hier absurd gelukkig om. Welk een eer om te beseffen dat deze drie buitengewone vrouwen er voor hadden gekozen om mij in vertrouwen te nemen. Zelfs de slapende big had een aan de poëzie grenzende diepgang verworven. Hij sliep op zijn rug, met zijn vier poten schaamteloos in de lucht, in een vrij compromitterende houding indien hij een mens zou zijn geweest.

Elvira leunde nog steeds tegen de muur en tegen mijn linkerschouder. Haar knieën waren gebogen, haar voeten dicht bij de mijne. Ik kon de zool van haar schoen zien. Er zat een gat in. Ze droeg twee verschillende soorten kousen, de ene langer en zwart, de andere korter en vuilwit met afgewassen kleine grijze konijntjes met blauwe halsbandjes op de rand. Ze loerden naar mij van onder de afgerafelde zoom van haar jeans. Om een of andere reden maakten ze mij buitenproportioneel sentimenteel. Wat een prachtig moment, dacht ik, ik moet ervoor zorgen dat ik het mij later nog kan herinneren. En ik schreef verder, zo snel als ik kon.

Martha verloor bij het wakker worden iets van haar engelachtige aanblik. Het was het krieken van de dag. Ze keek de bunker rond en zei:

'Fuck, we're still in here. Jean-Claude, je hebt die verstrooide blik weer in je ogen. Oh my God, ik heb koppijn, niet normaal meer. Had ik maar een aspirine. Of een degelijke kop koffie. Nooit gedacht dat ik de rij bij Starbucks ooit nog eens zou missen.'

Ik besloot om te onthouden haar, als zij in een iets veiliger humeur was, te vragen wat Starbucks was. Waarschijnlijk een soort plaatselijke apotheek in New York waar zij woont.

'Zelfs een klein glaasje water zou me al een wereld van goed doen,' bedacht Martha. 'Wie zou ooit gedacht hebben dat uitgerekend communiewijn je zo'n hoofdpijn zou bezorgen. Als we hier nog langer moeten blijven, sterven we hoe dan ook allemaal aan dehydratie.'

Elvira en Bérénice werden ook wakker.

'Alhoewel we misschien niet direct van de honger zouden omkomen,' voorspelde Martha, met een schuinse blik op de snurkende Don Quixote die ooit haar ondergoed had ontvreemd.

'Hoe bedoel je?' vroeg Elvira.

'Hij is een varken,' legde Martha uit. 'Hij is voorbestemd om op een dag opgegeten te worden.'

'Het is onmogelijk om iets op te eten dat je twee jaar aan een stuk elke dag gevoederd hebt,' zuchtte Elvira.

Ik weerhield mij van commentaar. Het is wel waar dat de Europese Unie recentelijk enige problemen met haar landbouwplanning heeft ondervonden. Ik nam een kleine pauze van het schrijven en stond op om nog één keer door de schietgaten naar buiten te loeren.

'Elvira, kun je mij tegen de wang slaan?' vroeg ik.

'Waarom?'

'Auw! Dank je, ik wou er gewoon zeker van zijn dat ik niet aan het dromen ben. Zie ginds, Jefke, Lamme en meneer Abdullah!'

Ze waren op het strand en renden in onze richting. We zouden later horen hoe Jefke en Lamme erin waren geslaagd om uit de kerk te ontsnappen toen de oude – en inderdaad dove – dorpspastoor terug was gekomen voor zijn geheime wijncollectie onder het altaar. Ze hadden samen de hele nacht naar ons gezocht, tot ze uiteindelijk in een van de cafés aan de haven op een oude visser stuitten. De oude visser had hen verteld over de tunnel naar het strand en had zich bij de zoekexpeditie aangesloten nadat de mannen meneer Abdullah hadden opgebeld om hem te vragen ook te komen en zijn gereedschap mee te brengen. Ze hadden samen de weg gezocht naar het Engelse zwembad en later naar de duinen, in de hoop de bunker terug te vinden.

We hoorden hamerslagen tegen de buitenkant van de deur van onze bunker – Lamme en meneer Abdullah probeerden haar open te wrikken. Jefke knielde in het zand en stak zijn hand door het schietgat boven onze hoofden.

Bérénice rende ernaartoe, ik tilde haar op en ze greep een van zijn drie vingers.

'Je bent ons komen redden,' kreet Martha euforisch. 'I honestly thought we would die in here!'

'Zelfs al is haar graf reeds wagenwijd open, een vrouw moet altijd blijven hopen,' riep Jefke naar beneden.

Een tweede hand reikte door het schietgat naar omlaag. Er zat een microfoon in.

'De pers,' zei Martha. 'Ze hebben lucht gekregen van Elvira en Verdronken en het extremisme en de neonazi's en de vermeende moordzaken.'

Het ging inderdaad om een cameraploeg, maar zij waren helemaal niet geïnteresseerd in ons. Ze waren geïnteresseerd in Martha, een echte Amerikaanse vrouw die vakantie vierde aan de Belgische kust.

Meneer Abdullah nam een kleine pauze van zijn pogingen om de deur te forceren. Hij stak zijn hoofd door het schietgat, naast de hand met de microfoon.

'Ik kwam weer vast te zitten in de file op de ring rond Brussel,' verklaarde hij. 'Ik stond letterlijk anderhalf uur naast hun camionette stil. Het is niet mogelijk om anderhalf uur naast een andere man te staan zonder tenminste enkele beleefde woorden der menselijke conversatie met hem te wisselen.'

'Met meer dan één man blijkbaar,' zei ik, wijzend naar de andere voeten die boven onze hoofden in het zand stonden.

'Toen zij over de Amerikaanse vrouw hoorden, stond de volledige ploeg erop om mij te volgen. Ze hebben een wanhopige behoefte aan een hoogtepunt voor het nieuws van zeven uur, na vernomen te hebben dat de opening van het eerste celebrity-frietkot tot morgen zal worden uitgesteld.'

'Wat is uw eerste indruk van onze prachtige stranden op deze mooie herfstdag?' vroeg de hand met de microfoon aan Martha.

'Shitty,' zei ze. Gelukkig verstond hij het als 'pretty'. Een andere jounalist knielde direct neer in het zand en krabbelde het enthousiast neer.

De deur brak open en Lamme en een hoop zand vielen naar binnen. Wij strompelden naar buiten.

'Wat is uw Amerikaanse opinie over naaktstranden?' vroeg een derde reporter aan Martha.

'Wel, op dit moment ben ik niet in de stemming om erop in te gaan,' zei ze.

Ik hoopte dat wij ons er niet al op bevonden – sinds de introductie van het naaktstrand is mijn oriëntatie van de kuststrook er niet op vooruitgegaan. Ik constateerde enkele dranghekken in de verte – een slecht voorteken. Gelukkig was het te koud om de reglementen van eventuele afgebakende gedeeltes al te strikt na te leven.

'Toen da 'k ik nog een klein manneke was,' begon de oude visser hoopvol, wijzend naar zijn broekriem, 'hadden wij er absoluut geen probleem mee om...'

Hij werd de mond gesnoerd door de oude pastoor die een bezorgde indruk maakte. De journalisten zetten hun interview met Martha voort:

'Bent u een celebrietie?'

'Waarom niet?'

'Komt u echt uit New York?'

'Kent u Paris Hilkrot?

'Wat is uw lievelingsprogramma?'

'Actually,' zei Martha, 'heb ik geen televisie. Daar is mijn appartement te klein voor.'

Daar waren ze enkele seconden sprakeloos van. Terwijl de journalisten nieuwe vragen voor Martha bedachten, richtte ik mijn aandacht op Jefke die op één been wankelend Elvira in zijn armen opving. Ze verborg haar gezicht in zijn zwarte haren.

'Schreemt maar, joenkske. Wie geen traan kan laten, verdrinkt vanbinnen,' troostte Jefke haar. 'Hei, meiske, ge weet toch dat ik altijd achter u zal komen.'

Ze zei iets terug maar ik kon het niet verstaan. Wij stonden te ver weg.

'Wuk?' Jefke had het ook niet verstaan. Bérénices wijze handje trok mij in hun richting.

'Gij moet altijd blijven leven,' hoorde ik Elvira fluisteren. 'Ik wil nooit sterven.'

Ik had half verwacht dat Jefke het verzoek zou pareren met

een van zijn vreemde spreekwoorden. Maar hij zei gewoon: 'Als dat hetgene is dat ge wilt, dan is dat wat we zullen doen,' alsof onsterfelijkheid geen onmogelijkheid was maar iets wat hij al een tijdje in een van zijn keukenkastjes had rondslingeren, in afwachting om het aan haar te geven wanneer ze er belangstelling voor toonde.

De journalisten waren nog steeds volop aan het interviewen.

'En u bent een oude visser die nu in een havencafé werkt als garnalenpeller? Kunt u ons vertellen wat, in uw capaciteit als oud visserijbediende die nu in de garnalenpellerij tewerkgesteld is, uw mening is over de grote toename van het aantal Amerikaanse toeristen die onze kusten bezoeken?'

'Wel, 'k zinne 'k ik vroeher visscher heweest maar nu werke 'k ik in De Geile Geirnoar als geirnoar, garnaal.... pardon, wat was de vraag?'

'Wat is uw mening over het Amerikaanse toerisme?'

'Er is er geen. 't Zijn allemaal Belhische geirnoals, hier gevangen en opgevist, aan de kust van Zeebruhhe. Soms een beetje verder, naar Blankenberhe toe. Maar die zijn zo goed niet. Toen da 'k ik nog een klein manneke was...'

'Ja, dank u, dank u. Goed, en u bent een oude dorpspastoor in een kleine parochie niet ver gelegen van het prachtige stadje Damme, parel van ons Vlaamse landschap, en woonachtig in de prachtige oude abdij die recentelijk is uitgeroepen tot cultureel erfgoed?'

'De provocatie! Ik verdedig mij ten stelligste tegen deze accusaties! Ik heb absoluut geen idee hoe die wijnflessen onder mijn altaar terechtgekomen zijn. Vervloekte misdienaars! Ik wil hier herhalen dat ik niets maar dan ook niets afweet over wat voor wijnflessen dan ook, en zeker niets over flessen Château-neuf-du-pape. Vandalisme!'

'Ja, maar... heeft u ook een mening over de toename van het aantal Amerikaanse toeristen die mogelijk zelfs geïnteresseerd zouden kunnen zijn in een bezoek aan de abdij waar u woont?'

'Vandalen, mijn zoon! Vandalen, zoveel is zeker. Diefstal is een zonde, dat mogen wij niet vergeten. En mag ik er even op wijzen dat dat zeer duidelijk staat opgeschreven in de tien geboden?'

Desondanks duwde ik de oude Bijbel toch dieper in mijn broekzak – ik wilde Elvira's verhaal niet verliezen.

De cameraploeg stelde een opname van Martha voor, genomen op de dijk terwijl zij uitkeek over het strand, met haar blik op de zee gericht. Zij, Bérénice en ik begonnen door het zand te ploeteren, gevolgd door de anderen. Martha huppelde dartel om mij heen, trok aan mijn arm, kuste mijn wang, en schreeuwde in mijn oor:

'We zijn vrij, Jean-Claude! Je kunt zoveel paars bier drinken als je wilt! En we hebben een fantastisch verhaal te vertellen! Geesten, dromen, visioenen, de vreemdste toevalligheden!'

Dit gebeurde allemaal enkele weken geleden. Het kostte mij redelijk veel tijd om het allemaal neer te schrijven. Maar zelfs nu nog, als ik eraan denk over hoe wij allen op het strand liepen, voel ik de neiging om toe te geven aan enkele gevoelens van sentimentele aard.

Bérénice, Martha, de reporters en ik hadden de dijk het eerste bereikt. Bérénice maakte een van de strikjes van haar vlechtjes los, gooide het in de lucht, keek toe hoe de wind ermee speelde, met wijze ogen die mij opnieuw naar Elvira's zakdoek deden grijpen. Beneden op het strand ploeterden de oude visser en de oude dorpspastoor door het zand naar ons toe. Jefke en Elvira volgden hen, Jefkes verminkte hand rustte op Elvira's schouder, Lamme liep naast hen. De wind blies door hun haren en ze keken naar beneden om geen zand in hun ogen te krijgen. Zij drieën herinnerden mij aan de personages in de oude legende van Tijl Uylenspiegel. Een lachende meneer Abdullah haalde hen in, zijn lange mantel wapperend in de wind. Ze waren de geest, het hart, de maag en de glimlach van ons wonderschone, ongelooflijke, en onwaarschijnlijk kleine land.

Hoofdstuk 2

We gingen allen terug naar de boerderij. Bomma had een briefje voor ons achtergelaten op de keukentafel, zeggende dat zij een ritje was gaan maken op de rug van Tillie, de ezel.

'Wij praatten lang aan de telefoon,' vertelde meneer Abdullah mij. 'Bomma en ik hadden een uiterst interessant gesprek over borstvoeding. Wist ge dat het vroeger toegelaten was in verscheidene openbare plaatsen, zelfs in de leraarskamer van uw eigen universiteitsdepartement?'

'Hoe is het afgelopen met Bashirahs voetbalmatch?' vroeg ik. 'Is ze erin geslaagd om te scoren?'

'Oh, ja, ze scoorde twee goals in elke match,' zei meneer Abdullah trots.

We verzamelden ons in de keuken, maar Elvira liet ons alleen en legde zich neer op de bevlekte fauteuil in de zitkamer. Bérénice en ik volgden haar. Elvira zag een beetje bleek. Ze begon haar polsen te wrijven.

'Jefke,' zei ik, 'misschien moet je eens naar Elvira komen zien.'

Hij stak zijn hoofd door het deurgat, zag wat ik bedoelde en liep naar haar toe. Ik vroeg me af of het niet beter was om hen even alleen te laten, maar Bérénice bleef waar ze was, dus ik ook.

'Helaba, meiske, ça va? Wuk is 't? Allé, kom hier... ge zijt toch weeral niet bang van mij, of wel?'

De manier waarop ze glimlachte, deed mij vermoeden dat dat een soort vertrouwelijke grap tussen hen beiden was. Hij kuste haar op het voorhoofd en zei: 'Wacht, ik zal iets voor u gaan halen.'

Jefke ging terug naar de keuken en rommelde in een kastje. Hij viste een klein plastic zakje met kruiden op uit een klein zilvermetalen doosje en begon thee te zetten. Hij schonk het hete water in een gedeukte oranje theepot die betere tijden had gekend, liet de thee even trekken, vulde toen een kopje. Hij zette het kopje op een klein dienblad. Alvorens hij met zijn dienblad de keuken uitstevende, wees hij naar de theepot die nog op het aanrecht stond.

'Niet van drinken, want het is heel straf spul,' waarschuwde hij ons. 'Ik meen het,' benadrukte hij, in Martha's belang veronderstel ik.

Hij zette zich naast Elvira en gaf haar de thee.

'Hier, meiske. Drinkt maar. Maar niet te rap, hei.'

Ze dronk de halve kop leeg en strekte zich weer uit op de fauteuil.

Jefke legde een hand op haar hoofd.

'En gaan wij van deze keer braaf blijven liggen?' vroeg hij.

'Klootzak,' zei ze.

'Haar gevoel voor humor is al terug,' constateerde Jefke. 'Dan is het ergste al weer over.'

We volgden Jefke terug naar de keuken en schaarden ons opnieuw rond de keukentafel.

'Ze trekt zo weer bij,' zei hij. 'Kwestie van een half uurke of zo. En que'est-ce qui c'est passé exactement? Heeft ze jullie verteld over die nazi-gast en zijn gevolg?'

We knikten.

'Ah, dacht ik al. Heeft altijd dezelfde uitwerking. Maar ze trekt wel weer bij. Precies 't zelfde gebeurt als ze in dat oude manuscript heeft zitten lezen. Daar heeft ze jullie ook van verteld, zeker? Ja, daar is ze altijd even niet goed van. Ge zoudt haar moeten zien als ze met die oude papieren bezig is. Meiske toch! Kan nog geen zin lezen en toch heeft ze het in haar hoofd gezet om het hele ding te reconstrueren.'

'Hoe bedoel je, "kan nog geen zin lezen"?' vroeg ik.

'Ah, wist ge dat nog niet? Wel, ze kan het heel goed verstoppen. Is er zelfs in geslaagd om een job aan de unief vast te houden zonder dat iemand er ooit iets van gemerkt heeft, behalve gij verzekers, Lamme?'

Lamme slaagde erin te knikken tussen twee happen uit een pistolet met kaas.

'Waar iets van gemerkt?' vroeg ik verbaasd. 'Is Elvira analfabeet?'

Dat kon toch niet mogelijk zijn. Ze was een student van ons geweest! Het was mij inderdaad ook al opgevallen dat het niveau van de studenten de laatste jaren wat achteruit was gegaan, maar dit was toch echt te bar.

'Nee, nee, ze kan lezen. Woorden tenminste. Maar ze heeft iets zeer eigenaardigs,' zei Jefke. 'Wreed grappig om te zien. Ze kan woorden lezen. Maar geen zinnen. Ze gooit alles door elkaar. En het is zo mogelijk nog erger met getallen. Probeer maar eens om haar een getal van meer dan twee cijfers te dicteren, ze zou het niet kunnen opschrijven als haar leven ervan afhing.'

'Dyslexia?' vroeg Martha.

'Wuk?'

'Dyslexia, een soort leerprobleem.'

'Er is een woord voor?'

'Mijn ouders dachten dat ik het had,' zei Martha.

'En was dat zo?'

'Nee,' zei ze, op een manier alsof ze het eerder een spijtige zaak vond.

'Ge zijt aan 't overdrijven,' zei Lamme. 'Ze kan zeer goed lezen, het duurt alleen enorm lang. Maar ze gaat sneller vooruit als je haar een berg suikerklontjes of een paar liter cola voert. En ik haal soms ook cijfers door elkaar, nietwaar, professor?'

'Inderdaad,' stemde ik toe. 'En ik ook, gelukkig. Jij en ik werken bijzonder goed samen.'

'Ik haal nooit cijfers door elkaar,' zei Martha. 'Alleen namen van mensen.'

'Dat is mij ook al overkomen,' zei ik.

'Dat herinnert mij eraan, denk je nog steeds dat ons avontuur in de bunker enkel en alleen te wijten was aan een samenloop van omstandigheden? Aan puur toeval, bedoel ik?' vroeg Martha.

Ik wist dat ik nooit aan de nacht waarin ik al mijn vier zakdoeken doorweekte, zou kunnen denken als aan puur toeval, maar ik begreep wat Martha bedoelde.

'Ik kan geen andere verklaring bedenken,' zei ik, 'en Elvira ook niet, geloof ik.'

'Ik zou toch maar voorzichtig zijn als ik van u was,' zei Jefke. 'Ook de getelde schapen worden door de wolf gevreten. Ik zou me maar niet te veel op mijn gemak voelen. Het boek is niet uit voor gij de laatste bladzij gelezen hebt.'

Wij toonden het vreemde krantenartikel aan Jefke en meneer Abdullah, en legden uit hoe Martha het in haar post had gevonden.

'Heeft iemand vandaag iets bijzonders in de kranten opgemerkt?' vroeg ik.

Niemand had iets gezien.

'Er was ook niets op radio,' zei meneer Abdullah, 'en ik had hem de hele tijd aanstaan terwijl ik in de file op de ring stond.'

'Misschien probeerde hij ons alleen maar bang te maken,' zei Martha.

'Of misschien heeft de krant uiteindelijk toch geweigerd om het te drukken,' zei Jefke. 'In dit land kunnen de media nogal... gekleurd zijn... wat is daar het juiste woord voor in het Engels?'

'Biased,' zei Martha. 'The media are biased. A universal phenomenon.'

'Over bias gesproken, here, have some tea.'

Jefke had speciaal voor ons nog een pot thee gemaakt, minder sterk maar met dezelfde blaadjes die hij voor Elvira's portie had gebruikt. Hij schonk kopjes in, aaide Bérénice over haar hoofd en gaf haar een glas limonade in de plaats.

'Jij bent nog zo jong, jij hebt mijn thee nog niet nodig,' zei hij tegen haar.

Wij dronken allen van onze kopjes, nieuwsgierig om te zien hoe het zou smaken.

'Verfrissend,' zei ik.

'Lekker zoet,' stemde meneer Abdullah, de thee-expert onder ons, toe.

'Het doet mij de kamer ondersteboven zien,' zei Martha.

'Home-made,' zei Jefke, waarop Martha lachte op een manier die ik van haar nog niet had gehoord: heel zachtjes in het begin en daarna met langzame, meisjesachtige giechels. Ze stopte abrupt met lachen.

'Jeff-ke, can I ask you a question?'

'Curiosity killed the cat,' zei Jefke. 'But go ahead.'

'Wie heeft er ooit je oog uitgestoken en je vingers afgekapt?' Martha leunde langzaam naar hem toe.

'Dezelfde man die mijn voet afkapte,' zei hij.

'En wie was die man?'

'Ah, zotten kunnen meer vragen dan één wijze man kan beantwoorden!'

'Oh, come on. Tell us. Who did it?' vroeg Martha geïntrigeerd, en nu bijna plat voorover op de tafel liggend.

'Een hele... gemene... man,' zei Jefke langzaam. Ik zag zijn hand onder het tafelblad bewegen voor hij een luide klop op het hout gaf, die Martha zich een ongeluk deed schrikken. '...dezelfde man die niet zou aarzelen om de neusjes van wijsneuzige kleine meisjes af te snijden als ze al te nieuwsgierig zouden worden!'

Martha scheen het een hele goede grap te vinden en lachte haar vrolijke meisjesachtige giechellach nogmaals.

Lamme fluisterde naar mij: 'Vlaams Blokkers.'

Ik knikte.

'Als Elvira erin slaagt om dat manifesto te reconstrueren,' zei Martha nadat ze van haar lachbui was bekomen, 'ga ik haar vragen om het te proberen te vertalen in het Engels, of om iemand te zoeken die haar daarmee kan helpen. En jullie moeten haar zeggen dat ze het mij opstuurt. Ik zal proberen om er een uitgever voor te vinden. Ik heb veel contacten in de uitgeverswereld.'

'Ik heb ook een paar contacten,' zei Jefke, 'maar misschien niet dat soort contacten.'

Lamme moest lachen, waarschijnlijk net als ik herinnerd aan *The Ultimate Guide to Seduce a European Man.*

'Ik dacht dat je tegen de publicatie van het manifesto was?' vroeg ik aan Martha.

'Ik ben van mening veranderd,' zei ze. 'Mag ik nog wat meer van die thee, Jeff-ke? Oh, how nice, ik had die fantastisch mooie roze slipjes die op jouw erf grazen nog niet eerder opgemerkt. Ze zwaaien zelfs naar me! Zal ik ze ook wat thee brengen? Trouwens, Jeff-ke, it must be really weird for you, ik bedoel, om alles af te weten van her great love affair with that guy Pedro. You must really hate him for it.'

'Are you kidding?' lachte Jefke en schonk Martha nog wat meer thee in. 'Als ze hém niet had gekend, zou ze nu niet bij míj wonen! Mij hoort niemand klagen. Als de prins de schone prinses kwaad krijgt, is het de nar die haar in zijn bed vindt gevlijd.'

'Geen nieuws over Sigrid Verdronken dus?' vroeg ik in een poging om het gesprek naar minder controversiële onderwerpen terug te leiden.

'Oh ja, dat is waar ook, wij hebben u dat nog niet verteld. Een zeer interessante ontwikkeling. Hij is verhuisd. Zijn koffers gepakt en verdwenen. Weggereden in zijn auto,' zei meneer Abdullah. 'En sindsdien hebben we hem niet meer gezien. Er staat een plakkaat in zijn tuin, het huis staat te koop.'

'Nee! Serieus?'

'Toch wel, mijn beste. Met de noorderzon vertrokken.'

'Verkoop de huid van de beer maar niet voordat je er zeker van bent dat hij geschoten is,' waarschuwde Jefke. 'Gods wegen zijn ondoorgrondelijk, om van die van de duivel nog maar te zwijgen.'

'Do you love Elvira very much?' vroeg Martha hem. Ik kromp ineen van plaatsvervangende schaamte toen ik haar zo'n persoonlijke vraag hoorde stellen.

Jefke lachte luid en ging onmiddellijk op zoek naar een gezegde dat vulgair genoeg zou zijn om de intimiteit van de vraag te staven, maar werd gelukkig onderbroken door meneer Abdullah:

'Zeer juist, mijn vriend, zeer juist!' riep hij uit. 'Zonder vrouwen zouden wij mannen volledig, absoluut en hopeloos verloren zijn.'

Toen stond hij op en struikelde over zijn eigen kleed.

'Deze thee, mijn vriend, is werkelijk zeer smakelijk,' zei hij terwijl hij zichzelf aan één hand weer omhoog probeerde te trekken. 'Ik zou zelfs willen beweren dat ik wel het een en ander van thee afweet en zou daarom nog verder willen gaan door te zeggen dat deze thee werkelijk zeer, zeer smakelijk is. Ik zou graag het recept krijgen.'

Elvira lag nog steeds op de fauteuil in de zitkamer, haar ogen gesloten. Ze zong zachtjes een liedje: 'Maar wie dan zegt dat aardbeziën lekker zijn, 's morgens, avondrood, uw mond is veel zoeter. Trek uwe kleederen uit, ik zal hetzelfde doen: hier is de zilveren doos!'

'Ha!' zei Jefke. 'Mijn goede invloed begint eindelijk uitwerking te krijgen. Hei, meiske, rustig aan met die thee hoort ge, want als dat zo doorgaat, zal 't rap gedaan zijn.'

Bérénice giechelde terwijl meneer Abdullah terug op zijn stoel probeerde te klimmen.

'Er schuilt bijzonder veel waarheid in wat u gezegd hebt, beste vriend,' vertelde Jefke hem. 'Vrouwen kennen geen mate. Chance dat wij die ook niet kennen. Waar er zich twee onder dezelfde deken verstoppen, begaan zij zonder spijt dezelfde zonden!'

Hoofdstuk 3

'Ga daar maar zitten,' zei ik tegen Elvira en wees naar mijn eigen stoel. Vandaag zou ik doen wat ik meer dan dertig jaar geleden had moeten doen. Lieve Elvira wist het nog niet, maar op mijn eigen manier zou ik haar gebruiken voor een heel belangrijke zaak.

Zij en ik waren in mijn kantoor op de faculteit. Ik zette mij neer aan de andere kant van mijn bureau, op de extra stoel normaal gezien bestemd voor bezoekers die normaal gezien nooit durven komen.

Ik gaf haar een potlood en een blad met vragen. Ik had er een week lang aan gewerkt.

'You're crazy,' zei Elvira – ik vrees dat ze wat woordenschat van Martha had overgenomen.

'Heel goed mogelijk. Maar vandaag ben ik hier de professor en voor één keer zul jij de student zijn.'

Ze mompelde een paar ingehouden verwensingen, maar zette zich toch aan het werk en las alle vragen door alvorens te beginnen met de vraag waar ze het meest optimistisch over was, zoals het een goede examinandus betaamt. Ik kon zien dat ze zich het klappen van de zweep wel kon herinneren als ze wilde.

Elvira fronste en zuchtte diep.

'Het is allemaal al zo lang geleden. Ik weet de helft van de symbolen al geeneens meer.'

'Er is een index. Je hebt alle tijd. Ik ga nergens naartoe,' zei ik. 'We hebben de hele dag.'

'Spijtig genoeg wel.'

Ze boog zich weer over de vragen, een rimpel tussen haar ogen. Zeer goed. Het is het beste om altijd goed na te denken voor je iets opschrijft.

'En dan te bedenken dat ik dit alleen maar moet doen om uw frustraties van het verleden goed te maken!' kon ze niet laten zich na tien minuten te laten ontvallen.

'Dat is wat nieuwe generaties horen te doen: de frustraties van de oudere generatie goedmaken. En nu stilte. Concentreer je.'

Toen ze een klein deel van de oplossing had uitgewerkt, vroeg ik of ik even mocht kijken. Ik legde fouten uit, wees op goede invalshoeken en suggereerde nieuwe ideeën. Na een beetje meer gemompel zette ze zich weer aan het werk. Een half uur later nam ik nog een kijkje en suggereerde enkele correcties.

'Moet dat daar geen normale x zijn?' wierp ze tegen.

'Nee. Want hier staat een differentiaalvergelijking.'

'Heilige Maagd Maria, ik haat differentiaalvergelijkingen. Kunnen we niet gewoon doen alsof het iets anders is? Kunnen we niet doen alsof dat quotiënt daar niet staat?'

'Het leidt naar wat Martha altijd de eerlijkheidscoëfficiënt noemt,' zei ik, nam het potlood van haar over en begon haar te tonen hoe ze het kon uitwerken. Onze handen dansten op hetzelfde blad, haar kleine mooie naast mijn grote lelijke. Mijn hart zong terwijl ik de verschillende stappen uitschreef en haar zag knikken, begrijpen. Ze vroeg waarom en hoe en wanneer, en ik legde uit, daarom, op die manier, en dan als. Ik verzon voorbeelden, ik illustreerde met kleine tekeningetjes, ik trok grafieken, ik onderlijnde de verschillende stappen, ik gebruikte een andere kleur voor de formules, met andere woorden, ik deed het enige ding waar ik zowaar goed in ben: wiskunde.

'Dah! Waar komt die e zo plotseling vandaan? Een seconde geleden was die er nog niet?'

'Hier. Je moet dit eerst uitwerken. En dat komt hier te staan.'

'Bwèh! Een sin x! Die haat ik ook! Ik haat ze zelfs nog meer dan differentialen! Het enigste ding waar ik een nog grotere hekel aan zou kunnen hebben is een cosinus!'

'Daarvan staat er hier één. Kijk, het is gemakkelijker als je je voorstelt hoe het er op een grafiekje zou uitzien. Heb je je rekenmachientje?' Ik zette mijn eigen rekenmachine aan.

'Eerlijk waar, professor, ik kan niet begrijpen waarom u zoveel moeite wilt doen,' zuchtte ze. 'Wat maakt het mij uit of ik nu een diploma heb of niet? Minder dan niets.'

'Maar mij maakt het heel veel uit. Je hebt vier jaar aan deze instelling doorgebracht. Je hoort af te studeren. Je bent maar twee examens van het einddiploma verwijderd en het zijn allebei vakken die ik je kan bijbrengen. Kijk nu goed naar wat ik met die quotiënten hier van plan ben.'

Ze staarde me allesbehalve beminnelijk aan, maar liet haar blik uiteindelijk terugglijden naar de bewegingen van mijn potlood. Twee weken geleden, toen ik haar een paar cursussen had gegeven, had ze me al even verbijsterd aangekeken.

'Dat meent u niet serieus, hè?' had ze gevraagd.

'Ik heb nog nooit iets zo serieus gemeend.'

Ik had haar regelmatig gecontroleerd, erop toeziend dat ze elke avond tenminste een paar uur studerend aan haar keukentafel doorbracht. In de weekenden had ik meer zekerheid, want dan kon ik haar thuis bezoeken om mezelf te overtuigen. Ze was in ieder geval meer dan voldoende opgeknapt van ons avontuur in de bunker, want ze had zelfs energie over om te pas en te onpas een raar liedje te zingen:

O Belgenland, men zal weleens,
In later tij uw oordeel vellen,
En zeggen dat met wapens vol,
Gij U de les hebt laten spellen.
Maar ziet verraders te allen kant:
Zij maken 't er wel al te schand!
Ik zinge 't lied van de verraders!

Wie U te neer slaat, o schoon land,
Zijn niet alleen de bend Spanjolen,
Maar wel het grijze rooversras,
Dat om uw schatten hier komt dolen,
Die biechten uwe vrouwen fijn,

En zelven leven als een zwijn!
Ik zinge 't lied van de verraders!

Ik moest toegeven dat het een geestig deuntje was, maar ze zong het wel veel. Een mens moet ook niet overdrijven. Mijn redenering was dat als ze al weer creatief genoeg was om dat soort vreemde liederen ten gehore te brengen, er nog wel iets bij kon.

Het idee om dit privé-examen te organiseren was bij mij opgekomen op de dag waarop wij uit de bunker werden bevrijd. Die avond was Martha het eerste item van het zevenuurjournaal geweest. De journalisten hadden verschillende fragmenten van haar interview samen met beelden van het strand gemonteerd in een grotere reportage die zelfs voorzien was van een klein commentaar geleverd door de burgemeester van Zeebrugge. De achtergrondmuziek was een vrij pakkend wijsje genaamd *American Woman*, dat slechts kortstondig werd onderbroken door enkele korte bijdrages verschaft door de oude visser. De oude pastoor kwam ook in beeld, rennend door het mulle zand, naast Jefke die zijn houten been meesleurde, maar halverwege stopte om het heen en weer te schudden in een poging het zand eruit te krijgen en uiteindelijk uit het beeld verdween, plaatsmakend voor de rennende pastoor die een woedende vuist ophief naar de camera die snel overging tot een close-up van de rennende oude man in zijn lange zwarte jas die nijdig het zand uit zijn ogen wreef. Hier ging het commentaar als volgt:

'Niet alleen de horeca is ingenomen met de plotselinge stijging van het aantal Amerikaanse toeristen aan onze kust. Vele bewoners, waaronder zelfs enkele hooggeplaatste leden van de plaatselijke clerus, wilden voor geen geld ter wereld de kans missen om de bekende buitenlandse celebrity die ook een intieme vriendin van Paris Hilkrot is, persoonlijk te verwelkomen en haar te vergezellen op een rustige strandwandeling die haar toestaat bij te trekken van het jachtige leven in New York en de drukke verplichtingen die de volledige herinrichting van haar grandioze appartement met zich meebrengen.'

Er was ook een klein stukje waarin Martha zei:

'Ja, ik ben goed op de hoogte van de geschiedenis van uw land. Het is waar dat ik thuis geschoold ben en dat ik een geschiedenisleraar met een heel monotone stem had, maar geloof mij, als je vrienden hebt zoals die van mij, leer je wel snel bij. Ik wil bij deze dan ook graag de gelegenheid aangrijpen om het belang van goed onderwijs te benadrukken, en in het bijzonder degelijke geschiedenislessen voor iedereen.'

Naast mij op de sofa was Elvira bezig een of ander klein insect uit haar bierglas te vissen. Ik wist dat zij ook niet erg trots was op de opleiding die ze genoten had. Ik herinnerde mij alle moed die Martha had gedemonstreerd in haar communicatie met onze studenten. Zij had het goede voorbeeld gegeven dat ik moest volgen. Ik had er na het nieuws meteen Jan-Klaassen over opgebeld.

'Ik heb een vraag,' had ik hem verteld, 'en hij heeft met hedendaagse jeugd te maken.'

'Praat me er niet van,' zei Jan-Klaassen die na de natte tijden in Leuven toevlucht had gezocht in het echte onderwijs. 'Wat een teloorgang! Op mijn vorige school bijvoorbeeld zat een jongen, een zekere Bart, niet normaal meer, we noemden die altijd Bart de Vreter omdat hij altijd al de boterhammendozen van de andere kinderen stal tijdens de lunch. En na de lunch noemden we hem Bart de Scheter, maar dat is moeilijker uit te leggen over de telefoon,' lichtte Jan-Klaassen toe. 'Drie turven groot en al zo'n grote mond opzetten! Een echte betweter. Wist altijd allemaal kleine feitjes om een mens uit het lood te slaan, zeer ambetant,' vond Jan-Klaassen. 'En voor zover ik gehoord heb, ook een echte streber in de geschiedenisles. Ja, van dat soort klein mannen moet een mens opletten.'

'Ik weet het,' zei ik.

'En het werd met die gast alleen maar erger met de jaren. Met zijn grote mond natuurlijk nooit geen lief kunnen krijgen, ge kent dat wel. En dan de hele tijd maar klagen dat de meisjes betere punten hadden dan de jongens en dat de punten herverdeeld moesten worden en dat de meisjes en de jongens gesplitst moesten worden. Bij Broederlijk Delen zeiden de meisjes altijd Zusterlijk Opeten en dat doelde dan op Bart die met Pasen altijd de chocolade uit hun brooddozen stal. En met Sinterklaas was het al niet veel beter. Enfin, later hebben ze hem weleens goed liggen gehad, want toen hij dan eindelijk zijn eerste lief vasthad, bleek het gewoon de jongere broer te zijn van een van de meiskes uit zijn klas, verkleed als travestiet. Ja, toch wel harde tijden. Als weerwraak schijnt hij later bij een of andere politieke partij te zijn gegaan, maar dat weet ik niet zeker, dat is maar van horen zeggen, en ik kijk nooit televisie. Waar hadden we het over? Oh ja, je had een vraag?'

'Momentje,' zei ik. 'Elvira? Kun je dat lied over die zwijnen en die verraders niet wat minder luid neuriën? Ik kan mezelf haast niet verstaan.'

'Elvira?' vroeg Jan-Klaassen. 'Je bent in charmant gezelschap hoor ik? Een vriendin? En is 't een beetje een braafke? Ze laat je toch niet te veel afzien?'

'Eh... Maar even over wat ik je wilde vragen. Ik heb een leerboek nodig, een schoolboek bedoel ik, met grote lettertjes als je dat hebt, ik wil graag iets opfrissen.'

Dit is hoe ik de voorbereidingen begon te treffen om voor Elvira dit kleine privé-examen te organiseren. Als Bérénice later groot is, zal er vast ook wel iemand zijn die haar een beetje helpt als het nodig is – zoveel moeite is het uiteindelijk niet.

Zoals ik reeds had vermoed, is Elvira geen wiskundig genie. Maar met een beetje hulp kan ze een aanzienlijke hoeveelheid begrijpen van de theorieën die bedacht werden door intelligentere mensen die vóór haar kwamen. Dat is trouwens waar de meeste academici zich mee bezighouden, slechts zeer weinig van hen slagen erin om echt origineel werk te verrichten. Ik heb wetenschappers gekend die heel wat minder begaafd waren dan een gemiddeld begaafd persoon zoals, bijvoorbeeld, Elvira. Ze kloppen gewoon hun uren.

'In tien minuten zal ik alles wat we vandaag gedaan hebben al vergeten zijn,' voorspelde Elvira optimistisch.

'Het is een grote luxe om iets te hebben dat men zich kan permitteren volledig te vergeten,' antwoordde ik.

Het was reeds acht uur 's avonds toen Elvira erin was geslaagd om – met mijn hulp natuurlijk – alle vragen voor beide vakken op te lossen.

'Eindelijk!' zei ze. Ik glimlachte toen ze haar potlood op de grond liet vallen. Ik bukte om het op te rapen.

'Verdient je vriendelijke examinator geen kus?' vroeg ik, want ik had het gevoel dat sommige privileges van de oudere orde toch bewaard mochten blijven. Ze stond al op de drempel. Het was vrij waarschijnlijk het allerlaatste ding dat ik haar ooit nog met enige autoriteit zou kunnen vragen. Zodra ze deze kamer uitging, zou zij weer Elvira zijn en zou ik mijzelf weer zijn, een man die drieënzestig moest worden voor hij zelfs maar een minimale vorm van autoriteit over zijn eigen lichaam verwierf.

Elvira lachte en liep terug naar mij toe. Kleine rebel als ze was, kuste ze me vol op mijn mond.

'Wacht op mij, ik kom met je mee,' zei ik. 'Laten we het gaan vieren met een glaasje wijn of een kriekske en iets smakelijks om te eten.'

''t Zijn mosselen vanavond,' zei Elvira. 'Ik heb aan Bomma gevraagd om ze voor ons klaar te maken.'

Toen we bij mij thuis kwamen, was Martha haar koffers aan het pakken. Ze vertelde ons dat ze morgen naar Amerika zou vertrekken, om een uitgever te vinden voor het manifesto.

'Maar ik kom terug,' glimlachte ze. 'Voor jou, Jean-Claude. En voor Bérénice.'

In de laatste weken was Bérénice een trouwe brownie-consument geworden – ofschoon dat ook iets te maken kon hebben met het feit dat Martha had ontdekt dat twee bladzijden van haar kookboek aan elkaar hadden gekleefd.

'That is, if you would like me to come back, Jean-Claude.'

Ik zei dat het een grote eer zou zijn.

Hoofdstuk 4

Vandaag ben ik niet aan het schrijven, maar aan het praten tegen een camera in Sigrid Verdronkens tuinhuisje. Als hij zich de moeite wil troosten om naar mij te luisteren, zou ik hem langs deze weg graag willen meedelen dat ik zijn pogingen om van dit schuurtje een gastvrije omgeving te maken niet volledig geslaagd vind. Het is waar dat er hier veel ruimte is en het spaarzaam gemeubileerde interieur verleent het vertrek inderdaad een moderne toets, maar over het algemeen genomen vind ik toch dat er een wat deprimerende atmosfeer hangt.

Bérénice en ik zetten deze ochtend onbezorgd het vuil buiten. Ik floot een vrolijk wijsje, opgelucht dat de vrede eindelijk in onze straat was teruggekeerd, en wandelde opgewekt door mijn lege voortuin. Het was allemaal slechts een nachtmerrie geweest en die was nu over.

'Hoe is 't met dat Marokkaantje gesteld?' hoorde ik plotseling achter mij.

Ik schrok, greep Bérénices hand en wilde omkeren om terug naar huis te rennen. Maar Sigrid Verdronken versperde mij de weg.

'Ik dacht dat je v...v...verhuisd was?' vroeg ik.

'Dat klopt. Maar ik kwam voor enkele uren terug. Ik heb een paar laatste dringende zaken af te handelen,' zei hij. 'Ik moet me nog verontschuldigen voor wat er gebeurd is die avond toen jouw Amerikaanse vrouw dat feest organiseerde, Bouillon. Mijn vriend is de kwaadste niet. Hij had die avond een glas op, anders zou er niets gebeurd zijn. Onze verontschuldigingen.'

'Ik heb geen tijd voor een gesprek,' zei ik. 'Excuseer, ik moet eh... ergens naar toe, om eh... iets te doen.' Jammer genoeg ben ik nooit een al te fantasierijke leugenaar geweest.

Sigrid Verdronken duwde mij op een nogal gewelddadige manier tegen de muur van zijn tuinhuis. Ik schaafde mijn hand een beetje.

'Ik heb je hulp nodig,' zei hij.

'W...w...werkelijk?'

'Ik weet dat we het in het verleden niet altijd eens zijn geweest, maar gij en ik, als mannen onder elkaar, moeten elkaar toch kunnen verstaan. Ik heb raad nodig. Het is heel dringend.'

'Ik kan je niet helpen,' antwoordde ik naar waarheid. 'Ik ben veel te bang voor je om dat te kunnen. Laat mij alsjeblieft passeren.'

Sigrid Verdronken hielp mij mijn angsten overwinnen door mij in de kraag te vatten en mij – alweer op een vrij gewelddadige manier – zijn tuinhuis in te duwen. Ik probeerde mezelf los te rukken, maar hij was verrassend sterk voor een man van zijn leeftijd. Hij greep Bérénice bij haar pols en smeet haar ook naar binnen. Ze bezeerde haar knieën op de ruwe betonnen vloer. Toen hij mij losliet, hielp ik haar snel overeind en kuste haar knieën om de pijn te doen weggaan.

'Kom binnen om een glas met mij te drinken,' stelde Sigrid Verdronken voor, maar hij vergat de drankjes onmiddellijk nadat wij binnen waren. Hij sloot de deur zorgvuldig af, stak de sleutel in zijn zak en overhandigde mij in plaats daarvan een dik dossier. Ik nam het met beverige handen aan en trachtte om de voorpagina te lezen. Ik herkende een van de woorden. Zyklon B. Waar had ik dat woord ook alweer gehoord? Oh ja, Elvira had er eens iets over gezegd. Ik keek de kamer rond en mijn hart sloeg een tel over toen ik zag dat de ramen aan de binnenkant waren dichtgemetseld.

'Ik wilde je alleen maar een puur academische vraag stellen, Bouillon. Het gaat over mijn onderzoek. Ik heb een probleem, maar jij kunt misschien helpen met de oplossing. Het duurt niet lang, maar ik wilde je toch even onder vier ogen spreken, van man tot man.'

'Een andere keer alsjeblieft,' drong ik aan.

'Jammer. Ik was echt benieuwd naar je reactie. Het gaat over iets puur academisch. Niets meer dan een kort gesprek, wetenschappers onder elkaar.'

'Gaat het over wiskunde?' vroeg ik weifelend.

'In de naam van de wetenschap moeten academici soms hun onenigheden opzij kunnen zetten om elkaar vooruit te kunnen helpen,' suggereerde mijn buurman.

Het was erg donker in Sigrid Verdronkens tuinhuisje en ik begon mij zeer ongemakkelijk te voelen. Bérénice drukte zichzelf tegen mij aan.

'Dit is het onderzoeksvoorstel dat ik naar die Amerikaanse mensenrechtenorganisatie stuurde,' vertelde Sigrid Verdronken mij. 'Deze organisatie specialiseert zich in het geven van subsidies aan mensen die tegen censuur en voor intellectuele vrijheid van meningsuiting zijn, net zoals ik.'

'Net zoals...?'

'Mijn onderzoek gaat over een paar belangrijke zaken die gerelateerd zijn aan specifieke periodes in de Tweede Wereldoorlog,' legde hij uit.

'Ik denk dat ik daar per toeval al eens iets over gehoord heb,' zei ik. 'Je schijnt zeer veel kleine details te weten over dingen die lange tijd geleden gebeurd zijn.'

'Dat is mijn roeping,' zei hij, 'om het verleden te herinneren en recht te zetten.'

Ik ben een man die het grootste gedeelte van zijn leven heeft doorgebracht met het angstvallig trachten ervoor te zorgen dat bepaalde mensen juist niet aan bepaalde dingen herinnerd zouden worden en voelde dus weinig affiniteit met zijn doelstellingen. Net als de mensen van de Amerikaanse mensenrechtenorganisatie, zo bleek.

'Mijn voorstel werd zonder meer afgewezen,' zei Sigrid Verdronken. 'Ze stuurden het terug zonder zelfs de moeite te hebben genomen om het te lezen. Misschien kunt gij mij uitleggen, Bouillon, hoe het mogelijk is dat een organisatie

319

die beweert op te komen voor de mensenrechten zoiets kan doen?'

'Misschien zijn zij het niet eens met je m...m...morele i...i... invalshoek?'

'Maar daar gaat het hem nu juist om, Bouillon. Dit is geen kwestie van moraliteit, dit is een kwestie van wetenschappelijk onderzoek. Een tijdje geleden had ik een jonge man voor mij werken. Zeer ambitieus en een geniale wetenschapper, daar heb ik veel hulp aan gehad. Maar die kleine Marokkaanse hoer – dezelfde die gij zo haastig bij u thuis hebt geïnviteerd – liep voor zijn voeten en vernielde al ons werk. Ik weet dat er een tweede kopie is en ik weet dat een van jouw collega's die heeft, maar hij weigert het aan mij terug te geven. Tant pis. Echte originele ideeën blijven eeuwig voortleven, en ik heb ondertussen zelf heel wat tijd gestoken in het verbeteren van onze theorieën. Daarom heb ik echt moeite om te begrijpen waarom die Amerikanen mijn voorstel zelfs niet eens willen lezen. Laat mij het nog één keer voor je herhalen: dit is *geen* kwestie van moraliteit, dit is een kwestie van *wetenschappelijk* onderzoek. Objectiviteit. Nauwkeurigheid. Jij bent zelf een wetenschapper, Bouillon. Vertel mij, maak jij weleens fouten in belangrijke berekeningen? Ik bedoel in heel, heel belangrijke berekeningen?'

'Constant.'

'Wel, misschien als je een nieuwe theorie aan het uittesten bent. Maar als je een wetenschappelijk artikel publiceert, als je er tijd en moeite hebt ingestoken om te bewijzen dat een hypothese juist is. Stel dat ik bijvoorbeeld een theorie uit jouw werk neem, uit een van je meest invloedrijke publicaties. Denk eens aan het onderzoek waarmee je naam gemaakt hebt. Aan theorieën die *wetenschappelijk* zijn *bewezen* honderd procent accuraat te zijn. Aan iets dat volledig gebaseerd is op rationaliteit en logisch denken. Ziet ge het voor u?'

'Ja, helemaal.' Ik was aan mijn laatste publicatie aan het denken. Die die mij De Gouden Bordenwisser had opgeleverd.

'Goed, en stel nu dat ik daar een theorie uit zou nemen. Zou ik daar fouten in kunnen vinden?'

'Duizenden,' zei ik zonder aarzeling. Ik kon zien waar hij naar toe wou, maar hij had werkelijk de verkeerde gesprekspartner uitgekozen. Heilige Maagd Maria. Objectiviteit! Nauwkeurigheid! Als hij het hoofd van ons departement zou zijn geweest, zouden wij allemaal al lang ontslagen zijn. Ik bedoel maar, meestal kan ik mij niet eens herinneren welke dag we vandaag zijn, of waar ik mijn aktetas heb neergezet, laat staan welke vierkantswortel ik al getrokken heb. Je kon echt merken dat hij bar weinig ervaring had met het universitaire leven.

Ik zei: 'Ik denk dat je te weinig ervaring hebt met universiteiten. In mijn ervaring hebben ze niets te maken met nauwkeurigheid. Of met objectiviteit.'

'Oh nee?'

'In mijn ervaring hebben de grootste moeilijkheden niets met het wetenschappelijk onderzoek te maken. Het onderzoek is in feite het gemakkelijkste gedeelte.' Ik dacht aan de eerste vrouwelijke student. 'De studenten zijn de werkelijke uitdaging,' vertelde ik Sigrid Verdronken. Toen dacht ik aan Martha en Elvira. 'Maar soms zijn ze ook wel het aangenaamste gedeelte. Als men erin slaagt om een manier te vinden om met hen samen te werken.'

Sigrid Verdronken vatte het idee van samenwerking onmiddellijk.

'Die Amerikaanse vrouw die bij u woont, ik heb gehoord dat dat ook een grote madam is in een of andere bekende universiteit in Amerika. Misschien wil ze wel een goed woordje doen voor mij en mijn onderzoek.'

Ik zei nee, en probeerde het kort te houden. Toen maakte ik mij gereed om te vertrekken.

'Het spijt mij zeer om te horen dat je subsidieaanvraag werd afgewezen,' zei ik. 'Een veel voorkomend probleem in de academische wereld, en niets om over in te zitten. Een klein tegenslagje, maar gelukkig niet het einde van de wereld.'

'Dit,' zei Sigrid Verdronken, 'is geen tegenslag. Dit, is discriminatie.'

'Ja, die grens is soms moeilijk te trekken, nietwaar? Wel, het verheugt mij je van dienst te zijn geweest, en nog een goede dag verder. We moeten nu gaan, want Bérénice heeft nog niet ontbeten.'

Dat was een leugen. Ze had nog maar net ontbeten. Ze was nog steeds aan het prutsen met het rietje waarmee ze haar thee had opgedronken, maar ik vertrouwde erop dat Sigrid Verdronken wellicht niet zo'n expert op het gebied van de kinderpsychologie zou zijn als ik in deze laatste twee jaren natuurlijk was geworden.

'Niet zo snel,' zei mijn buurman. 'Je hebt nog niet gezegd wat je van mijn nieuwe tuinhuis vindt.'

'Zeer indrukwekkend,' zei ik. 'Zeer opvallende architectuur ook. Ik ben er wel zeker van dat dit tuinhuis, nadat je het huis verkocht hebt, snel een grote belangstelling zal trekken in de hele buurt en dat velen erop gebrand zullen zijn om zich hier een tijdje te komen verpozen. Je zal ze waarschijnlijk met geen stokken kunnen buitenslaan. Het spijt mij dat Bérénice en ik nu moeten vertrekken, maar ik beloof je dat wij later zeker nog weleens terugkomen. Goedendag en tot weerziens.'

'Niet zo haastig, Bouillon. Als mijn goede vriend en buurman kun je vast wel eventjes een minuutje vrijmaken om het vertrek ten volle te appreciëren. Ik ben al maanden op zoek naar een vrijwilliger, ik heb letterlijk allerlei kanalen gebruikt en nu heb ik eindelijk jou hier binnengekregen. Ik had eigenlijk gehoopt om die geitenmelker van hiernaast voor mijn experiment te vragen – het is belangrijk om de juiste omstandigheden te creëren voor mijn test – maar hij is niet al te happig geweest. Maar met jou kan ik mijn plan ook wel trekken. Je hebt precies de juiste leeftijd voor dit soort experiment en ik heb al lang gedacht dat het kleine meisje ook zeer geschikt is. Ik ben erg geïnteresseerd in kinderen en hoe ze reageren op verschillende... omstandigheden,' zei Sigrid Verdronken, en hij sloeg mij neer, liep naar buiten, sloot de deur en liet ons alleen.

'Wellicht kun je mijn onderzoek toch nog vooruithelpen, Bouillon!' riep hij voor hij de sleutel omdraaide. 'Maak je geen zorgen, er zal je niets gebeuren, ik heb deze methode jarenlang onderzocht en ze zou nu honderd procent accuraat moeten zijn!'

We hoorden iets. Het klonk als een klein gaslek.

In de hoek schakelde een kleine camera zichzelf in.

Sigrid Verdronken heeft zich misschien niet ten volle gerealiseerd dat hij ons hier opgesloten heeft, maar als dat wel het geval is, kan ik met zekerheid zeggen dat ik het niet zo'n goede grap vind. Ik had beloofd om Martha deze ochtend naar Zaventem te rijden. Volgens mijn horloge hadden we vijf minuten geleden moeten vertrekken. Martha zit nu waarschijnlijk al in de auto op mij te wachten. Jammer genoeg ben ik er nog niet in geslaagd om een manier te ontdekken om Sigrid Verdronkens tuinhuis te kunnen verlaten. Deze enige deur lijkt zeer goed afgesloten.

Gelukkig draag ik altijd een pakje sigaretten en bijgevolg een aansteker bij mij. Daarmee heb ik een klein stukje hout in de deur kunnen doorbranden – dat was het enige hout dat we hier hebben kunnen vinden, al de rest is van beton: de muren, het plafond, de vloer. Ik heb Bérénices rietje door de kleine opening gestoken. Toen ben ik onder het kleine gaatje gaan liggen. Bérénice ligt nu op mijn buik en ze ademt door het rietje. Ik heb uitgerekend dat we hier, alles bij elkaar, ongeveer vijf tot zes minuten hebben doorgebracht. We beëindigden ons ontbijt een kleine vier minuten voor Sigrid Verdronken ons hier binnenduwde. Bérénice verliest haar interesse in haar rietje bij benadering meestal na een goede twintig minuten, dus ik kan nog een goede tien minuten op mijn gemak zijn. Zelfs als ik flauwval, zal Bérénice ongetwijfeld door haar rietje blijven ademen en boven op mij blijven liggen – deze houding is ze gewend, het is precies dezelfde als waarin we 's nachts slapen. Nu ze boven op mij ligt, is haar gezicht bovendien op precies dezelfde hoogte als het gaatje in de deur, wat erg gerieflijk uitkomt.

Toen ik mij onder het gaatje neerlegde op de betonnen vloer, en haar beduidde dat ze boven op mij moest komen liggen, zei ik tegen haar:

'Kom hier, Bérénice, maar wees voorzichtig, ik ben een oude man. Ah, wat zouden de mensen er niet van denken als ze ons hier zo zagen liggen?'

Ik betwijfel het inderdaad of iemand het een al te gepaste aanblik zou vinden om ons hier zo te zien liggen, maar ik hoop dat men in aanmerking wil nemen dat Sigrid Verdronken er unieke interpretaties van het concept van de gastvrijheid op nahoudt.

Martha zal onze afwezigheid ongetwijfeld snel opmerken. Ze zal ons spoedig komen zoeken. Ik hoop dat ze zich haast, want die gaslucht is nu werkelijk wat hinderlijk aan het worden. Ik knijp Bérénices neus dicht om er zeker van te zijn dat ze enkel door haar rietje inademt. Niet bepaald een zeer democratische opvoedingsmethode, maar ik heb nog geen andere manier kunnen bedenken om er zeker van te zijn dat ze niet door haar neus inademt.

Aan de andere kant, als ik zelf flauwval, kan het wel problematisch worden.

...

Ik heb Bérénice juist getoond hoe enkel door haar mond in te ademen, door met mijn eigen mond zelf een paar grote happen lucht te nemen terwijl ik mijn neus dichtkneep. Ze schijnt het begrepen te hebben en houdt nu zelf haar neus dichtgeknepen, enkel inademend door haar rietje.

Ah, Bérénice, je bent zeer braaf vandaag. Het is natuurlijk niet haalbaar om van kinderen te verwachten dat ze je te allen tijde strikt gehoorzamen, maar de rol van de ouder wordt er toch wel degelijk een stuk plezieriger op als het kind van tijd tot tijd wat meewerkt. Vandaag is ze werkelijk zeer braaf en bijzonder snel van begrip. Welk een plezier om te bedenken dat ze dat van mij geleerd heeft.

Epiloog

Het is nu zomer, en zeer warm. De korenvelden om ons huis zijn in goud veranderd en in het gras in de bermen en in de karrensporen groeien honderden kleine naamloze bloemetjes, rood, blauw, roze, wit en geel. Ik heb er vaak over gefantaseerd om door zo'n gouden veld te rijden, op Tillies rug, blootsvoets, en om de halmen mijn voetzolen te voelen strelen, maar ik heb het natuurlijk nooit gedaan want het zou niet erg vriendelijk zijn tegen de eigenaar van het veld en ik zou zeker al rap een boze boer achter mij aan krijgen. Maar achter het huis, op het weggetje door het bos naar de velden waar het Mariakapelleke ligt, groeit het gras ook heel hoog, het reikt tot aan mijn middel, en elke ochtend als ik er doorheen wandel om Maria's kaarsje te gaan aansteken, streelt het mijn benen, misschien wel zachter dan de korenhalmen dat zouden doen, en ik voel de zon op mijn rug, en je moet ervan huilen dat de wereld nog zo schoon is, maar tegen de tijd dat ik bij Maria kom moet ik weer lachen: een vrouw die erin geslaagd is om hele naties voor eeuwenlang voor de zot te houden, alsof ze ooit een kind zou hebben gebaard terwijl ze maagd bleef! Over improviseren gesproken.

Dankzij van Bouillon heb ik nu een diploma dat ik nooit zal gebruiken. Ik weet niet hoe hij het klaargespeeld heeft, maar gisterenmorgen zat het miraculeus in de brievenbus. Het was ondertekend door de faculteit, met een paar interessante voetnoten in het Latijn. Als ik ze goed vertaal, betekenen ze denk ik dat de universiteit weigert om persoonlijk verantwoordelijk te zijn voor het exacte eindprocent van mijn graad. Dus, met andere woorden, nu heb ik een diploma van een universiteit die de waarde ervan publiekelijk in twijfel trekt. Maar misschien is het met alle titels wel zo: het hangt er echt van af wie je wijs kunt maken dat ze iets te betekenen hebben.

Van Bouillon heeft zijn huis aan Martha nagelaten, maar hij heeft Bomma het recht gegeven om er in te blijven wonen zo lang ze wil. Bomma heeft er toch voor gekozen om bij ons te komen wonen, wat zou ze moeten doen in een leeg huis. Bérénice woont nu ook bij ons, dat stond ook in van Bouillons testament. Hij heeft ons ook zijn spaarrekening nagelaten, 'voor loodgieterij-kosten' stond er in de handgeschreven brief. We hebben nu warm water en centrale verwarming. Van Bouillon liet ook een brief aan Martha na. Ze las hem, terwijl ik naast haar zat, hier aan onze keukentafel. Het moet een zeer schone brief geweest zijn, wie weet, misschien zelfs een liefdesbrief, want ze huilde erbij. Ze heeft niet alleen onze taal geleerd, maar ook onze manier van huilen: haar uitdrukking veranderde niet, een paar stille tranen gleden over haar wangen en ze vroeg onmiddellijk om een pintje.

Vandaag kreeg ik een telefoontje van Martha, vanuit New York, waar ze woont als ze niet voor haar werk naar Harvard moet. Ook al is het nu al langer dan een jaar geleden sinds van Bouillon stierf, ze blijft me regelmatig opbellen, één, soms twee keer per maand. Vandaag vertelde ze me ook iets meer over wat er in de brief stond. Blijkbaar schreef van Bouillon dat hij, zelfs nadat hij erachter was gekomen dat Martha niet degene was die hij dacht – in zijn typische verstrooidheid had hij haar verward met een student die hij lang geleden had geëxamineerd – in zijn gedachten zou ze altijd de jonge vrouw blijven die hem voor het eerst... ik vergeet wat het ook al weer was. Maar het maakte in ieder geval een diepe indruk op Martha. Ze bleef maar zeggen dat ze hem nooit zou vergeten. Zoals elke keer als ze opbelt, vergat Martha niet om te vragen hoe het met Bérénice gaat. Waarschijnlijk omdat zij degene was die Bérénice uit Sigrid Verdronkens tuinhuisje redde, slechts minuten nadat de professor gestorven was, en ook omdat ze weet hoe belangrijk Bérénice was voor de professor. Ik heb haar verteld dat alles goed gaat met

Bérénice, ze is hier graag en komt met iedereen goed overeen. Ik heb altijd gedacht dat ik nooit een moeder zou zijn en nu heb ik een dochter.

Martha vertelde mij dat ze, sinds ze terug naar Amerika is verhuisd, minder hard werkt dan voordat ze ons ontmoette. Ze is 'dating' iemand die niet drinkt, maar die ook geen enkele vorm van groente eet die niet uit eigen wil van een boom is gevallen. Martha zei dat er verbazingwekkende hoeveelheden groentes bestaan die blijkbaar in die categorie vallen, en ook dat de grens tussen wat uit eigen wil valt en wat niet, soms nogal vaag kan zijn. Ik zei dat dat voor meer dan alleen groente opgaat. Zij zei dat het avondeten dikwijls gepaard gaat met lange discussies.

Kadisha heeft op een onderduikadres gewoond tot zij en ik elkaar via meneer Abdullah weer terugvonden. Jefke heeft een nieuw paspoort voor haar gemaakt. Ze werkt nu voor een Amerikaanse multinational in Brussel en ze is al verscheidene keren gepromoveerd. We spreken geregeld af bij de Abdullahs.

Aisha en Fatima hebben een nieuwe hobby: wijnproeven. Ze zijn lid geworden van een vereniging van wijnproevers en maken samen tripjes. Bashirah zit ondertussen in het nationale team van het vrouwenvoetbal. Ze zingt ook in een heavy metal band.

Meneer Abdullah krijgt nog steeds tranen in zijn ogen telkens als hij de professors naam uitspreekt. Hij heeft een klein standbeeld ter ere van hem opgericht, tussen zijn tomatenplanten die heel goed zijn gaan groeien nadat Jefke en Lamme een kleine serre voor ze gemaakt hebben, uit oude planken en plastic. Meneer Abdullah werkt nog steeds als hoefsmid en hij komt regelmatig naar de boerderij om Tillies hoeven te bekappen.

Sigrid Verdronken werd gearresteerd door de Nederlandse politie, ze vingen hem toen hij op Schiphol op een vliegtuig probeerde te stappen. Ze brachten hem in Den Haag voor het gerecht en er is ook een proces geweest ergens in Duitsland – ik vergeet waar precies. Hij kreeg een paar korte gevangenisstraffen die één lange worden als je ze allemaal optelt. Het werd hem toegestaan om zijn straf uit te zitten in een Belgische gevangenis.

Hij ontsnapte twee weken na aankomst. Op het nieuws zeggen ze dat hij naar Italië is gegaan, waar het erg mooi weer is. Ons nationale politiekorps is naar hem op zoek, maar ze hebben problemen om samen te werken met de Italianen, die hun nationale feestdagen op iets andere data hebben, en bovendien hun lunch-pauze en hun avondeten iets later op de dag gewend zijn. Bovendien zijn er klachten – van Belgische zijde – over het gebrek aan mayonaise in de Italiaanse keuken. Er wordt nu geprobeerd om het culturele conflict te verhelpen door de Belgische agenten toe te staan boterhammendozen mee te brengen naar hun werk. Het gerucht gaat dat Sigrid Verdronken er inmiddels in geslaagd is om de Adriatische Zee over te steken, op weg naar Kroatië, waar het weer nog mooier schijnt te zijn. Op de radio hoorde ik een Engelse minister becommentariëren dat hij nog steeds moeite had om zich een verenigde Europese grondwet voor te stellen.

Dat gaf Siebe een idee voor een nieuw businessplan; hij heeft Bomma gemotiveerd om een soort mayonaise te bedenken die goed blijft bij hogere temperaturen, en vertrok een week geleden, samen met een paar vrienden in de richting van Italië, en Bomma met zich meenemend in het geval van last-minute-mayonaise-noodgevallen. Ik had ze gisteren aan de telefoon en ze zeiden dat Bomma zich amuseert. Ze hebben haar nog maar één keer verloren, in een park waar ze was weggelopen om naar het standbeeld van een naakte man te staren, en gelijk had ze, zei Siebe, de anatomische verhoudingen waren allesbehalve realistisch. Ze lieten me een adres neerschrijven – Bomma heeft gevraagd of ik haar dansschoenen kan opsturen. Een van Siebes vrienden zal haar een lift terug geven zodra ze klaar zijn met de laatste lading mayonaise voor de verkoop aan wanhopige Belgische inwijkelingen.

Pim Fortuyn en Pedro zijn nog steeds dood. Dit heb ik Martha niet verteld, maar hun geesten huizen in onze logeerkamer waar ze passionele debatten houden over rechtvaardigheid, hoofddoeken, gezondheidszorg, beschaving, politiek, cultuur en godsdienst. Ratana doet soms ook mee en dan zijn ze verrassend stiller. Bérénice slaapt nu in die kamer, het is de hare. Elke morgen als ze naar beneden komt, heeft ze een grote glimlach op haar gezicht. Ik veronderstel dat de argumenten van om het even wie zichzelf al te serieus neemt altijd wel een beetje grappig zijn, vooral als je ze van heel dichtbij hoort en als je nooit verplicht bent geweest om hun vuile kousen te wassen en je waardevolle voorwerpen voor ze te verbergen.

Ik heb nu van Bouillons volledige dagboek uitgetypt, inclusief het gedeelte met fragmenten van mijn eigen verhaal erin. Ik heb ook alles in het Engels vertaald, zoals Martha vroeg. Ik zal in het geheim Habermats geliefde kopieermachine nog maar eens misbruiken, zodat ik de Engelstalige kopie van deze bladzijden naar haar adres in New York kan sturen.

Ik ben nog steeds aan het proberen om Pedro's manifesto te ontcijferen. Ik heb eventjes gepauzeerd om eerst professor van Bouillons manuscript helemaal uit te typen: zijn handschrift is zoveel makkelijker te lezen. Van Pedro's handschrift krijg ik dikwijls hoofdpijn.

De eerste twee delen van het manuscript dat je zojuist gelezen hebt, zijn letterlijk gebaseerd op het dagboek dat professor van Bouillon schreef over Bérénice en hemzelf. Het derde deel van dit manuscript is gebaseerd op zijn notities over wat ik hem en Martha vertelde toen we opgesloten zaten in de bunker in de duinen. Het vierde deel bevat weer de professors woorden, sommige door mij getranscribeerd aan de hand van de videofilm die we na de dood van de professor in Sigrid Verdronkens tuinhuis vonden.

Na al deze woorden te hebben neergetypt, sommige van de professor en sommige van mijzelf, valt het me ineens op dat ofschoon hij een vijfenzestig jaar oude man was en ik een zesentwintig jaar jonge vrouw ben, we toch minstens één gewoonte delen: om in tijden van tegenspoed koppig de Heilige Maagd te blijven aanroepen, al zijn we geen van beiden erg religieus. Als je dan toch iemand moet aanroepen, dan iemand met gevoel voor humor.

Jan-Klaassen heeft naar eigen zeggen de taalfouten uit dit manuscript gehaald.

De rijkswacht zoals van Bouillon, meneer Abdullah, Jefke en ik die nog gekend hebben, is natuurlijk al lang geen afzonderlijk militair politiekorps meer, want alle werknemers zijn lid geworden van het gewone politiekorps. Zo ook Boldewin. Hij is nu deel van een politiekorps in een stad in West-Vlaanderen. Ik heb zijn naam veranderd en zal de stad niet bij naam noemen. Niet omdat ik bang voor hem ben, maar omdat ik weet dat het iemand is die zijn privacy op prijs stelt. Voor de rest is mijn strategie voornamelijk om te hopen dat hij ooit nog eens aan ouderdom sterft, maar voor het moment schijnt dat er precies nog niet in te zitten.

Pieter heeft zijn televisie nog steeds niet teruggevonden, en het meisje in het rode kleedje ook niet, maar het liedje dat hij over haar maakte, is in de top tien terecht gekomen en is de hele zomer non-stop op de radio geweest. Zijn adres is Koekoekstraat 70, te Melle-Zwalm, en hij zou graag nieuws van of nog liever door haar ontvangen. Hoe sneller, hoe liever, want 't is een plezant liedje maar als je het vijftig keer per dag moet aanhoren, begint het wel op de zenuwen te werken.

Dat herinnert me eraan dat Martha al succes heeft gehad met het zoeken naar Amerikaanse uitgevers voor Pedro's manifesto. Hun enige voorwaarde is dat we alles wat politiek incorrect is eruit halen. Eén uitgever is wel bereid om wat te improviseren, zei ze, maar dat ziet zij niet zitten. Ze zoekt verder.

Het Vlaams Blok bestaat natuurlijk niet meer, maar is nu volledig het Vlaams Belang geworden dat gelukkig veel toleranter is en zelf toegeeft eigenlijk wel een heimelijke passie te voelen voor de multiculturele samenleving, er zijn slechts een paar vormen van immigratie waar ze niet achter staan: geenbelastingbetalende immigratie, werkloze immigratie, niet-Vlaamse immigratie, niet-Europese immigratie, niet-westerse immigratie, niet-christelijke immigratie, niet-heteroseksuele immigratie, mannelijke immigratie die trouwt met een of meerdere van de voorgaande of erger nog met hun eigen dochter, vrouwelijke immigratie die trouwt met een of meerdere van de voorgaande of erger nog met hun eigen dochter, mensen die de voorgaande lijst niet uit het hoofd krijgen geleerd, en spruitjes op zondag.

Otto is naar India afgereisd, op zoek naar minder vermoeiende godsdiensten.

Hugo Claus is na de bewuste feiten op die dag in 2002 niet meer gesignaleerd. Op het moment dat ik dit schrijf, zit er naast mijn colablikje weer een muisje, Hilde Claus, als ik even wegloop, zorg ik ervoor dat ik het altijd afdek met iets zwaars, want muisjes zijn lenig en ik wil niet dat ze erin valt, dat is al eens gebeurd met een ander muisje, maar die heb ik er toen gelukkig op tijd uitgekregen door het blikje snel open te snijden met Jefkes zakmes.

Ik heb Bérénice op Tillie leren rijden en we hebben haar lievelingsschaap Yves gedoopt. Het meest luie schaap van de kudde. Maar ja, zoveel schapen hebben we niet, dus voorlopig heeft hij nog niet veel concurrentie.

Lamme werkt nu als assistent voor een andere professor, maar niet voor lang meer, want hij is van plan om naar hier te verhuizen en op de boerderij van een gebuur met uitbreidingsplannen te gaan werken.

En Jefke heeft ondertussen nog zoveel andere stunts uitgehaald, je kunt er een hele bibliotheek mee vullen. Als je zijn hulp ooit nodig hebt, moet je maar naar hem op zoek gaan, het is misschien wel gemakkelijker dan je denkt, en als je hem niet onmiddellijk vinden kunt, moet je niet bang zijn, want dan zal hij jou wel vinden. Hij is er heel goed in.

De cafébaas van De lustige Jeanette heeft elke donderdag de framboises in de aanbieding. Aan de muur achter zijn toog hangen foto's. Foto's van feestjes die ze daar ooit gehad hebben, sommige al heel oud, vrolijke groepjes mannen die een toast uitbrengen en elkaar lachend op de schouders slaan. Achter een van die mannen staat een jongeman. Wat is 't, meiske, hebt ge iemand herkend, heeft de cafébaas mij eens gevraagd. Ja, zei ik, of eigenlijk helemaal niet, en hij zei dat gebeurt nog, de meeste mensen die hier komen, komen om te feesten en zich te amuseren, maar soms zijn er ook die hier komen en in zichzelf iets herkennen dat ze liever niet herkend hadden en onmiddellijk weer willen vergeten, en die ziet ge nooit meer terug want er begint hun van binnen iets op te vreten dat zo zuur is dat zelfs mijn zoetste bieren het niet kunnen doorspoelen, en soms denk ik dat zelfs God hierboven niet weet wat er dan met ze gebeurt. Maar ik zet elke donderdag toch de framboises in de aanbieding, want ge kunt nooit weten en alle kleine beetjes kunnen helpen. Enfin, daarom, en ook omdat die geniepigaard van Het hopeloze geval anders al mijn klandizie afsnoept natuurlijk, maar eigenlijk loopt het wel los, want zolang de mensen feesten, feesten ze, en dan komen ze ook weleens terug, en als ze zat genoeg zijn merken ze het verschil niet eens.

En zo lijkt alles voorlopig weer wat te zijn bekoeld in het kleine koninkrijk. In 2007 zijn er federale verkiezingen gepland. We kunnen er alle vertrouwen in hebben dat ze zeer vlotjes zullen verlopen, zegt Jan-Klaassen.

Ik wil dit verhaal beëindigen met een komische noot, omdat ik denk dat de professor dat geapprecieerd zou hebben. Wel, ik weet nog een goede anekdote, iets wat niet lang geleden gebeurd is en waar wij allemaal een rol in speelden: Habermat die gefêteerd werd als professor emeritus van de Katholieke Universiteit van Leuven.

Zoals je je wel kunt voorstellen, begon de hele aangelegenheid als een nogal hypocriete bedoening waarin professor Habermat werd gedankt voor zijn levenslange toewijding aan het welzijn van de universiteit, de studenten en de wereld in het algemeen. Alle faculteitsleden waren uitgenodigd om naar de speech te komen luisteren die Habermat zou geven, op het midden van de Grote Markt, waar zulke hypocriete evenementen gewoonlijk plaatsvinden. De stad Leuven maakte zich die dag echter al gereed om een ander speciaal evenement te vieren: het was de dag voor de vasten, de dinsdag waarop de Aalstenaars altijd zo'n heftig carnaval vieren, en dit jaar wilden de Leuvenaars niet onderdoen. Professor Habermat werd dus vriendelijk verzocht om zijn speech in plaats daarvan op de Oude Markt te geven, waar alle studentecafés zijn, en waar professor van Bouillon vorig jaar zijn nederige Gouden Bordenwisser in ontvangst mocht nemen.

Martha reisde hierheen, helemaal uit New York, ze betaalde voor een eersteklasvliegticket, gewoon om hier één dag te kunnen zijn, en ze vond het helemaal geen buitensporige uitgave, ze zei dat ze het wel op een onkostennota zou zetten. Dat moeten nogal onkostennota's zijn. Daar zou Jefke nogal een paar paspoorten voor moeten... enfin, als de voltallige staf van Harvard eens een weekje niet op congres zou gaan, kunnen wij er hier in België alle immigratieproblemen mee oplossen.

Ik had al wekenlang (sinds Lamme ons over Habermats emeritaat had verteld) gezegd dat ik er heel zeker niet naartoe ging, maar natuurlijk deed toeval ons er midden in belanden.

Siebe had onze buurman met uitbreidingsplannen ervan overtuigd om in struisvogels te investeren. Die kunnen blijkbaar tegen lagere kosten dan koeien worden gehouden – ze eten minder – en het vlees en de eieren kunnen tegen een hogere prijs worden verkocht – struisvogelsteak klinkt inderdaad heel wat exotischer dan een saaie koe, en misschien had Siebe het mayonaise-avontuur dat hij later met Bomma zou beginnen ook al in zijn achterhoofd en stelde hij zich een toekomst voor gebouwd op exclusieve struisvogel-met-mayonaise-sandwiches, om te verkopen aan toeristen en plaatselijke bourgeoisie. Onze buurman was pas helemaal overtuigd toen hij van Siebe hoorde dat de vogels ook zeer goed tegen de koude schijnen te kunnen. Ik kan alleen maar zeggen dat ze tot nu toe vooral hele snelle hordenlopers blijken te zijn. Don Quixote is er een slak bij. En de Yves moet er al helemaal niets tegen proberen, die verdwijnt onmiddellijk in een stofwolk.

Twintig struisvogels werden verscheept. We haalden ze op in de haven van Antwerpen. Jefke had aangeboden om de camion die normaal voor koeien gebruikt werd te besturen. Bérénice, de boer en een paar mensen uit het dorp waren ook meegekomen, samengeperst in de cabine, want iedereen was nieuwsgierig om een eerste glimp van de exotische vogels op te vangen. We hadden Tillie in het laadruim meegenomen, voor het geval de vogels schuw zouden zijn en een lege camion niet in zouden willen. Maar ze waren helemaal niet schuw, ze wandelden zo naar binnen. Het plan was om op onze terugweg Lamme in Leuven op te pikken, zodat hij later kon helpen de vogels uit te laden. Maar we kwamen vast te zitten in het verkeer op de ring rond Brussel, en later weer op de ring rond Leuven.

'Wij gaan hem wel gaan halen,' zei ik en sprong samen met Bérénice uit de camion. Ik droeg haar op mijn rug om rapper te zijn en rende in de richting van de Oude Markt waar ik wist dat Lamme voor een dagje voor ober aan het spelen was, net als een hele reeks andere assistenten van de faculteit die allemaal drankjes serveerden aan al de wijze gasten die waren gekomen om naar professor Habermats speech te luisteren.

De straten waren ongelooflijk druk en gevuld met mensen die naar Leuven waren getrokken om het carnaval te vieren. Toen we er eindelijk in slaagden om ons een weg naar de Oude Markt te banen, zagen we dat die ook gevuld was met zowel academici als carnavalsvierders die waren binnengestroomd vanuit de Grote Markt. Professor Habermat zat nog in het midden van zijn speech, gestoken in zijn lange toga en met zijn speciale academische hoed op zijn hoofd, sprekend met die zelfverzekerde onverschilligheid die hem zo typeert. Mevrouw Habermat stond naast hem op het platform, bloednerveus niettegenstaande de grote hoeveelheden kalmeermiddelen die ik me nog goed van Habermats wekelijkse boodschappenlijstje herinner, in haar hand een Delvaux-handtas die ik ook ooit nog eens voor haar ben moeten gaan kopen.

Het probleem was hoe we Lamme in die grote mensenmassa konden terugvinden. Maar plots hoorde ik iemand mijn naam roepen. Het was Martha, die naast Bloem en de andere academici stond, voor de gelegenheid ook allemaal speciaal uitgedost in hun toga's. Martha lachte ons toe en wees naar iets achter mijn rug. Ik draaide me om en zag hoe de eerste struisvogel de Oude Markt betrad. Jefke zou ons later vertellen hoe ze met de camion klem hadden gestaan voor een rood licht toen de laadklep plotseling naar beneden was gevallen en de eerste vogels hun reusachtige voeten op Leuvens academische bodem hadden gezet. Ze waren sneller vooruitgekomen in de mensenmassa dan Bérénice en ik hadden gedaan en ze leken te denken als schapen: eentje ontdekte de Oude Markt, vele anderen volgden al snel. Academici zowel als carnavalsvierders werden zonder onderscheid genadeloos ondersteboven gelopen in een immense chaos van fladderende zwarte veren en sterk ruikende vogelmest die alle kinderkoppen, toga's en carnavalskostuums die de vogels op hun weg ontmoetten besmeurden. Een man verkleed als een vuile Jeanette, compleet met zwarte nylonkousen en een rode roos op zijn slipje, klom op de bank van de kotmadam en slaagde erin om op de rug van een van de struisvogels te springen. Hij reed er een verdienstelijk rondje op, werd luid toegejuicht door vele feestbeesten, viel toen van de bange vogel die een luide kreet uitstootte en in de richting van Habermats platform racete. Mijn ex-werkgever en zijn vrouw voelden de gammele grond onder hun voeten wegzinken en verdwenen in een draaikolk van zwarte veren, vogelgekrijs en brekende champagneglazen. De glazen hadden op het dienblad gestaan van een assistent die onder het platform had gepauzeerd om zich te goed te doen aan een schotel salami voor het allemaal zou kunnen worden opgegeten door de gasten. Ik herkende Lamme.

Ik droeg Bérénice nog steeds op mijn rug. Ze lachte luid toen Habermat uitgleed over wat struisvogelmest en zijn vrouw vervloekte die op Lammes schoot terecht was gekomen en een gevecht met hem aanging om het laatste intacte champagneglas te bemachtigen.

Toen voelde ik iets anders tegen mijn rug drukken. Het was Tillie, die ook van de camion gesprongen moest zijn en de struisvogels naar het plein was gevolgd. Ik zette Bérénice op haar rug, klom achterop, drukte met mijn benen in Tillies flanken en ze droeg ons de trappen aan de zijkant van het marktplein op. We keken naar de chaotische menigte, ik en de twee kinderen, één op Tillies rug en één die groeide in mijn buik.

Bérénice lachte en wees naar Jefke, de boer en de dorpelingen die aan de andere kant van het marktplein verschenen waren. Ze baanden zich een weg naar ons toe, zwaaiden verwoed naar de struisvogels en botsten tegen boze academici, lachende assistenten en applaudisserende carnavalszotten op.

'Finally! I've made it,' zei Martha, de eerste die erin geslaagd was om zich door de menigte naar ons toe te wringen. Ze leunde tegen Tillie om op adem te komen.

Ze had gelijk, dacht ik, soms zijn wij allemaal absoluut, volslagen en compleet onnozel.

Toen Bérénice later dat tafereel schilderde, tekende ze van Bouillon tussen al de andere kleine figuurtjes op de Oude Markt, met een viool in zijn hand, staand naast een klein meisje met een rietje tussen haar lippen, die de hand vasthoudt van een ander meisje met een nogal grote mond dat een klein jongetje en een varken die een beha aanheeft in haar armen draagt. Nu ben ik aan het einde van dit verhaal gekomen, maar misschien zal ik er spoedig nog een schrijven. O! Niemand weet wat de toekomst ons zal brengen, maar in dit land waar ik u liefheb is alles mogelijk! Sta mij toe op u te drinken, mijn vriend! Santé! Ad fundum!

HET LAND WAAR IK U LIEFHEB